新版 実務につながる

地代・家賃の判断と評価

不動産鑑定士 黒沢 泰 著

清文社

改訂にあたって

本書の初版を著してから早３年以上の年月が経過しました。

初版では、地代家賃の基本的な仕組みから紐解き、地代については借地の目的が建物の所有を目的とするものか、それ以外の使用方法を前提とするかによって異なり、契約期間が長期的なものか短期的なものかによっても、契約内容や地代の金額が異なることを取り上げました。

また、家賃については使用目的が居住用であるか、事務所や店舗目的であるか、工場・倉庫のようなものであるかによっても、そのレベルが異なっていることも述べました。さらに、地代家賃の決め方やこれらの改定をめぐる諸問題、地代家賃に関連する周辺知識等も含めて全般的かつ体系的に解説しました。

しかし、その後の世の中の動きは激しく、誰しもが予想のつかなかった問題（新型コロナウイルス感染症の感染拡大に伴う地価の変化、賃貸不動産の入居者の売上減少に伴う賃料支払いをめぐる問題等）が発生し、新たな対応を迫られることとなりました。

そのため、改訂版では、新たに第９章「地代家賃をめぐる最近の話題」を設け、コロナ禍における地価動向や賃料動向、賃料の取扱いをめぐる諸問題（想定される事案と対応策等）について解説しました。

また、上記以外の内容についても、初版刊行後に公表された統計資料によるデータの更新、公有財産の貸付基準の一部改訂に伴う資料の差替えをはじめ、最新のものに置き換えてあります。今般の改訂は、初版に引き続き地代家賃をめぐる実践的な解説を試みると同時に、地代家賃とは何かという本質的な部分についても、初版の内容を活かしたものとなっています。

本書が、賃貸借に関わる方々にとって少しでも役立つことができれば幸いです。

なお、最後になり恐縮ですが、本書の改訂にあたって株式会社清文社編集第三部　立川佳奈氏に大変お世話になりましたことを、紙上を借用しお礼申し上げます。

2022年９月

不動産鑑定士　黒沢 泰

はしがき

一般の人が地代や家賃ということばを聞いたとき、どのような印象をもってこれを受け止めるでしょうか。多くの人は、例えば、自分の家が借地であるため地主に支払う使用料であるとか、アパート・マンションの一部屋を借りているため家主に支払う使用料を思い浮かべることでしょう。この他に、駐車場代のようなものもイメージされるかもしれません。

また、企業や法人の場合には、その所有している建物（事務所・店舗・工場・倉庫等）の敷地が借地であればその使用料を、営業用として使用している建物が貸事務所等のものであればその使用料をイメージされることと思います。

しかし、地代のなかには農地の賃借料も含まれ、家賃のなかには公有財産（体育館等）の賃借料のようなものも含まれてきます。

このように、一概に地代・家賃といっても、その意味するところは様々です。そして、借地の目的が何か（＝建物の所有を目的とするものか、それ以外の使用方法を前提とするか）、契約期間が長期的なものか短期的なものかによっても、契約内容や地代の金額は異なってきます。

また、家賃の場合には、使用目的が居住用であるか、事務所や店舗目的であるか、工場・倉庫のようなものであるかによっても、そのレベルは異なっています。

さらに、これは価格にも共通することですが、同じ用途で使用するにしても、地代・家賃のレベルはその物件が所在する地域によっても異なりますし、地域間での需給状況の相違によっても大きな影響を受けることがあります。

そこで問題となるのは、このように様々な概念からなる地代・家賃の金額を、対象物件の性格や用途に応じて、どのように決めればよいかということです。

賃貸アパートや賃貸マンション等で、同じ一棟のなかに募集中の物件がいくつもある場合には、募集広告から相場（目安）が読み取れます（募集賃料がそのまま成約賃料に結びついているとは限りませんが、数多く資料を収集することにより一定の幅を把握することは可能です）。

しかし、このような方法では賃料相場を把握し難い場合、すなわち、市中に賃貸物件がなく、募集広告も目にすることができない場合に、どのような方法や考え方に基づき賃料の額を判断し、その金額について借主の合意を得るかが大きな関心事となります。

地代・家賃の判断や評価に関する問題はこのように奥が深く、かつ、想像以上に難しい側面を含んでいます。また、契約当初はこれでよいと考えていた賃料でも、期間の経過やその間に生じた経済状況等の変動により、そのままの賃料を据え置くことが適切でなくなることもあります。しかし、一体いくらの金額が改定後の賃料として適切であるかについては、画一的な物差しが市中に存在しているわけではありません。

これに関しては、本書のなかでも相当の頁数を費やしていますが、地代・家賃のなかには新規貸しの場合にのみ当てはまる賃料（新規賃料）と、契約が継続中の状態にある場合にのみ当てはまる賃料（継続賃料）とがあり、継続賃料の場合は当事者間の個別交渉により改定額が決定され、その結果が市場に表れてこないためです。また、新規賃料と継続賃料とでは、それぞれのレベルや賃料決定の考え方は根本的に異なっています。

以上述べてきたことの他にも、地代・家賃をめぐり念頭に置かなければならない法知識もあります（民法、借地借家法、消費者契約法等）。これらの法令では地代・家賃の金額について直接的な規定は設けていませんが、土地や建物の利用規制を把握する意味でその趣旨の理解は不可欠です（かつて、地代家賃統制令が適用されていた時代もありましたが、昭和61年12月末に廃止されています）。

筆者は日頃からこのような問題意識を抱いておりましたが、今般、不動産の賃貸に業として携わる方だけでなく、地代・家賃の考え方や算定方法を知りたい方、業務の都合上その知識を必要としている方も含めた体系書の執筆機会をいただきました。そのため、内容はできる限り実務に沿ったものとしましたが、実務を根拠付ける周辺知識についても随所に織り込んであります。また、本書の章立ては以下のとおりとしました。

第１章　地代と家賃の相違

第２章　地代の分類

第３章　家賃の分類

第４章　公有財産の貸付基準

第５章　地代家賃の情報収集の難易度と収集方法

第６章　賃料の決め方と具体例

第７章　賃料改定と借家の更新料をめぐる諸問題

第８章　地代家賃に関連する周辺知識と参考資料

本書が、地代家賃に関する考え方や算定方法、その根拠付けとなる周辺知識を得たいと考えている方々にとって何らかのかたちで参考になれば幸いです。

なお、最後になり恐縮ですが、本書の刊行にあたって清文社編集第三部折原容子氏に大変お世話になりましたことを、紙上を借用しお礼申し上げます。

2018年９月

不動産鑑定士　黒沢 泰

新版　実務につながる　地代・家賃の判断と評価

CONTENTS

第1章 地代と家賃の相違

第2章　地代の分類

第3章 家賃の分類

第4章 公有財産の貸付基準

第5章 地代家賃の情報収集の難易度と収集方法

第6章 賃料の決め方と具体例

第9章 地代家賃をめぐる最近の話題

※本書は、2022年８月末日現在の法令等に基づいています。

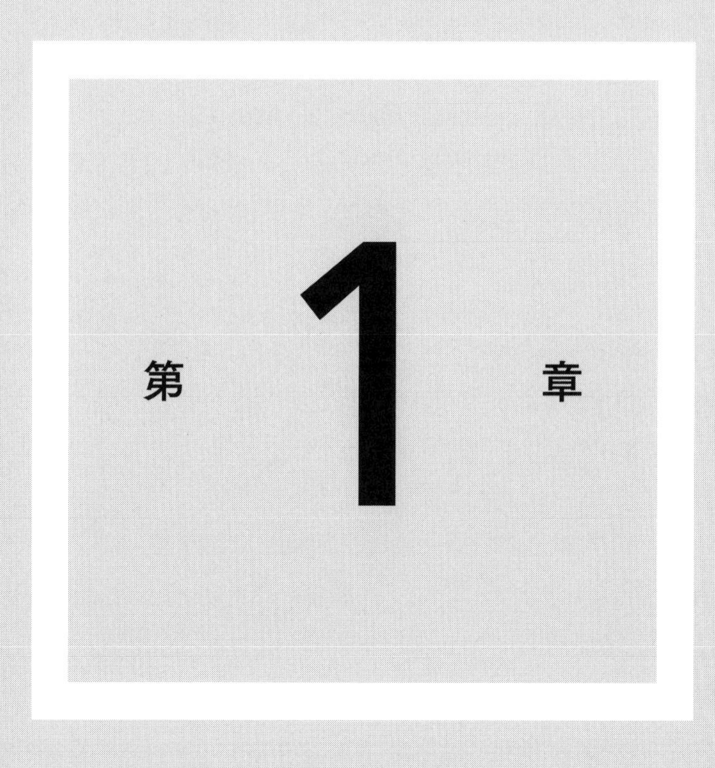

地代と家賃の相違

1 地代家賃のいわれ

土地や建物の貸し借りは近年に始まったことではなく、これを物語るには過去相当の期間に遡って歴史を紐解かなければなりません。本書の狙いはこれを明らかにすることではありませんが、今日の地代家賃をめぐる問題の背景には様々ないきさつがあることを知っておくのも有益なことと思われます。

例えば、わが国における明治・大正の古い判例に、すでに数多くの賃料に関する判例を見出すことができます。そして、そのなかの一つに賃料の増額判例があること、年を経るごとにこの判例の数が増大していることが報告されています[注1]。この報告では、増額の認否にかかわらず賃料増額を争い、紛争が裁判にまで持ち込まれた判例が対象とされていますが、明治31年～45年までは、借地に関する判例が31件、借家に関する判例はゼロとなっています（下級審および上告審判決を含みます）。このことからすれば、当時の紛争は地代に関するものばかりであったことが窺えます。しかし、その後、借家に関する判例も増え、昭和41年～51年までで、借地に関する判例が56件、借家に関するものが45件あったとされています。

［注１］石外克喜「地代家賃に関する訴訟上の諸問題」『地代家賃制度・土地税制』日本土地法学会編、有斐閣、昭和52年10月、p.35

現時点で地代家賃をめぐる紛争の数がどれほどあるかについては筆者は改めて調査していませんが、当時と比べて飛躍的に増大していることは事実でしょう。

ところで、地代や家賃ということばは日常生活のなかでも特段意識されずに使用されていますが、その意味を探っていくと、思った以上に奥が深いことに気が付きます。

ちなみに、「地代」と呼ぶ場合、一般的には他人の土地を借りた者が地主に支払う金銭のことを指します（いわゆる「借地料」です）。ただし、一概に地代といっても、借地をした人がその土地上に自分の建物を建築して居住の用に供する場合もあれば、事業の用に供する場合もあります。それだけでなく、建物等を一切建築せず資材置場や駐車場として使用しているケースも多く見受けられます。

また、「家賃」と呼ぶ場合、地代と同じ考え方に沿って表現すれば、他人の建物を借りた者が家主に支払う金銭のことを指します（いわゆる「借家料」です）。なかには居住用建物の使用の対価をとらえて家賃と呼んでいるケースも見受けられますが、家賃の対象は居住用建物に限らず、事務所、店舗、工場、倉庫等のあらゆる建物を含んでいることはいうまでもありません。「借家」ということばのイメージから、多くの人が家賃といえば賃貸マンションや賃貸アパート、戸建ての貸家を思い浮かべますが、それ以外の用途も含めて対象を広くとらえる必要があります。

さらに、地代や家賃を総称する意味で「賃料」ということばがよく用いられています（**図表1**）。なお、賃料という概念は不動産だけでなく、一般の「もの」の賃貸借も含めて用いられている点に留意が必要です。

図表1　地代・家賃と賃料の関係

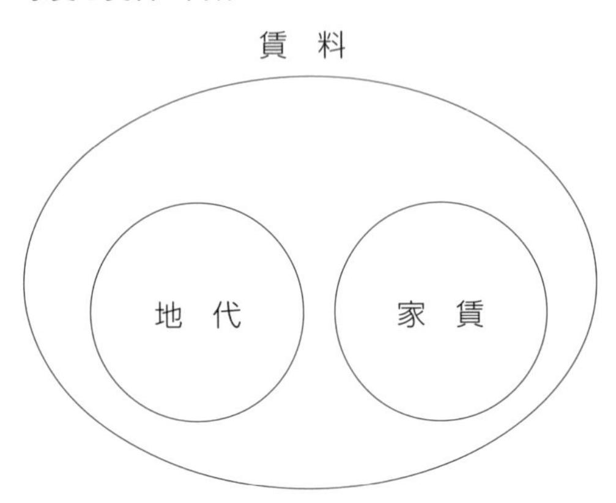

話題は変わりますが、地代や家賃ということばが現在まで使用されてきた一因として、戦後長期間にわたり適用されてきた「地代家賃統制令」の名残りがあります。すなわち、昭和27年4月、戦後の住宅難に対処し国民生活の安定を図るため、法律と同じ効力を有するものとして「地代家賃統制令」が制定され、地主または家主は統制額を超えて地代または家賃を受領することができない旨定められていたからです[注2]。その後の住宅事情の好転等により、昭和61年12月末をもってこの統制令は廃止されています。

［注2］最初に、第一次地代家賃統制令が定められたのは昭和14年10月18日勅令によります。その後、第二次地代家賃統制令（昭和15年10月19日勅令）を経て、新しい地代家賃統制令が定められ（昭和21年9月28日勅令）、何度かの改正を経て昭和27年4月以後法律としての効力を有するものとなりました。

なお、地代家賃統制令の対象とされていた土地建物は専用住宅およびその敷地等であり、昭和25年7月11日以後に新築に着手した建物およびその敷地（住宅を含みます）、事務所、店舗、倉庫、工場等は除かれていたという経緯があります。

ちなみに、地代家賃統制令の規制を受ける土地建物の場合、借地または借家の貸主は、借地または借家について、停止統制額または認可統制額を超えて地代または家賃の額を契約し、受領することができないだけでなく、これに違反した者は5年以下の懲役または5万円以下の罰金に処せられるとされており、その情状によっては、これらを併科されることもありました。これに関しては、次のような興味深い解説があります。

「貸主は、如何なる名義であっても、右[注3]の禁止規定を免れる行為をすることはできない。例えば、権利金とか礼金とか敷金、保証金等の名義であってもその実態が闇地代又は闇家賃であったときは、これを授受する契約を為し又はこれを受領した者には、右同様の制裁があるのである[注4]。」

［注3］筆者注。停止統制額または認可統制額を超えて地代または家賃の額を契約し、受領することができないことを指します。

［注４］下山伊三郎「借地借家と地代家賃統制の法律知識」大同書院、昭和32年２月（第三版）、p.158

当時の地代家賃統制令に関しては様々な解説書が存在しますが、上記の経緯もあってか、専門書においても地代や家賃ということばが頻繁に登場しています。

これに対し、不動産鑑定評価基準では、例えば「宅地の賃料」（地代の意味）、「建物及びその敷地の賃料」（家賃の意味）というように、「賃料」という用語で表現を統一しています。ただし、実務上では、地代と家賃を明確に区別する意味で、「賃料」に加えて「地代」または「家賃」という記載をしているケースが多くあります。

以下、本章では、地代と家賃が基本的にどのような点で異なるのかについて解説し、第２章以下の橋渡しとしたいと思います。

2 地代とは

（1）借地借家法・民法との関係

「地代」の読み方は、「ちだい」と呼ばれる場合もあれば「じだい」と呼ばれる場合もあります。どちらが正解というものでもありません。

借地借家法では、地上権[注5]に基づく使用収益の対価を地代、土地の賃借権[注6]に基づく使用収益の対価を借賃と呼んで区別し、さらにこの二つを総称して「地代等」と呼んでいます（同法第11条、**図表2**）。

図表2

借地借家法における地代等
- 地代（地上権を前提とする）
- 借賃（賃借権を前提とする）

［注5］地上権は物権の一つであり、他人の土地において工作物または竹木を所有するために設定される強力な権利（所有権に近い性格の権利）です（民法第265条）。必ずしも地代の授受を要件としていませんが、地主がこのような強力な権利を無償で設定することはむしろ考え難いのが実情です。現実にも地上権が設定されているケースは、全国的にみても極めて稀です。

［注6］賃借権は債権であり、譲渡・転貸等にあたり地主の承諾を得なければならない点で地上権に比べて弱い面がありますが、借地借家法の手厚い保護を受け、物権に近い性格のものとなっています。

なお、賃料ということばは借地借家法には一切登場してきません。これに対し、民法では賃料に関する規定を行っている条文がいくつかあり、地代ということばも地上権に関する規定のなかに登場します（同法第266条）。

●借地借家法

（地代等増減請求権）

第11条　地代又は土地の借賃（以下この条及び次条において「地代等」という。）が、土地に対する租税その他の公課の増減により、土地の価格の上昇若しくは低下その他の経済事情の変動により、又は近傍類似の土地の地代等に比較して不相当となったときは、契約の条件にかかわらず、当事者は、将来に向かって地代等の額の増減を請求することができる。ただし、一定の期間地代等を増額しない旨の特約がある場合には、その定めに従う。

2～3　（省略）

●民法

（地代）

第266条　第274条から第276条までの規定は、地上権者が土地の所有者に定期の地代を支払わなければならない場合について準用する。

2　地代については、前項に規定するもののほか、その性質に反しない限り、賃貸借に関する規定を準用する。

ただし、実務上では地上権であれ、賃借権であれ、家賃と区別する意味で、その契約に基づいて授受される金銭を地代と呼んでいる場合が多いことから、本書でも特段の断りがない限り同様に扱っていきます。

（2）地代の対象

最初に解説したように、地代とは他人の土地を借りた者（借地人）が地主に支払う金銭のことです。そして、借地人は、契約の目的に従いその土地上

図表3　地代の対象

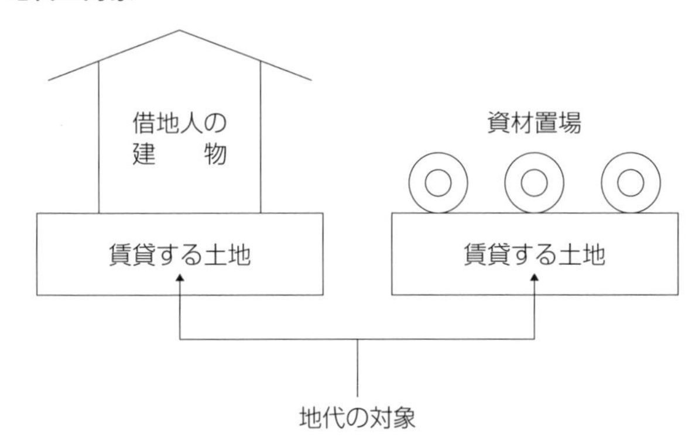

に自分の建物を建てたり、置場として使用したりします（**図表3**）。

借地といっても、このようにいくつかの使用方法がありますが、建物所有を目的として借地する場合（ただし、使用貸借のような無償の場合を除きます）には借地借家法が適用され、借地人には土地に対する強力な権利（借地権）が生じます。すなわち、定期借地権の場合は別として、契約期間が満了しても、地主が自らその土地を使用せざるを得ない正当な事由がない限り、借地人は契約を更新してさらにその土地を使用できるというものです（借地借家法第6条）。

これに対し、臨時設備の設置のように一時使用であることが明らかな場合（同法第25条）や置場で使用する場合には借地借家法は適用されず、民法の一般規定に従って、契約期間の満了により契約は終了します（**図表4**）。

図表4

借地借家法の適用
- **建物所有を目的とするもの（○）**
- **建物所有を目的としないもの（×）**

いずれにしても、地代という場合にはその算定対象は土地そのものであり、これを算定するには土地価格をもとにしたり、近隣相場（周辺の賃貸事例も含める）を参考にしながら判断していく方法が一般的です。

3 家賃とは

（1）借地借家法・民法との関係

次に家賃についてですが、借地借家法では、「家賃」という用語は登場せず、「建物の借賃」と表現されています（同法第32条、**図表５**）。

図表５

借地借家法における建物使用の対価 ➡ 借　賃

また、建物に関しても借地借家法では賃料ということばを用いていないことは、すでに述べたとおりです。

これに対し、民法では「賃貸借」の規定のなかに「賃料」という用語が登場するものの、「家賃」ということばは登場しません。

●借地借家法

（借賃増減請求権）

第32条　建物の借賃が、土地若しくは建物に対する租税その他の負担の増減により、土地若しくは建物の価格の上昇若しくは低下その他の経済事情の変動により、又は近傍同種の建物の借賃に比較して不相当となったときは、契約の条件にかかわらず、当事者は、将来に向かって建物の借賃の額の増減を請求することができる。ただし、一定の期間建物の借賃を増額しない旨の特約がある場合には、その定めに従う。

２～３　（省略）

なお、本書では地代と家賃を区別するために、実務上の慣行に従い、家賃ということばを使用しています。

(2) 家賃の対象

借家（ただし、賃貸借の対象となっているもの）の場合、借家人は建物賃貸借契約に基づき建物を使用することが本来の目的であり、建物の利用に必要な範囲でその敷地を使用することはできても、その土地上に直接自分の権利を設定するような行為は認められません。すなわち、ここではあくまでも「建物を貸し借りする」ことが当事者間の約束事項であり、借家人には必要な範囲で敷地の使用が認められるといっても、それは建物が存在する限り敷地と切り離すことができないことからきています。その意味で、借家人の有する権利はあくまでも「借家権」であり、地主と借地人との間で取り交わされた土地賃貸借契約に基づく借地権とは明確に区別する必要があります。

ただし、敷地部分も物理的に建物とセットになっており、事実上借家人の使用に供されることから、家賃の算定にあたっては建物部分の賃料に地代相当額を加算したり、家賃算定の基礎となる価格を建物およびその敷地の合計価格としてとらえる等の方法が通常となっています（**図表6**）。

図表6　家賃の対象

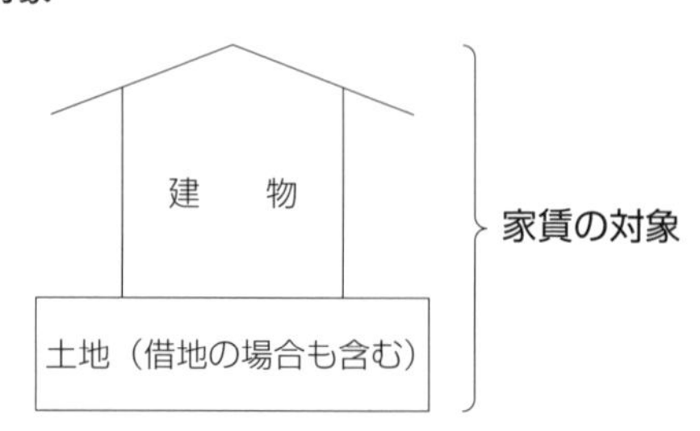

なお、不動産鑑定評価基準でも、家賃を求める際には「建物及びその敷地」の賃料という視点からその考え方を規定しています（第6章を参照）。

もちろん、家賃算定の際にはこのような方法だけでなく、近隣相場や近隣の賃貸事例が重要な役割を果たします。これらの資料は理論的な積み上げ計算によっているというよりも、市場で実際に成約した事例（あるいは賃貸物件として借り手を募集している事例）をもとにしたものであり、家賃算定の内訳まで把握することはできません。しかし、これらの資料を参考にするにあたっては、市場における成約事例や募集事例の金額には建物敷地の地代相当額も反映されていると考えることが、今まで述べてきた家賃算定のとらえ方とも整合し合理的といえます。

4 地代と家賃の相違点と類似点

一概に不動産といっても、何を人に貸すのかにより地代と家賃が区別されるため、最初にこの点を明確にしておくことが必要です。それだけでなく、土地を貸すのか建物を貸すのかにより、適用される借地借家法の規定も異なってきます。以下、今まで述べてきたことを整理する意味で、地代と家賃の相違点と類似点を掲げます。

(1) 借地借家法との関連

1 相違点

地代は、借地借家法の「第２章　借地」の規定と関連します。

家賃は、借地借家法の「第３章　借家」の規定と関連します。

2 類似点

双方とも、いくらの金額が妥当かについては借地借家法に定めがありません。ただし、双方の合意があれば、それによります。借地借家法では、地代家賃に関し契約期間の途中で双方からの増減額請求権を認めています。

(2) 賃貸借契約との関連

1 相違点

地代は、土地賃貸借契約に基づき、借地人に土地を使用させることから生じる借地人の支払義務です。土地賃貸借契約により、借地人には契約期間にわたり土地を使用し得る借地権が発生します。

家賃は、建物賃貸借契約に基づき、借家人に建物を使用させることから生じる借家人の支払義務です。建物賃貸借契約により、借家人には契約期間にわたり建物を使用し得る借家権が発生します（**図表７**）。

図表7　借地権と借家権の相違

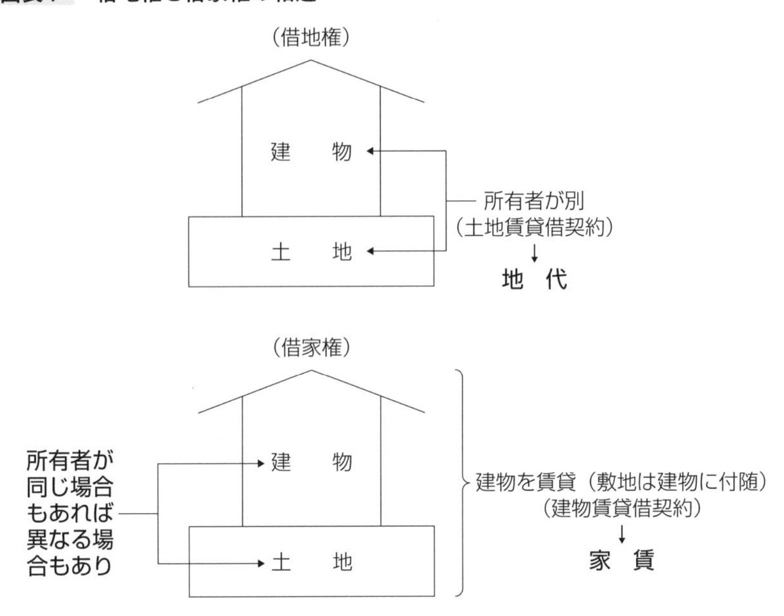

2 類似点

双方とも、支払義務が生じる源泉は賃貸借契約によります。

(3) 地代家賃の算定範囲

繰り返しとなりますが、以下の点に留意する必要があります。

1 相違点

地代は、賃貸借の対象となっている土地部分の使用の対価です。

家賃は、賃貸借の対象となっている建物および建物に付随する敷地部分の使用の対価です。すなわち、建物の家賃は、建物の投資額だけではなく、土地の価値も合わせて一体として（＝複合不動産として）とらえる必要があるということです。

2類似点

明示的かどうかは別として、家賃の算定には敷地部分の使用の対価（地代相当額）が織り込まれている点で類似するものがあります。

（4）消費税との関連

1相違点

地代には消費税が課税されません。

建物の場合、事務所等の建物の家賃には消費税が課税されます。

2類似点

地代でも、貸付けにかかる期間が１か月に満たない場合等の例外的なケースでは消費税が課税されます。

住宅用建物の家賃には消費税は課税されませんが、貸付けにかかる期間が１か月に満たない場合等の例外的なケースでは消費税が課税されます。国税庁ホームページ「タックスアンサー No.6225　地代、家賃や権利金、敷金など」をご参照ください。

5 不動産の価格と地代および家賃の関係

理論的に考えた場合、不動産の価格と地代および家賃は元本と果実の相関関係にあるとされています。すなわち、地代および家賃（＝果実）はその対象となる不動産の価値（＝元本）を適正に把握し、これに適正な利回りを乗じた額に、賃貸借を継続するために必要な諸経費等を加算して求めることができるからです。

その反対に、適正な地代および家賃に基づく純収益を利回りで割り戻すことにより不動産の元本価値を求めることもできます。

ここで、元本と果実の関係を図で示すと**図表8**のとおりです。

図表8　元本と果実の相関関係

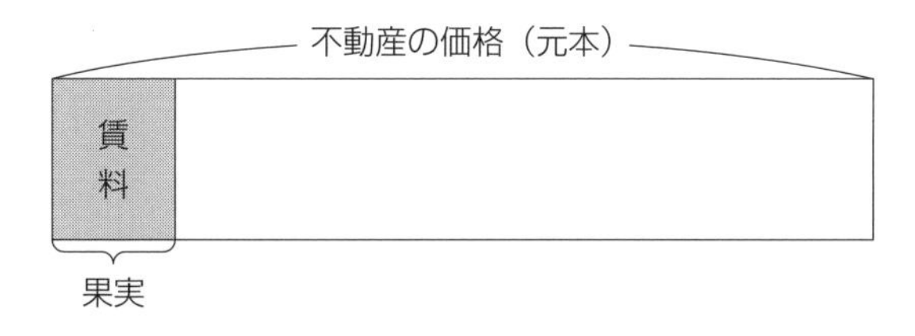

しかし、現実の不動産市場はすべて理論どおり成立しているわけではありません。不動産の価格と賃料とは、別々の市場のもとに成立しています。

また、貸地や貸家の市場における需給関係が地代家賃の水準に大きな影響を与えていることも事実です。いくら理論的な賃料が求められたとしても、その賃料で借り手が見つからなければ説得力に欠ける結果となります。

加えて、大都市においては、現に貸家や共同住宅の供給が多く行われている地域でさえも、新規に土地を購入して建物を建築のうえ賃貸した場合に採算の合う場所は、一部を除き少なくなっているのが実情です。

さらに、農家が提供する郊外地の貸家の場合、貸し手の土地に対するコスト意識（元本としての意識）はかなり薄れているケースが多いといえます。これは、相続による取得（継承）が多いことによります。このようなケースでは、建物に対する投下資本の利回りで全体の収益採算を考えている（＝投下資本の回収は建築費のみ）場合が圧倒的に多く、元本と果実の相関関係という図式が成立しにくいものとなっていることも事実でしょう。

それだけでなく、特に賃貸住宅では、借り手は土地建物の時価から合理的に算定された家賃を支払うという感覚よりも、むしろ自分の収入で負担できる範囲内で賃貸物件を選択しているのが実情です。このような考え方は居住用だけでなく、事業用不動産にも共通するものがあります。加えて、本来、自己居住用（あるいは事業用）に建築されている建物が、資産活用の一環として賃貸市場に供給されることもしばしばあることです。

以上で述べたことも、不動産の価格と賃料との間の相関関係を薄める一つの要因となっていると考えられます。

確かに、家賃は貸家に対する需要と供給の関係によって大きく左右され、空室率が高くなれば貸主は家賃を少々下げても入居者を確保しようと考えるであろうし、反対に空室率が極めて低い状況では家賃の値上げを検討するかもしれません。

不動産の価格が上昇または下落したからといって、これに正比例して賃料が変動するというわけでもなく（**図表9**参照）、その反対に賃料が上昇または下落したからといって、これに正比例して価格が変動するわけでもありません。

しかし、地価の高い場所では家賃も高く、地価の低い場所では家賃も低いという傾向を否定することはできません。また、地価上昇に伴って固定資産税等が上昇すると全部またはその一部が家賃に転嫁されるというのが従来の家賃改定の主要因であったことを鑑みれば、基本的には両者間に相関関係があることを認めることができそうです。

そのため、先ほど述べたように、地代家賃を求めるにあたっては、そのもとになる不動産の価格を適正に把握する必要があります。

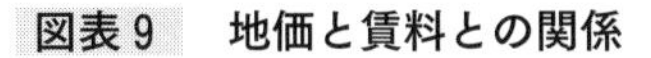
図表9　地価と賃料との関係

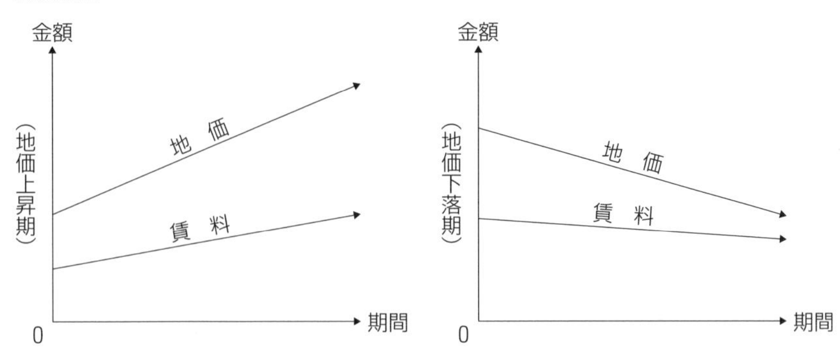

また、不動産の価格と賃料の関係を期間的な側面に着目した場合、次のようなとらえ方も可能となります。

すなわち、不動産の価格はその不動産の効用の続く全期間の経済価値を対象とするものですが、不動産の賃料は経済価値を期間的（例えば1か月）に区切って測定し計算するというものです。その意味でも、不動産の価格と賃料の間には、理論的に考えて元本と果実の相関関係を見出すことができます。

さらに、不動産の賃料は、不動産の機能や働きに対する対価を測定したものともいえるでしょう。

6 同じ「地代」といっても～経済学での異なるとらえ方

最後に余談めいた内容ですが、地代（レント、rent）ということばは経済学においても古くから使用されてきました。ただし、そこで意味する内容が今まで述べてきた不動産の実務とは異なることから、この解説はあえて後回しとしました。

繰り返しますが、地代とはもともと土地の使用に際して支払われる対価です。しかし、経済学の分野では土地の供給量の固定性に着目し、土地以外の供給量の固定的な生産要素についても地代という用語を使用するようになりました。

地代に関する記述は、近代経済学の名著といわれている『サムエルソン経済学』[注7]のなかにも次のとおり見受けられます。

［注7］P.A.サムエルソン／W.D.ノードハウス著、都留重人訳『サムエルソン 経済学　下〔原書第13版〕』岩波書店、1993年6月、p.658～659

「われわれは、市場がどのように、供給が固定されている要素へのレント（賃貸料または地代）を決定するかの分析に特別の注意を払う。」

「固定要素にたいする収益としてのレント 土地の特異性の一つは、その他の諸要素とは違って、その全供給が自然条件によって固定されており、一般的には、その価格の上昇に反応して増加できるものではなく、また土地価格の低落に反応して減少するものでもないという点である。」

「レントの概念は、その供給が固定されている他の諸要素にも同じように適用される。『モナリザ』は一つしかない。だから、もしもそれを一時的に利用できるのだったら、レントを払うこととなろう。また、もしもあなたがウーピー・ゴールドバーグやジェームス・テーラーのようなユニークな人物のサービスを賃借りするのであったら、あなたは彼らのタレントに対してレントを払うこととなるだろう。そのようなユニークな商品の利用にたいして払われるものは、何であれそれはレントなのだ。」

また、同著によれば、**図表10**をもとに、土地についての供給曲線はその供給が固定的であることから完全に非弾力的であること、需要曲線と供給曲線は均衡点Eにおいて交差すること、土地のレントが落ち着く傾向を持つのは、この要素価格に向かってであることが解説されています。その理由として、もしレントが均衡価格を超えるようなことがあれば、すべての企業が需要する土地の量は供給されるであろう現存量よりも少なく、一部の土地所有者は土地を全く賃貸できないこととなり、その所有者はもっと安く提供しようとしてレントを下げることを挙げています。併せて、同様の推論により、レントは均衡点より下のところには長くとどまり得ないことも述べられています。

図表10　競争のもとでの地代の決定

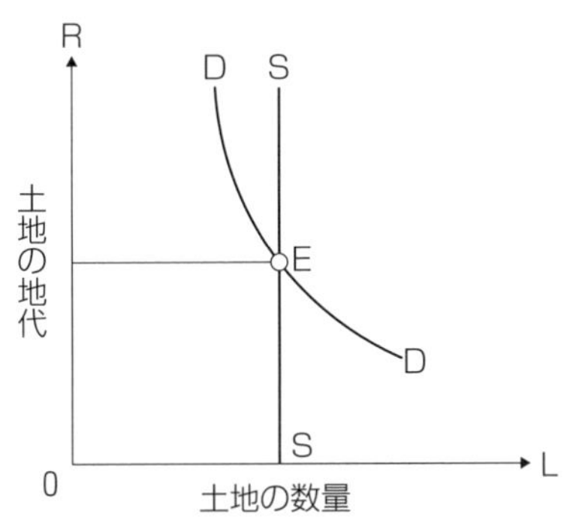

SS：供給曲線
DD：需要曲線

（出典）P.A. サムエルソン／W.D. ノードハウス著、都留重人訳『サムエルソン 経済学 下〔原書第13版〕』岩波書店、1993年6月、p.659

このような考え方により、需要される土地の総面積が総供給面積に等しくなるような競争的価格においてだけ、市場は均衡状態にあることを同著では指摘しています。

ただし、経済学上の地代の考え方を実務に適用するに際しては、その根底において十分に留意を払うべき点があり、次の指摘は重要な示唆に富むものといえます[注8]。

「土地に対する市場における需要と供給との相互関係からひとりでに競争を通じて均衡価格地代が実現されるという点についても留意が必要である。すなわち、取扱われる土地の性質の同一性について容易に確認ができ、また市場で多数の参加者の間に完全競争が行われるという条件が認められることがその前提である。もし実際の場合のように、土地がそれぞれ性質を異にしていて、その差異性についての認識が市場でまちまちであり、したがってまた個々の土地をめぐって競争が完全に行われないとするならば、均衡価格が市場の競争を通じてひとりでに実現されるとはいい得ない。個別性の強い不動産についてそもそも鑑定評価が必要になるのはこのような事情にもとづくものであることは知っておかなくてはならない。」

［注８］大野喜久之輔「地代学説と鑑定評価理論（５）」『不動産鑑定』1965年６月号、p.30

土地は一つ一つが個別性を有し、同じ面積でも形状や道路付け等の条件によっては使い勝手のよい土地と悪い土地があります。それぞれの状況に応じても需要者の数や利用方法が異なり、地代の水準も異なってくることでしょう。しかし、これを判断する物差しを得ることは想像以上に難しいといえます。家賃についても、一部を除いて同じことがいえます。

このことは、第２章および第３章で述べるように、地代家賃をとらえる前提が極めて多様なものから構成されていることにも起因しています。

第 2 章

地代の分類

1 いつの時点での地代かによる分類～新規地代と継続地代

本章では地代を様々な観点から分類し、それぞれの利用目的に応じた解説を行っていきます。一概に地代といっても、それがどのような観点から問題とされているかによって考え方が異なり、水準のとらえ方も異なってきます。また、地代の種類によって比較的把握しやすいものから、資料の収集そのものが困難なケースがあり様々です。

最初に区別しておかなければならないのは、いつの時点での地代を問題とするかです。例えば、これから新たに土地を賃貸する場合と、従来から契約が継続している状態で地代を改定しようとする場合とでは、地代に対する考え方やとらえ方が異なってきます。

前者の場合を新規地代、後者の場合を継続地代と呼んで区別しています（図表１）。

図表１　新規地代と継続地代

地　代
- 新規地代（これから新たに土地を賃貸する場合の賃料）
- 継続地代（契約継続中に地代を改定する場合の賃料）

実際に新規地代が問題となるケースは、定期借地権のように期間満了とともに確実に土地が返還されることが法律で保証されている場合や親族間または親子会社間の土地賃貸借、置場や一時使用等の利用目的を除けば、それほど数はないといってよいでしょう。なぜなら、建物の所有を目的とする新規の借地供給（普通借地権）は現在極めて稀にしか行われていないからです。なお、改めて述べるまでもありませんが、借地借家法の保護により普通借地権を設定した場合には、契約期間が満了しても建物が存在する限り、貸主に正当な事由がなければ土地の返還を受けることはできません。そのため、新規地代を算定したり、地代をめぐって実際に問題となるのは継続地代のほうが圧倒的に多いといえます。

上記の分類は土地の賃貸借にあたり一般的に行われているものですが、以下、不動産鑑定士が行う鑑定評価の考え方を要約しておきます。

不動産鑑定評価基準（以下、「基準」と呼びます）では、「宅地の賃料」というかたちで新規賃料（新規地代）と継続賃料（継続地代）について規定しています。

なお、基準では地代家賃という用語を使用せず、賃料という用語で統一しています。その背景については、基準設定当時の次の対談記事が参考になります。[注1]

「賃料ということばについて、すなわち、なぜ（基準が）地代・家賃などといわなかったかを申し上げます。民法（第266条）では、『地代』というのは地上権の対価だけをいっています。賃借権の場合には、借賃とか、賃金ということばを使っております（民法第601条）。また、（旧）借地法（第12条）も、『地代又は借賃』と両者を区別して使っております。（旧）借家法（第７条）は、「借賃」といっており、「家賃」とはいっておりません。しかしながら、基準では、一括総称する必要があるとともに、地代といっても経済学上の地代と同じではないので結局賃料というのが一番いいのではないか、ということで、『賃料』にしたと記憶しています。」

［注１］「座談会　賃料鑑定評価基準ができるまで（上）」『不動産鑑定』1966年８月号、p.10、門脇惇不動産鑑定士の発言。

本項ではこのような背景を踏まえ、基準の解説を行う箇所はあえて「賃料」という用語を使用することとします。

ところで、新規に借地権を設定する（または新規に土地を賃貸する）場合の地代をいくらにしたらよいかという問題について、鑑定評価では「宅地の新規賃料の評価」として扱われています。ただし、基準では、一概に新規賃料といっても、その対象となる宅地を単独でとらえた場合の使用の対価（正常賃料）を求めるケースと、隣接宅地との一体利用（あるいは宅地の一部の分割利用）を前提とした場合の使用の対価（限定賃料）を求めるケースを区別しています。すなわち、鑑定評価で求める新規賃料には２通りのものがあるということです（**図表２**）。

図表２　新規賃料の分類

鑑定評価で求める新規賃料	正常賃料を求める場合
	限定賃料を求める場合

以下、この区分に沿い、各々のイメージをもう少し詳しく解説しておきます。なお、実際に宅地の新規賃料を求める機会はそれほど多くないことはすでに述べたとおりですが、仮にその機会がある場合でも正常賃料を求める場合が大部分であると思われます。

しかし、新規賃料を求める場合の手法は、継続賃料を求める場合の過程（後章で述べる差額配分法の適用）において多く用いられている点に留意が必要です。

（1）新規賃料

1 正常賃料

正常賃料の概念を平易に表現すれば、特定の当事者間だけでなく誰が使用してもその土地の区画形状等から判断して損得のない合理的な賃料を意味します。例えば、**図表３**のような宅地を単独で利用する場合には、Ａさんが借りてもＢさんが借りても、与えられた条件のもとで有効な使い方をする限り、その土地に対して支払うことのできる賃料の額に差はないはずです。

図表3　正常賃料を求める場合

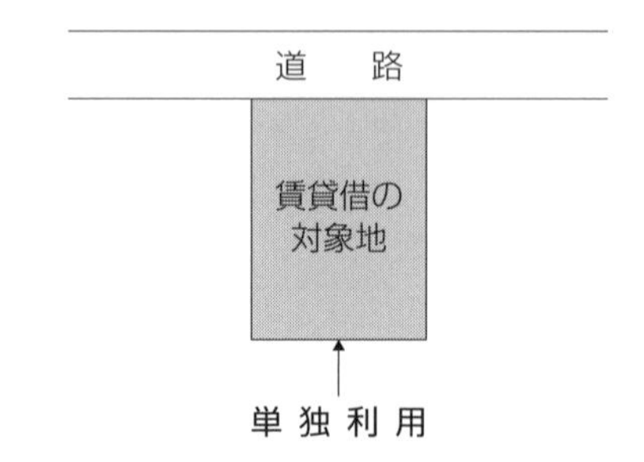

このことは土地取引の場合にも共通しています。すなわち、同じ土地を売買する際、相手が異なれば価格も異なるという売り方はせず、誰に対しても同じ価格（＝誰に対しても等しく当てはまる価格（正常価格））で売り出すことになるでしょう。

このように、土地価格を表す場合の正常価格と地代を表す場合の正常賃料は同じ概念のものとしてとらえられています（**図表4**）。

図表4　正常価格と正常賃料

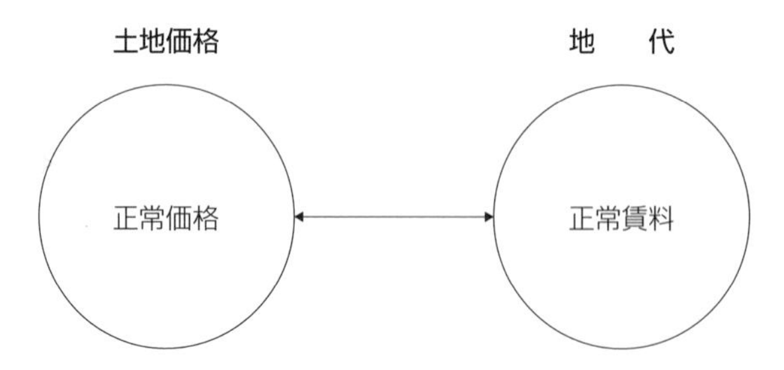

以上、正常価格および正常賃料の相互の関係について一般的な解説をしましたが、基準ではこれらを次のとおり定義しています。

不動産鑑定評価基準

●正常価格

1．正常価格

正常価格とは、市場性を有する不動産について、現実の社会経済情勢の下で合理的と考えられる条件を満たす市場で形成されるであろう市場価値を表示する適正な価格をいう。この場合において、現実の社会経済情勢の下で合理的と考えられる条件を満たす市場とは、以下の条件を満たす市場をいう。

(1) 市場参加者が自由意思に基づいて市場に参加し、参入、退出が自由であること。

なお、ここでいう市場参加者は、自己の利益を最大化するため次のような要件を満たすとともに、慎重かつ賢明に予測し、行動するものとする。

① 売り急ぎ、買い進み等をもたらす特別な動機のないこと。

② 対象不動産及び対象不動産が属する市場について取引を成立させるために必要となる通常の知識や情報を得ていること。

③ 取引を成立させるために通常必要と認められる労力、費用を費やしていること。

④ 対象不動産の最有効使用を前提とした価値判断を行うこと。

⑤ 買主が通常の資金調達能力を有していること。

(2) 取引形態が、市場参加者が制約されたり、売り急ぎ、買い進み等を誘引したりするような特別なものではないこと。

(3) 対象不動産が相当の期間市場に公開されていること。

（総論第５章第３節Ⅰ）

●**正常賃料**

1．正常賃料

正常賃料とは、正常価格と同一の市場概念の下において新たな賃貸借等（賃借権若しくは地上権又は地役権に基づき、不動産を使用し、又は収益することをいう。）の契約において成立するであろう経済価値を表示する適正な賃料（新規賃料）をいう。

（総論第５章第３節Ⅱ）

基準の定義は以上のとおりですが、正常価格は世間一般の人を対象として誰にでも等しく妥当する売買価格というイメージでとらえて支障はないといえます。例えば、不動産広告や情報誌に掲げられている販売価格等が、正常価格のイメージを理解するうえで参考になると思われます。

もちろん、販売価格は売主の希望価格であり、必ずしもそのとおり売買が成立するとは限りませんが、その価格で買ってもよいという人が現れれば、これが市場の実態を把握する一つの目安となると考えられます。ただし、現実に成立した不動産の価格は個別的な事情を含んでいることがあり、適正な価値を判断するためには一つの取引事例だけで判断することはできません。

鑑定評価で求める価格も現実の社会経済情勢を基礎に置くものであり、一般の不動産市場で合理的に成り立つ価格を対象としています。

次に正常賃料についてですが、「正常価格と同一の市場概念」とは、現実の社会経済情勢のもとで合理的と考えられる条件を満たす市場のことです。すなわち、以下の三つの条件を満たす市場をいいます。正常価格の解説に登場した「売り急ぎ」「買い進み」の箇所は、賃貸借に即して置き換えればよいでしょう。

① 市場参加者が自由意思に基づいて市場に参加し、参入、退出が自由であること。

② 取引形態が、市場参加者が制約されたり、急な契約を誘引したりするような特別なものではないこと。

③ 対象不動産が相当の期間市場に公開されていること。

なお、新規の賃貸借の場合、通常は正常賃料を求めることとなります。

2 限定賃料

限定賃料は、正常賃料と対立する概念です。

すなわち、正常賃料が不特定の人に対して等しく当てはまる賃料であるのに対し、限定賃料は特定された人との間でのみ経済合理性をもって成り立つ賃料であるからです。このことをまず、前項に掲げたように土地価格との関連でとらえてみます。

図表5のように土地が隣接しており、A土地の所有者がB土地の買取りを検討しているとします。

図表5　限定価格が生じる場合

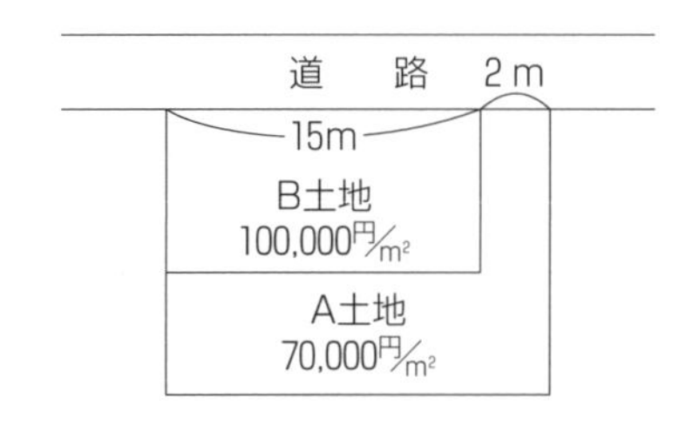

ここで、A土地の所有者以外の人がB土地の買取りを検討する場合には100,000円／m²を基準に考えるでしょうが、A土地の所有者が買い取る場合には100,000円／m²を超えた価格で買い取っても損はないといえます。なぜなら、B土地を買い取ってA土地と併合すれば間口が広がった整形地となり、もともと所有していたA土地の価値が上昇するからです。

このように、B土地の価格が100,000円／m²を超えた場合でも、それが経済合理性をもって成り立つのは、売買の相手方が隣接地の所有者である等、特定の者に限られるということになります。これが正常価格に対する限定価格の概念であり、併合によって効用増が認められる場合に、その効用増を織り込んだ価格であるといえます。限定価格の概念が適用されるのは併合によるケースだけではありませんが、ここでは解説を煩雑にさせないよう、これにとどめておきます。

以上、価格について述べてきましたが、このような考え方は価格だけでなく賃料にも適用されます。すなわち、**図表5**のA土地の所有者がB土地を借地して併合使用する場合、A土地を単独で使用するよりも使い勝手のよい土地となり、A土地の利用価値が増すことは誰の目から見ても明らかです。このケースでは、B土地の地代を通常よりも少々割高な金額で支払っても経済合理性に反しない、すなわち損はないといえます。このような場合に適用される賃料が限定賃料ということになります。

ちなみに、限定価格と限定賃料との関係を対比させたものが**図表6**です。

図表6　限定価格と限定賃料

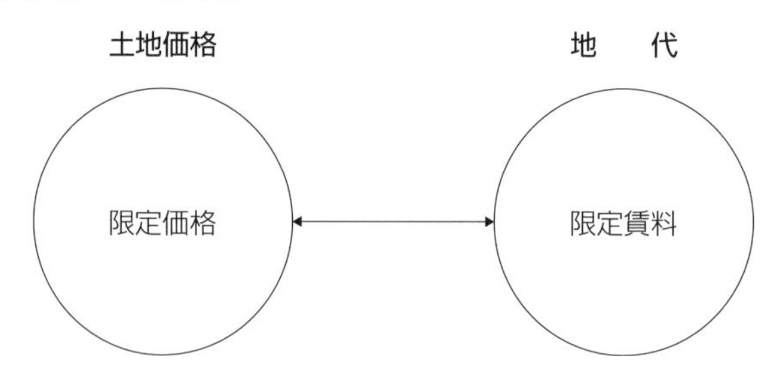

上記の考え方を基準の規定に置き換えれば、次のとおりです。

不動産鑑定評価基準

●限定価格

2．限定価格

限定価格とは、市場性を有する不動産について、不動産と取得する他の不動産との併合又は不動産の一部を取得する際の分割等に基づき正常価格と同一の市場概念の下において形成されるであろう市場価値と乖離することにより、市場が相対的に限定される場合における取得部分の当該市場限定に基づく市場価値を適正に表示する価格をいう。

限定価格を求める場合を例示すれば、次のとおりである。

(1) 借地権者が底地の併合を目的とする売買に関連する場合

(2) 隣接不動産の併合を目的とする売買に関連する場合

(3) 経済合理性に反する不動産の分割を前提とする売買に関連する場合

(総論第5章第3節Ⅰ)

●**限定賃料**

2．限定賃料

限定賃料とは、限定価格と同一の市場概念の下において新たな賃貸借等の契約において成立するであろう経済価値を適正に表示する賃料（新規賃料）をいう。

限定賃料を求めることができる場合を例示すれば、次のとおりである。

(1) 隣接不動産の併合使用を前提とする賃貸借等に関連する場合

(2) 経済合理性に反する不動産の分割使用を前提とする賃貸借等に関連する場合

(総論第5章第3節Ⅱ)

ここで、基準に規定されている定義のうち、限定価格の特徴をとらえるために必要な箇所を次に掲げ、これを一般的な表現に置き換えてその本質を探ってみたいと思います。

1) 「正常価格と同一の市場概念の下において形成されるであろう市場価値」とは

一般の人が土地や建物を売買する場合、通常は不動産仲介業者に依頼して買主や売主を探してもらうことになります。この場合、仲介業者が売値に関して助言をしますが、そのとおりの値段で、または売主の希望価格どおり売れる保証はありませんし、買主の予算に見合う条件の物件が売物件として市場に供給されているとも限りません。また、なかには売主・買主がはじめから決まっており、相互に交渉のうえ、売買価格を決めたという例も少なからず見受けられます。

それだけでなく、数多い取引のなかには、相続税の支払いのために少々割安な価格でもよいから急いで物件を売却し現金化したという例もあるでしょう（＝売り急ぎのケース）。その反対に、どうしてもその場所に早急に土地を確保したいので、交渉の結果、少々割高な価格であったが購入したという例もあります（＝買い進みのケース）。

不動産の取引にかかる市場はこのように複雑で、たまたまある物件の取引価格に関する情報が収集できたとしても、これが他のケースにもそのまま当てはまるかどうかは一般の人にはわからないのが実情です。そこで、不動産鑑定士が市場に成り代わり、誰に対しても等しく当てはまるであろう市場価値を求めることになりますが、このように市場の実態を適正に反映した価格が正常価格であり、それはまた市場価値を表示する適正な価格といえます。

以上のことを踏まえれば、「正常価格と同一の市場概念の下において形成されるであろう市場価値」とは、端的にいえば誰が買っても同じとなるような価格といえます。例えば、デパートやスーパーに陳列されている一般の商品と同じイメージです。

2）「市場が相対的に限定される場合における取得部分の当該市場限定に基づく市場価値を適正に表示する価格」とは

限定価格は正常価格と異なり、特定の当事者間でのみ合理性をもって成り立つ価格であり、かつ、市場価値を適正に表示する価格であるといえます。その具体的なイメージは**図表5**に示したとおりです。すなわち、「市場が相対的に限定される場合における取得部分の当該市場限定に基づく市場価値」とは、端的にいえば特定の当事者間で相場をかけ離れても合理的に成り立つ価格といえます。

具体例を隣地買収という前提でとらえた場合、限定価格としてとらえることが合理性を持つためには、あくまでも隣地買収により従来から所有していた土地の価値が上昇するという現象が生じることが要件となります。隣地を買収しても、一体としてとらえた土地の利用価値に変化がなければ限定価格としてとらえることができないことは明らかです。

3) 「限定価格と同一の市場概念」とは

次に賃料との関連でとらえた場合、「限定価格と同一の市場概念」とは、他の不動産との併合または不動産の一部の分割使用等により、利用価値が増加または減少する結果、正常賃料と乖離して市場が相対的に限定される場合のことを指しています。

基準では、限定賃料を求めることができる場合を、先ほど掲げたとおり二つ例示しています。

ここで留意すべきは、限定賃料も新規に賃貸借を開始することを前提とするため、新規賃料の一種であるということです。

なお、限定賃料を求める場合、併合使用を前提とするケースでは隣接地で新規に借地をする部分の価格が賃料算定の基礎となりますが、この場合の価格は正常価格ではなく限定価格ということになります。すなわち、**図表5**の例でいえば、B土地の正常価格は100,000円／m^2ですが、限定価格を仮に120,000円／m^2とすれば、120,000円／m^2を基礎として賃料の算定をします。

また、併合使用するとはいっても、契約により建物の利用条件に制限が付されている場合等には、これによる減価（＝契約減価）を織り込んだものが賃料算定の基礎価格となります（**図表7**）。このことは正常賃料のところでは解説しませんでしたが、正常賃料、限定賃料とも同じとらえ方となります。

図表 7　契約により利用制限の付いた土地の価格

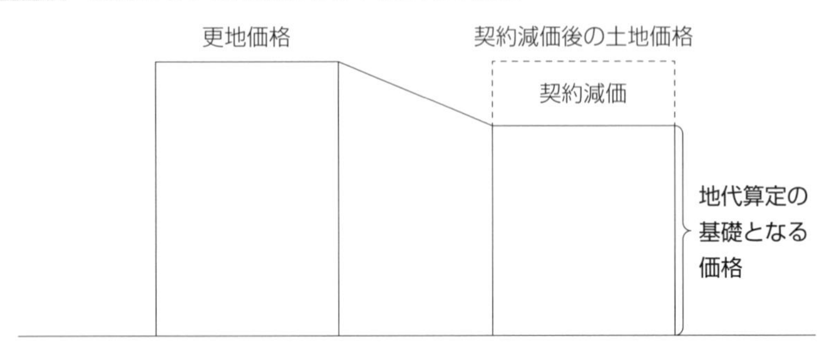

ここで、契約減価について補足すると、その土地の現状を変更し、最有効使用の状態を実現するために貸主の了解を得る必要がある場合、現状の利用方法が支障を受けている程度を計量的に把握し、これを減価要因としてとらえることがその趣旨です（**図表 8**）。

図表 8　契約減価

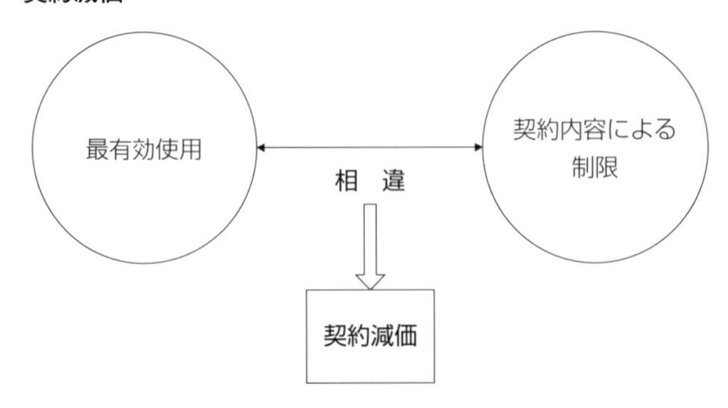

（更地価格－契約減価＝地代試算の基礎とする土地価格）

例えば、契約で借主が「あなたはこの土地上に２階建ての木造住宅しか建ててはいけません」と貸主から制約を受けているとしましょう。もし、その土地の近隣で鉄筋の４～５階建てのマンションの建築が相次いでいるとすれば、その借地は２～３階分の効用が発揮できないことになります。契約減価とは、このように効用が減少している分だけ価値の減少を織り込むことだといえます。それが積算法という新規賃料評価手法の適用を通じて、地代の額に影響するということになります。

(2) 継続賃料

ここで、継続賃料（継続地代）という意味は、あくまでも既存の契約における借地期間中の地代のことを指します。ただし、その前提として、契約条件の変更をしないで（＝建替えや構造変更（これに伴う借地期間の延長）等をしないで）そのまま使用していく場合において、地代が高すぎる（あるいは低すぎる）状況となったから改定してほしいという一方からの申入れに対する改定額であるのかどうかを確認する必要があります。これらの条件を変更する場合は、単なる地代改定とは異なり、建替承諾料や条件変更承諾料等の支払いを伴ってくるからです。そのため、不動産鑑定士が継続賃料の鑑定評価を行う場合には、上記のような前提条件を明確にしたうえで実施しているのが通常です。

なお、新規に借地権を設定する際の地代は貸主・借主間の任意の取り決めによりますが、その後の地代改定は借地借家法の制約を受けることに留意が必要です。借地借家法では、地代や家賃の額について何らの規定を置いていませんが、当事者同士で地代家賃の改定について話合いがつかない場合は、その解決は裁判に委ねられるのが実情です。その過程で、改定後の賃料をめぐり鑑定評価書が提出されますが、直近合意時点における賃料がどれだけであったかに制約を受ける部分が多く、新規地代の決定とは考え方が大きく異なってきます。

ちなみに、基準では継続賃料につき次のとおり定義しています。

不動産鑑定評価基準

●**継続賃料**

3．継続賃料

継続賃料とは、不動産の賃貸借等の継続に係る特定の当事者間において成立するであろう経済価値を適正に表示する賃料をいう。

（総論第5章第3節Ⅱ）

以上のとおり、継続賃料は継続中の賃貸借契約等に基づく賃料改定を前提とするものであり、正常賃料の場合と異なり賃貸借等の当事者は特定されています。また、継続賃料と限定賃料との関係ですが、限定賃料が新規賃料を前提とし、特定の当事者間でのみ成り立つ賃料であるという点で、継続賃料は限定賃料とも異なっています。

また、基準では、継続賃料を求める際に留意すべき点として、以下の事項を掲げています。

不動産鑑定評価基準

●**継続賃料**

4．継続賃料を求める場合

継続賃料の鑑定評価額は、現行賃料を前提として、契約当事者間で現行賃料を合意しそれを適用した時点（以下「直近合意時点」という。）以降において、公租公課、土地及び建物価格、近隣地域若しくは同一需給圏内の類似地域等における賃料又は同一需給圏内の代替競争不動産の賃料の変動等のほか、賃貸借等の契約の経緯、賃料改定の経緯及び契約内容を総合的に勘案し、契約当事者間の公平に留意の上決定するものである。

（総論第7章第2節Ⅰ）

この規定は平成26年基準改正により明確化された部分であり、賃料の鑑定評価額を契約当事者間で現行賃料を合意し、それを適用した時点を基礎として決定する旨規定したものです。そして、この合意時点を直近合意時点と定義し、その時点から価格時点までの事情変更（公租公課や土地建物の価格の推移、近隣地域等における賃料の変動等）のほか、契約の経緯、賃料改定の経緯および契約内容等を総合的に勘案して決定することを明らかにしています。

これは、最近における最高裁判例の傾向を踏まえてのものであり、契約当事者間の公平に留意のうえ、鑑定評価額を決定するという考え方も継続賃料に特有のものです。

なお、直近合意時点は事情変更を考慮する始点となるものであり、賃料改定の覚書、賃貸借契約書などの賃料改定に係る書面、賃貸借当事者の説明などから直近合意時点を適切に確定および確認することが重要である[注2]とされています。

［注２］（公社）日本不動産鑑定士協会連合会監修　鑑定評価基準委員会編著「要説 不動産鑑定評価基準と価格等調査ガイドライン」住宅新報社、2015年10月改題版第３刷、p.309

以上、基準の趣旨に沿い、継続賃料をとらえる場合の考え方や背景を中心に述べましたが、次に、一般的にみて継続地代の水準が土地価格に対してどの程度の割合となっているのかを一例を挙げて検証します。

（公社）東京都不動産鑑定士協会では、都内（区部および市部）の借地を対象に、平成21年より継続地代の調査分析を行っていますが、第６回（令和２年度）調査報告（令和３年５月）によれば、**図表９**の結果となっています。

図表９　更地価格に対する年額地代の割合・用途的地域別

	区部				市部				全体			
	商業地域		住宅地域		商業地域		住宅地域		商業地域		住宅地域	
	平均値	データ数	平均値	データ数	平均値	データ数	平均値	データ数	平均値	データ数	平均値	データ数
第１回(H22年)調査	1.2%	109	0.8%	438	1.0%	13	0.9%	57	1.1%	122	0.8%	495
第２回(H24年)調査	1.0%	286	0.8%	1,232	1.0%	20	0.9%	146	1.0%	306	0.9%	1,378
第３回(H26年)調査	1.2%	318	0.8%	1,457	0.9%	23	0.8%	150	1.1%	341	0.8%	1,607
第４回(H28年)調査	1.1%	281	0.8%	1,125	1.1%	18	0.7%	133	1.1%	299	0.8%	1,258
第５回(H30年)調査	1.1%	238	0.8%	929	2.0%	19	0.9%	114	1.6%	257	0.9%	1,043
今回調査（※）	1.0%	183	0.8%	751	1.0%	9	1.2%	103	1.0%	192	1.0%	854

（※）　今回調査とは、第６回（令和２年）調査を指します。サンプル数の合計は1,046件[注3]です。
（出典）（公社）東京都不動産鑑定士協会「第６回（令和２年度）継続地代の調査分析」

［注３］内訳の平均は、区部の商業地域1.0%、同住宅地域0.8%、市部の商業地域1.0%、同住宅地域1.2%となっています。また、商業地域における割合が住宅地域に比較して高い理由は、商業地域の非住宅用地では小規模宅地の軽減措置がないことから固定資産税も高くなり、それが地代に反映されている旨分析されています。しかし、令和２年度調査では、市部の住宅地域が商業地域を0.2%上回ったことも併せて報告されています。

ただ、当該報告では、調査結果を分析する際には継続地代があくまでも契約当事者間の極めて閉ざされた世界で成立していること、第６回調査により分析対象としたデータは契約当事者間での取引から推測したものが多いことに留意されたい旨も併せて述べられています。

ところで、全国的にみた場合、実際に存在する土地賃貸借契約の数は相当なものに上ることでしょうし、さらにその地域の特性や土地価格の高低によっても継続地代の水準は大きく異なってきます。加えて、継続地代に関する情報が市場に表れてこないだけに、データ収集そのものが困難です。ただ、一般的な傾向として、継続地代は新規に土地を貸し付ける場合の試算賃料（例えば、期待利回りを４%と想定してこれを土地価格に乗じた結果に公租公課を加算したもの）よりも大幅に低いことは、上記の調査結果に垣間見ることができます。

継続地代の水準に関する最近の状況（ただし東京都の例）は前記のとおりですが、このような傾向は新たに生じたものではなく、その要因は相当古くから存在していたことが次の対談記事から読み取れます[注4]。

「地代の場合ですと、戦後、特に最近になって新規に設定されたということは、ほとんどまれであって、あるいは戦前から30年、40年と続いているという、そういう歴史的なものがあると思うのです。

ただ、それでは一番最初の設定の段階で、経済賃料をとっていたかと、必ずしもそうでない場合が多い。それは日本の地代というものが、過去の封建時代の遺物のようなもので、資本主義的な経済地代という概念がなくて、むしろ地主の恩恵的な感じで与えられた安い地代が、ずっと尾を引いてきている。

それが戦後になって、ぼつぼつ経済地代という考えが民間に育ってきたと思うのですが、その段階になって、今度は逆に地代家賃統制令でまた押さえられたというようなことで、こと地代に関しては非常にゆがめられた形で、いままできているのではないか。

だから、継続地代というものは、非常に低い水準、元本と土地の価格との関連では、非常に低い水準に押さえられている。一方、土地の元本のほうは非常に上がりすぎている。ですから、土地の元本の方も値上がりしすぎて経済の実態から離れたと申しますか、土地から上がる収益との関連で実態から離れていると申せますが、一方、地代のほうもそういう経済外的なもので押さえられて、非常に低すぎる水準にあるのではないかという感じがします。」

［注４］「鑑定セミナー　継続賃料の実務上の問題点をめぐって」『不動産鑑定』1974年９月号、山田耕二不動産鑑定士の発言。

（3）まとめ～新規地代と継続地代の本質的な相違

新規地代は、基本的な考え方として、不動産の価格と賃料がすでに述べた元本と果実の相関関係に立っていることから出発するものです。

この考え方は、土地の価格に期待利回りを乗じ、これに賃貸借期間中に生じる必要諸経費（固定資産税等の公租公課）を加算することによって試算賃料を求める手法（積算法）に表れています。

これに対し、継続地代の場合、長年のうちに正常賃料と実際支払賃料との間に乖離が生じ、元本と果実の相関関係が崩れてしまったことから、その崩れを是正するという視点に立って評価を行うという考え方です。

なお、継続地代の場合、契約当初からの事実を引き継いできているため、過去の経緯に制約される面が非常に多いといえます。

2 借地上で何を目的として利用するかによる契約の分類～それぞれに対応する地代のとらえ方

借地人がその土地上で何を目的として使用するかにより、その契約が借地借家法の適用を受けるか否かが分かれ、その結果、地代のとらえ方も異なってきます。以下、このような観点から契約の分類を行い、**図表10**に対応するそれぞれの地代のとらえ方を検討します。

図表10　利用目的による地代の分類

利用目的による地代の分類
- **建物を建築して居宅・店舗・事務所等で使用する場合**
- **建物以外の工作物や構築物を設置して使用する場合**
- **何も設置せず駐車場や資材置場等で使用する場合**
- **建物所有目的と駐車場等の利用が一体となっている場合**

（1）建物を建築して居宅・店舗・事務所等で使用する場合

建物所有を目的とする借地契約（土地の賃貸借が対象で使用貸借は除きます）が締結された場合、その契約には借地借家法が適用され、借地人は長期間にわたる土地利用を保障されることになります。したがって、このような場合に賃貸人が期待する地代は、単なる更地利用の場合に比べて高くなることは明らかです。

ところで、借地借家法の適用対象となる建物ですが、これは居宅だけでなく、店舗、事務所、工場、倉庫をはじめ、あらゆる用途の建物に及びます。そのイメージをつかむために、借地関係の解説とは直接関係のない写真ですが、**図表11-①**に非堅固建物、**図表11-②**に堅固建物の例を掲げます。

図表11-①

図表11-②

なお、借地借家法では、次のとおり借地権の定義を置いていますが、適用対象となる建物の用途については何らの定めをしていません。この点、実務においても誤解のないようにしなければなりません。

●借地借家法

（定義）

第２条　この法律において、次の各号に掲げる用語の意義は、当該各号に定めるところによる。

一　借地権　建物の所有を目的とする地上権又は土地の賃借権をいう。

一概に借地権とはいっても、建物の所有を目的として借地している場合だけが借地借家法の借地権の対象となります。相続税申告時に適用される財産評価基本通達においても、借地権の定義を同様に扱っています。

したがって、資材置場（**図表11-③**）や青空駐車場（**図表11-④**）のような利用目的で土地を借りている場合は借地借家法にいう借地権は発生せず、借主は建物所有目的で借地している場合のように借地借家法の保護を受けられないということになります。

図表11-③

図表11-④

また、建物が存する場合であっても、工事期間中の仮設事務所（＝建物の基礎がなく容易に撤去できるもの）のように一時使用の賃貸借と認められる場合も借地権の対象外とされるため、留意が必要です。

●借地借家法

（一時使用目的の借地権[注5]）

第25条　第３条から第８条まで、第13条、第17条、第18条及び第22条から前条までの規定は、臨時設備の設置その他一時使用のために借地権を設定したことが明らかな場合には、適用しない。

［注５］第３条から第８条までの規定および第13条、第17条、第18条の規定は借地権の存続期間（30年）をはじめ、建物を所有する目的で長期に利用することを前提としたものです。また、第22条から第24条までの規定は定期借地権に関するものです。したがって、一時使用目的の借地権の場合も借地借家法の適用を受けないことが明文化されています。

なお、従来の借地法は新しい借地借家法の施行に伴い廃止されています。ただし、平成４年８月１日以前に締結された建物所有を目的とする借地契約には引き続き従来の借地法（旧法）が適用され、現在全国に存在する借地契約（改正法による定期借地契約を除く）の圧倒的多数は旧法の時代に締結されたものであるのが実情です。もちろん、旧法においても建物の所有を目的とするものだけが借地権の対象となっている（旧法第１条）ことに変わりはありません。

参考までに、建物の所有を目的とし借地借家法（旧借地法を含む）が適用される借地契約の形態を分類したものが**図表12**です。この表には定期借地権という用語も登場しますが、以下の解説では普通借地権を対象とします。

図表12　借地権の形態

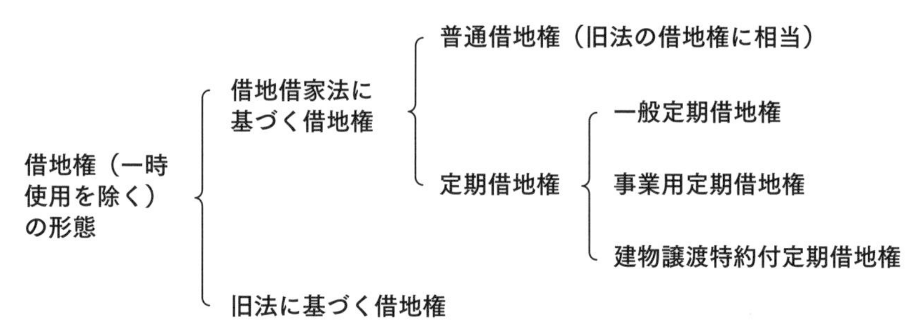

建物の所有を目的とする土地の賃貸借の場合、利用期間が長期にわたり、しかもそこに生活の本拠や営業基盤が形成されることから、本来であれば物権に比べて弱い性格の債権でありながら、これを強力に保護する法制度が適用されてきました。すなわち、大正10年に借地法が制定され、その趣旨が平成４年８月に施行された借地借家法に引き継がれています。

また、土地の賃借権はもともと債権であるため、本来であればこれを登記しなければ賃貸人以外の人に自分が権利者であると主張することはできません。しかし、賃貸人はこのような登記を認めると自分に不利となることから賃借人の要望に応ずるはずはなく、賃借権の登記がなされているケースは極めて稀です。

このため、賃借人を保護するという観点から、借地上の建物の登記をしている場合には、賃借権の登記がなくても賃借人はその権利を第三者に主張することができるという扱いがなされてきました（旧「建物保護ニ関スル法律」（明治42年制定）。現在、同法は廃止され、新しい借地借家法第10条第１項にその趣旨が引き継がれています）。

●借地借家法

（借地権の対抗力）

第10条　借地権は、その登記がなくても、土地の上に借地権者が登記されている建物を所有するときは、これをもって第三者に対抗することができる。

借地借家法では、次のとおり登記面だけでなく、借地権の存続期間に関して賃借人に手厚い保護を与えています。

1 借地権の存続期間

旧借地法では、借地期間の定めがない場合には、堅固な建物で60年、その他の建物では30年が存続期間とされています。また、契約で借地期間を定める場合でも最短期間が法定されており、堅固な建物で30年以上、その他の建物では20年以上としなければならないとされています。これに反した特約をしても、期間の定めのない契約と同じ扱いを受けることとなります。

これに対し、平成４年８月１日に施行された借地借家法では、借地権の存続期間は建物の堅固、非堅固に関係なく一律に30年とされています。これより長い期間を定めた場合はその期間が有効となりますが、反対に、これより短い期間を定めても無効となり、結局は30年の契約期間とみなされてしまいます。また、次の条文から明らかなとおり、旧法のように「期間を定めなかった場合」の扱いに関する規定は置かず、すべて30年という割り切りをしています。

●借地借家法

（借地権の存続期間）

第３条　借地権の存続期間は、30年とする。ただし、契約でこれより長い期間を定めたときは、その期間とする。

2 更新後の契約期間

旧借地法における借地契約の更新後の契約期間は、堅固な建物で30年、その他の建物で20年とされています。そして、新しい借地借家法の施行日以前に締結された借地契約に関しては旧借地法の適用を受けるため、建物が存続する限り更新後の契約期間もこのように長期間にわたるものとなります。

新しい借地借家法では、更新後の契約期間は１回目の更新時は20年、二回目以降の更新からは10年とされています（同法第４条）。しかし、このように更新後の存続期間が短くなっているとはいえ、期間満了時に貸主に正当な事由がなければ更新を拒むことはできず、事実上、旧借地法との間に存続期間の差はないといえます。

これまでに述べてきた内容を整理したものが**図表13**です。

図表13　借地契約の存続期間

【旧借地法】

① 期間の定めがある場合

1）堅固な建物

30年　30年

契約時　更新時　更新時

2）非堅固な建物

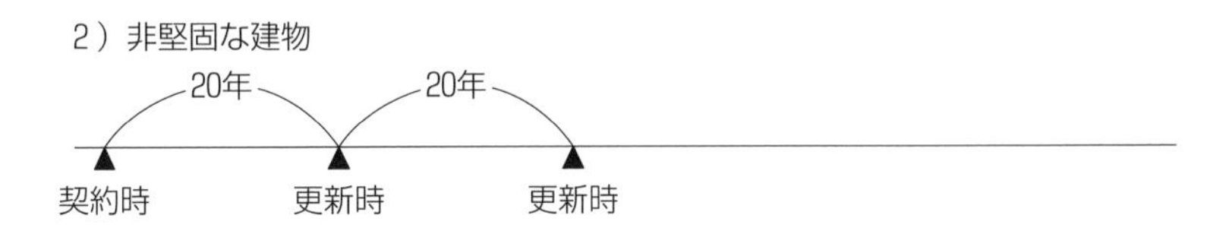

② 期間の定めがない場合

1）堅固な建物

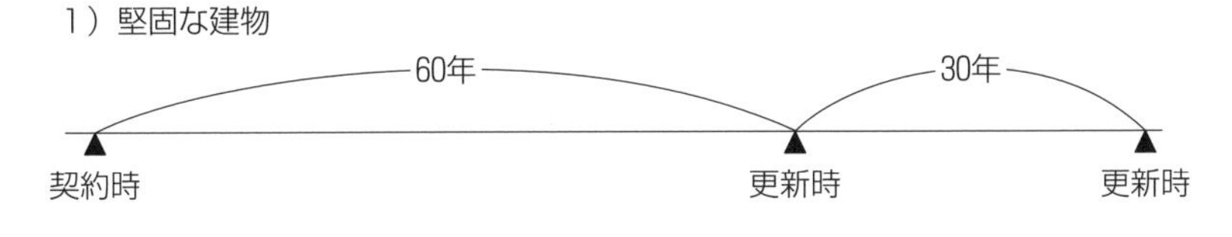

2）非堅固な建物

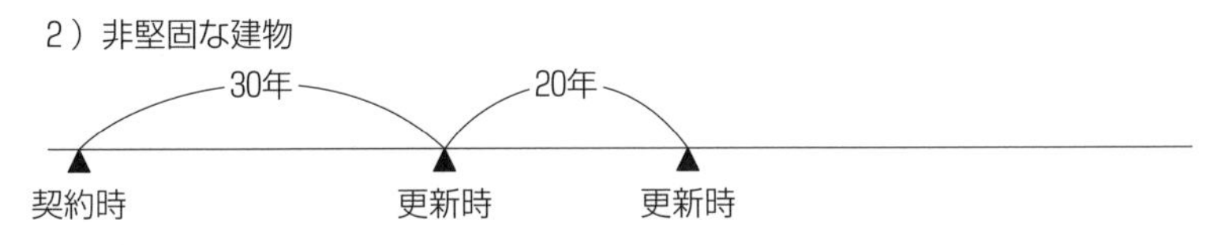

【借地借家法】

（堅固・非堅固に関係なし）

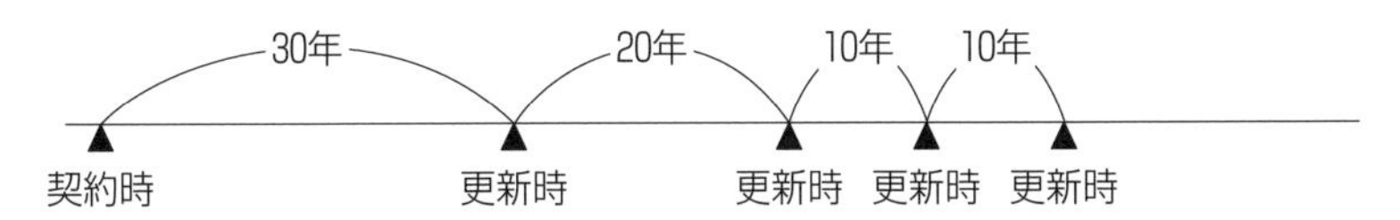

（2）建物以外の工作物や構築物を設置して使用する場合

土地賃貸借の目的が建物利用ではなく、建物以外の工作物や構築物という場合があります。このような目的で使用する場合、単なる置場ではなく基礎の固定された構築物が設置されます。例えば、太陽光発電のパネル置場がこれに該当します。また、プラント類や建物以外の諸施設を目的とする借地契約も、これに該当します。なお、**図表14-①**および**図表14-②**は、構築物の設置を目的とする場合のイメージ写真です。

図表14-①　**図表14-②**

このように、工作物や構築物の設置を目的とする場合は借地借家法の適用はなく、当初の契約期間が満了すれば借地人は土地を明け渡さなければなり

ません。なお、このようなケースでも、契約期間満了時に賃貸人が再契約することに同意すれば、借地人は継続して土地を利用することができます。しかし、賃貸人が同意しない限り、正当事由の有無とは関係なく契約を継続させることはできません。

ちなみに、工作物等の設置を目的とする借地契約には民法の規定が適用されます。従来、民法では賃貸借の最長期間を20年と定めていましたが、令和2年4月1日より改正法が適用され、現在、50年とされています。

●民法

（賃貸借の存続期間）

第604条　賃貸借の存続期間は、50年を超えることができない。契約でこれより長い期間を定めたときであっても、その期間は、50年とする。

2　賃貸借の存続期間は、更新することができる。ただし、その期間は、更新の時から50年を超えることができない。

工作物や構築物の設置を検討する場合は、借主保護の色彩の強い借地借家法は適用されず､建物利用を目的とする場合と比べて地代も低めとなります。

ただし、民法上の土地賃借権といえども、借地人には契約期間にわたり土地を独占的に使用できる経済的利益が生じ、当該期間内に賃貸人から解約を申し入れる場合には、何らかの金銭的対価を伴うのが通常です。そのため、民法上の土地賃借権の取扱いにあたっては、以下に掲げるバランスを考慮しておく必要があります。

賃貸借における権利の強弱のバランス

借地借家法の借地権　＞　民法上の借地権　＞　一時使用の借地権

また、このような関係が地代水準の差となって表れてくるといえるでしょう。ここで、さらに留意しなければならないのは、法人間の契約で借地上に工作物等を設置する場合は、法人税法の規定[注6]で工作物等も借地権の発生対象とされてしまうことです。このような借地契約には借地借家法の適用はありませんが、工作物等の設置を目的とする場合には相当地代[注7]を授受していなければ、契約終了時に法人間の課税関係を生じさせてしまう可能性があることを念頭に置く必要があります。

［注６］法人税法では、地上権または土地の賃借権を借地権と定義し（同法施行令第137条）、借地権の対象を建物所有を目的とするものに限定していないからです。

［注７］詳細は後ほど述べますが、ここでは相続税評価額の６％（年）に相当する地代と考えてください。

（3）何も設置せず駐車場や資材置場等で使用する場合

借地契約のなかには、一時使用賃貸借という形式をとり、土地上に固定物を設置せず、駐車場や資材置場等で使用する場合があります。

また、借地権の存続期間をはじめ、借地借家法の借主保護に関する規定は一時使用目的の借地権には適用されないことになっています（借地借家法第25条）。

このような借地契約は、**（2）**で述べたとおり、地代の水準も工作物等を設置する場合と比較して低いのが通常です。

なお、**図表11-③**は資材置場、**図表11-④**は駐車場利用での利用を目的とする土地一時使用賃貸借のイメージ写真です。

図表11-③　再掲

図表11-④　再掲

(4) 建物所有目的と駐車場等の利用が一体となっている場合

実際の借地契約のなかには、一団の土地のなかを建物所有を目的とする部分と駐車場等の利用を目的とする部分とを明確に分けて契約しているものもあれば、区分せず一体として契約しているものもあります。

前者の場合は、地代も建物所有を目的とする部分と駐車場利用を目的とする部分とに分けて算定されています。しかし、後者の場合には、そのようになっているとは限りません。このようなケースでは、地代総額が契約書に記載されているだけで、当事者以外の人に内訳はわかりません。

以下に述べる内容は直接的に地代にかかるものではありませんが、後者のような一体契約が締結されていて借地権をめぐる紛争が生じた場合、借地権の効力の及ぶ範囲がどこまでであるかが問題となります。その一例として、建物所有目的で賃借した土地の一部（現況は家庭菜園）につき、建物所有に通常必要と認められる範囲を超えているとして借地法（判決時）の適用を否定した事例を掲げます。

この事例（神戸地裁昭和62年2月27日判決、判例時報1239号93頁）では、土地全体について建物所有目的で一個の賃貸借契約が締結されているにもかかわらず、建物所有に通常必要と客観的に認められる範囲を超える部分には借地法が適用されないと判示されている点が特徴的です。なお、本件は新しい借地借家法適用前の契約であるため、旧借地法が適用されています。

本件において、借地人の先代は、昭和38年頃、賃貸人から土地全体を建物所有目的で賃借しましたが、その一部に建物を建築し、残りの部分を家庭菜園として利用していました。その後、借地人の相続人に対し、賃貸人は、建物所有目的で賃貸したのは全体の一部であり、しかも残りの部分は建物の敷地と明確に区別でき現況も畑として利用されているとして、その部分には借地法の適用はない旨主張しました。そして、当該部分は民法第617条の適用を受けるとし、借地人に対し明渡しを請求していたものです。

●民法

（期間の定めのない賃貸借の解約の申入れ）

第617条　当事者が賃貸借の期間を定めなかったときは、各当事者は、いつでも解約の申入れをすることができる。この場合においては、次の各号に掲げる賃貸借は、解約の申入れの日からそれぞれ当該各号に定める期間を経過することによって終了する。

一　土地の賃貸借　一年　（以下省略）

なお、本件の審理にあたった裁判所は、家庭菜園として利用していた部分には借地法の適用はなく、民法第617条の規定に従い、賃貸人の解約申入れの後１年を経過することにより契約は終了する旨判示しています。その理由の骨子は以下のとおりです。

① 土地の賃貸借において、当該土地の全体について建物所有を目的として一つの契約をもって締結された場合でも、借地法が適用されるのは建物所有に通常必要であると客観的に認められる範囲ないし現実に当該建物の所有に必要であると認められる範囲に限られる。そして、これを超える部分については借地法の適用はないと解すべきである。

② 借地法の保護を受けるのは、建物所有の目的のために通常必要であると客観的に認められる範囲ないし存在する建物の所有に現実に必要であると

認められる範囲に限定するのが相当である。これを超えて、それ以外の部分についても借地法の適用を認めれば、土地の有効利用を阻害する結果となりかねない。

③ 家庭菜園の部分は、建物の敷地等とは明確に区別される状況にあり、従来もっぱら同じ目的でのみ使用され、建物の敷地等として使用されたことは一度もないこと（以下省略）。

本件のような状況にある土地の場合、建物の敷地部分とそれ以外の部分を契約上明確に区分したうえで、地代の金額もそれぞれの利用形態に応じて区別しておくことが契約管理上望ましいといえます。

3 誰が地代を決めるのかによる分類

前項および前々項では理論的な内容も含めて解説しましたが、本項では素朴な疑問として、誰が地代を決めるのかという点について考えてみます。

ところで、「ある土地を借りたい」と思っても、地代は一般商品のように誰の目からも見えるようなかたちで店頭に陳列されているわけではありません。なかには、チラシ等の不動産広告で、「貸地　月額○○,○○○円」というように借り手を募集している例もありますが、これは限られた物件で、たまたまそれが市場に供給されていたにすぎません。

では、地代は誰が決めるのでしょうか。これについては図表15のような、いくつかの形態があります。

図表15　地代決定の形態

地代決定の形態
- 当事者が話し合って決める場合
- 貸主があらかじめ決めた地代で借主を募集する場合
- 当事者間で話合いがつかず、裁判所に適正地代の決定を委ねる場合

（1）当事者が話し合って決める場合

これに該当するケースとしては、貸主・借主間で特定の物件を貸し借りすることがあらかじめ合意されており、残るは地代の決定のみという場合が考えられます。

例えば、親子会社間において、子会社の事業用地を親会社が提供する方針

決定がなされたとします。このようなケースは市場での賃貸借と異なり、需給関係を直接反映して地代の額が決定されるわけではありません。あくまでも事業用地の提供という基本方針が先に決定され、需給関係とは別の視点から当事者で話し合って、地代が決定されることになります。これについては項を改めて解説しますが、税務上の相当地代の考え方が多く適用されているようです。

また、借主から「このくらいの地代で土地を貸してもらえないか」という要望が出た場合も、本書では**（1）**のケースに含めて考えています。

さらに、契約が継続中であっても、当事者が話合いのうえ、改定後の地代（継続地代）を決定しているケースも多くみられます。

（2）貸主があらかじめ決めた地代で借主を募集する場合

先ほど述べたチラシ等による不動産広告の場合がこれに該当します。また、インターネットの情報で借主を募集しているケースも同様です（**図表16**）。

このようなケースでは、貸主があらかじめ決めた地代（希望賃料）で借主を募集しますが、この金額はあくまでも貸主の意向であり、そのとおり成約するとは限りません。もし、借り希望者が現れたとしても、借地需要がそれほど多くない地域では、成約させようと思えば地代の減額を余儀なくされる可能性は十分あり得ます。場合によっては、地代の額にかかわらず借り手が見つからないこともあるでしょう。

新規地代の決定方法としては、このようなケースが一般的であるといえます。

図表16　貸地の広告例

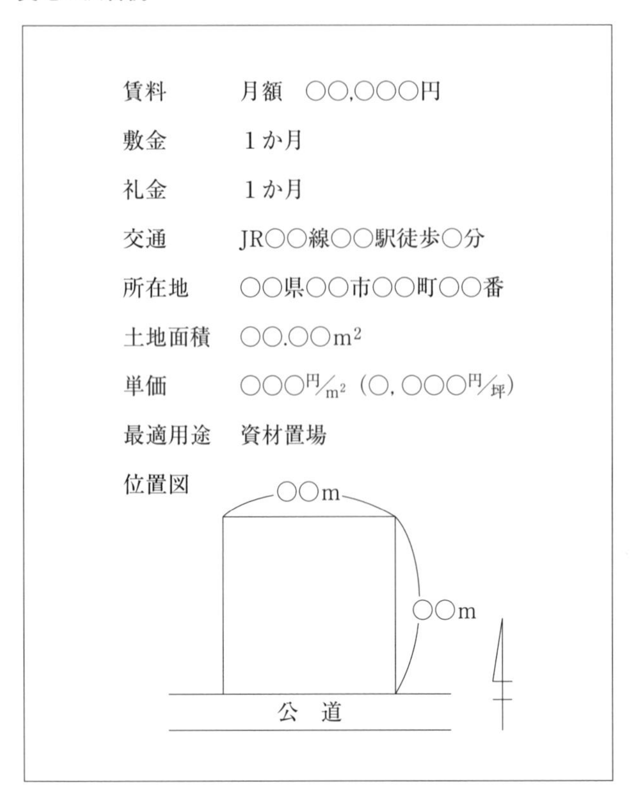

(3) 訴訟の結果、裁判所が決定する場合

地代は、話合いのうえ、当事者間で任意に決定するのが本来の姿ですが、契約期間中における地代改定に関しては現実にそのとおり行われているとは限りません。

土地や建物の賃貸借は売買と異なり、契約締結後から長期にわたる人間関係が生じます。それだけでなく、契約期間中に経済情勢が変化し、周辺の地価や賃料が上昇することもあれば、下落することもあるでしょう。

その結果が固定資産税等の税額にも波及し、これを理由として貸主・借主の双方から地代改定の要望がなされることもあります。ちなみに、契約開始時点では双方にとって合理的と思われた賃料でも、これを改定しない限り市場の実態から乖離していく場合、地価上昇期であれば貸主から地代増額要望が、地価下落期であれば借主から地代減額要望がなされることが一般的です(**図表17**)。また、賃貸物件の売却や相続等による賃貸人の交替を契機として賃料増額訴訟に発展するケースもあります。

図表17　賃料増減額をめぐる訴訟

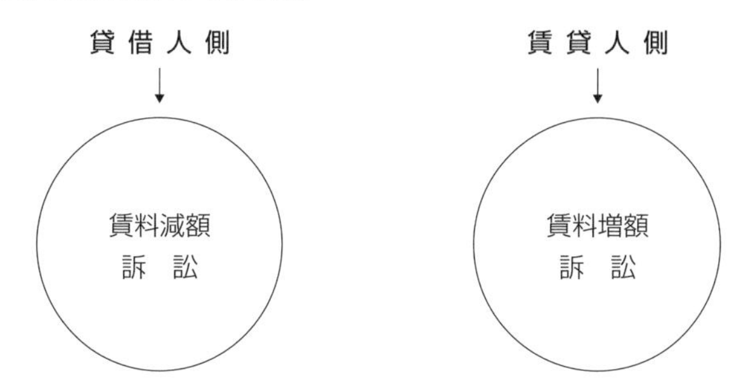

ただ、問題解決を難しくしているのは、借地借家法（強行規定[注8]）における借主保護の関係もあり、貸主の要望がそのまま受け容れられないからといって、それだけでは契約解除が認められていないという点にあります。

［注８］民法の一般規定と借地借家法の規定が抵触した場合、借地借家法の規定が優先して適用されるため、強行規定とされています。

●借地借家法

（借地契約の更新請求等）

第５条　借地権の存続期間が満了する場合において、借地権者が契約の更新を請求したときは、建物がある場合に限り、前条の規定によるもののほか、従前の契約と同一の条件で契約を更新したものとみなす。ただし、借地権設定者が遅滞なく異議を述べたときは、この限りでない。

2　借地権の存続期間が満了した後、借地権者が土地の使用を継続するときも、建物がある場合に限り、前項と同様とする。

3　（省略）

（借地契約の更新拒絶の要件）

第６条　前条の異議は、借地権設定者及び借地権者（転借地権者を含む。以下この条において同じ。）が土地の使用を必要とする事情のほか、借地に関する従前の経過及び土地の利用状況並びに借地権設定者が土地の明渡しの条件として又は土地の明渡しと引換えに借地権者に対して財産上の給付をする旨の申出をした場合におけるその申出を考慮して、正当の事由があると認められる場合でなければ、述べることができない。

そのため、地代改定にあたり貸主は自分の思うとおりの地代を主張し、借主がこれに応ぜず話合いが平行線をたどった場合、借主は賃料不払いによる債務不履行を避けるため、従来と同額の賃料を払い続けることになるでしょう。例えば、その手段として供託[注9]等の方法が用いられています。

［注９］供託とは、法務局等に金銭を預けることを意味します。

また、賃料改定交渉にあたり、第三者からみた適正賃料を求めるという意味で不動産鑑定士に鑑定評価を依頼するケースもよくあります（貸主・借主の一方または双方より）。

なお、どうしても話合いがつかず、その解決を訴訟に委ねざるを得ないという場合もあるでしょう。ただし、地代や家賃の増減額請求にあたり訴訟を提起したいという場合には、その前に調停の申立てをする必要があります（民事調停法第24条の２）。

●民事調停法

（地代借賃増減請求事件の調停の前置）

第24条の２　借地借家法（平成３年法律第90号）第11条の地代若しくは

土地の借賃の額の増減の請求又は同法第32条の建物の借賃の額の増減の請求に関する事件について訴えを提起しようとする者は、まず調停の申立てをしなければならない。

2　前項の事件について調停の申立てをすることなく訴えを提起した場合には、受訴裁判所は、その事件を調停に付さなければならない。ただし、受訴裁判所が事件を調停に付することを適当でないと認めるときは、この限りでない。

調停とは、民事に関する紛争につき、当事者の互譲により、条理にかない実情に即した解決を図ることを目的とする制度です（民事調停法第１条）。

民事に関し紛争が生じた場合、当事者は相手方の住所、事務所等を管轄する簡易裁判所に調停の申立てをすることができます（原則、民事調停法第２条、第３条）。調停は非公開で行われ、裁判所が当事者双方および関係人の意見を聞き、当事者間で合意が成立したときに調書が作成され、これをもって調停が成立したものとされます。また、調停が成立した場合には、それが判決と同一の効力を有するとして扱われています。

調停によって決定した改定後の地代は、裁判所の調停案をもとに当事者が合意したものであることからすれば、裁判所が決定した地代と表現するのは適切ではないかもしれません。しかし、ここでは、当事者同士では当初話合いがつかず、裁判所が関与したという意味で本項の分類に入れておきます。

さて、以上のようにして手続を進めたものの調停が不成立となった場合、当事者の一方または双方から訴訟が提起されることがあります。

不動産鑑定士の鑑定評価書は調停の場合にも活用されますが、訴訟が提起された場合、審理の中心は提出された鑑定評価書の信頼性（鑑定評価額を導き出した過程やそれに用いた資料の信頼性、鑑定評価額の妥当性）に移ることになります。

また、鑑定評価に関しても、先ほど述べたように当事者が依頼するケース（私的鑑定）の他に、私的鑑定のみでは当事者の利害調整を図ることが難しいことも多いため、裁判所の依頼による鑑定（公的鑑定）が行われることがあります（**図表18**）。

図表18　鑑定評価による継続賃料

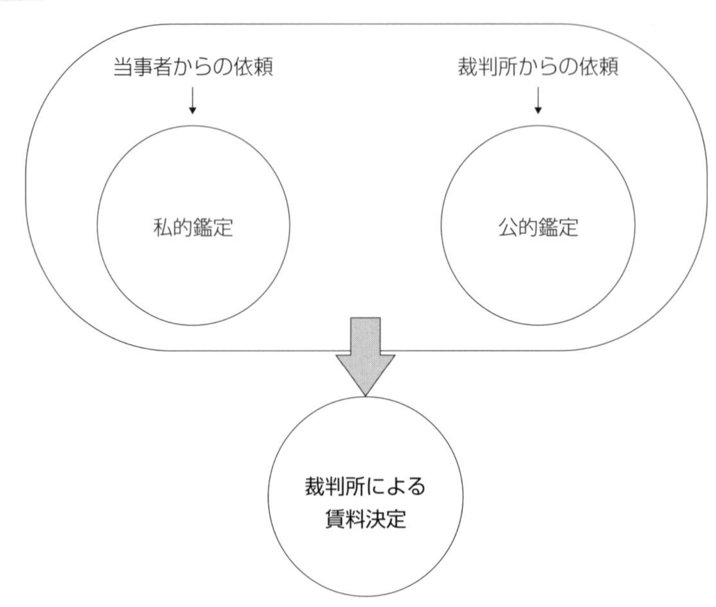

本項では詳細な内容には言及しませんが、審理にあたる裁判所はこのような視点から総合的に判断したうえで、改定後の賃料を決定することになります。このような手順を踏んで決定された地代は、まさに裁判所が決定した地代といえます。

なお、鑑定評価による場合、不動産鑑定士は、①差額配分法、②利回り法、③スライド法、④賃貸事例比較法のうち、適用可能な複数の手法を用いて賃料を試算し、これらを調整のうえ、最終的な結論（鑑定評価額）を決定しています。裁判所においても、これらの内容を精査のうえ、適正賃料額の判断を行っています。なお、各手法の詳細は第6章をご参照ください。

4 税務上の地代と市場賃料

地代を決定する目安として、税法では相当地代および通常地代という概念が登場します。これらの用語は、むしろ税法特有のものといって支障はないでしょう。

これに対し、一般市場（不特定多数の当事者間における賃貸借市場）では、相当地代のような概念は馴染んでいないと思われます。なぜなら、一般市場ではその地域の地代相場がいくら程度であるかという意識が浸透しているからです。そのため、筆者は、一概に地代といっても、税務上の地代と市場賃料のとらえ方には相違があると考えています。この考え方に沿って分類したものが**図表19**です。

図表19　税法と地代

地　代
- **税法上の「相当の地代」**
- **税法上の「通常の地代」**
- **税法とは無関係に市場の需給関係で決まる地代**

（1）税法上の「相当の地代」

相当の地代という概念は法人税や相続税等において登場しますが、ここでは法人税法の規定をもとに解説します。

世間一般の土地賃貸借契約では、貸主は権利金等の一時金を受け取って土地を賃貸し、借主は更地価格から権利金相当額を差し引いた残りの価格に対して地代を支払うという考え方に立っていることが多いといえます。権利金を授受する趣旨は、貸主にとっては土地を賃貸することにより長期間自ら使用できなくなること、借主にとっては長期間にわたる安定的利用を保障されるためです。

しかし、なかには親子会社間あるいは親族会社間における土地賃貸借契約のように、権利金を授受しないのがむしろ通常といえるケースもあります。また、このような会社間では借地権に対する権利意識も希薄であることから、法人税法のうえでもこれを踏まえた課税上の取扱いがなされています。

1 権利金に代わる相当地代の授受

親子会社間や親族会社間における借地契約では、契約締結時に権利金を授受しない代わりに、当初設定した相当地代の額を地価の変動に合わせて改定していることが多いといえます。その理由として、以下のことを指摘することができます。

① 親子会社間等では一般の土地賃貸借と異なり、権利金を支払わなければ土地を貸さないという意識は薄いこと。

② しかし、法人税法では、権利金を授受する慣行のある地域で権利金を授受せず、しかも相当地代も授受しなければ、権利金を授受したものとみなして課税する旨の取扱いがなされていること（権利金の認定課税）。したがって、親子会社間等であるからといって、地代の額を安くすることはできないこと。

また、貸主は借主に税務上借地権の価値を発生させないようあえて権利金を受け取らないとともに、借主に借り得（土地の価値に見合う賃料＞実際に授受している賃料との差額）を生じさせないために、常に地代を相当の水準に改定しておくという意味合いもあります。なぜなら、長期間にわたり地代を安くしておくことにより借り得部分が累積されて借地権の価値が生じ、借地権の返還時にその対価を授受しなければ課税関係が生じるからです。

なお、法人税法および法人税基本通達では、以下の取扱いをしています。

2 権利金の認定課税の意味

借地権の設定時に権利金を授受する慣行のある地域では、たとえ親子会社間等の賃貸借であっても、法人税法上これを授受しなくてもよいという理由は見当たりません。むしろ、権利金を授受することが慣行化している地域では、たとえこれを授受しなくても、授受したものとして課税が行われることとなります。これは次の考え方にその拠り所を求めることができます。

「法人税においては、こうした権利金授受の慣行が熟している地域において、理由なく権利金の授受をしないで借地権の設定等をした場合には、権利金の認定課税が行われる建前となっています。このことは、法人税法第22条第２項において、法人の各事業年度の所得の金額の計算上益金の額に算入すべき金額には、『有償又は無償による資産の譲渡又は役務の提供』による収益の額を含むと規定していることからも明らかなとおり、資産の移転又は役務の提供がたとえ無償で行われたとしても、法人税の建前では通常の時価による対価を授受したものとして益金の額を計算し、その上でその対価相当額をその相手方に贈与し、又は給与等として支給したものとみて課税関係を律することとしているからです。

なぜ法人税の建前がそのようになっているかといいますと、本来会社は、営利を目的として設立された社団であるということから、これを対象とする法人税制は、法人が通常の経済行為を行うことを前提として組み立てられねばならないという基盤に立っているからです[注10]。」

［注10］高木文雄『法人・個人をめぐる借地権の税務（四訂第４版）』清文社、平成２年２月、p.81

ただし、法人税法施行令第137条ではこのことについて例外を設け、権利金の授受に代えて相当の地代を授受している場合には、権利金の認定課税を行わないこととしています。

◉法人税法施行令

（土地の使用に伴う対価についての所得の計算）

第137条　借地権（地上権又は土地の賃借権をいう。以下この条において同じ。）若しくは地役権の設定により土地を使用させ、又は借地権の転貸その他他人に借地権に係る土地を使用させる行為をした内国法人については、その使用の対価として通常権利金その他の一時金（以下この条において「権利金」という。）を収受する取引上の慣行がある場合においても、当該権利金の収受に代え、当該土地（借地権者にあつては、借地権。以下この条において同じ。）の価額（通常収受すべき権利金に満たない金額を権利金として収受している場合には、当該土地の価額からその収受した金額を控除した金額）に照らし当該使用の対価として相当の地代を収受しているときは、当該土地の使用に係る取引は正常な取引条件でされたものとして、その内国法人の各事業年度の所得の金額を計算するものとする。

法人税法施行令にこのような規定があることから、実際には権利金を授受しない場合でも、相当の対価を授受するケースが多いと思われます。ただし、権利金を授受せず、かつ実際に授受されている地代も相当の地代に満たない場合には、法人税基本通達の次の規定に基づき権利金の認定課税が行われる仕組みとなっています。

●法人税基本通達

（相当の地代に満たない地代を収受している場合の権利金の認定）

13-１-３　法人が借地権の設定等により他人に土地を使用させた場合において、これにより収受する地代の額が13-１-２に定める相当の地代の額に満たないときは、13-１-７の取扱いによる場合を除き、次の算式により計算した金額から実際に収受している権利金の額及び特別の経済的な利益の額を控除した金額を借地人等に対して贈与（当該借地人等が当該法人の役員又は使用人である場合には、給与の支給とする。以下13-１-14までにおいて同じ。）したものとする。（昭55年直法２-15「三十一」、昭56年直法２-16「五」により改正）

算式

$$\text{土地の更地価額} \times \left[1 - \frac{\text{実際に収受している地代の年額}}{\text{13-1-2に定める相当の地代の年額}} \right]$$

（注）　１～２　（省略）

3 相当の地代の意味

相当地代の意味を例えていえば、その土地に投資してそこから収益を上げるとした場合に採算に見合う地代ということになります。または、その土地の価値に相応して合理的に算定される地代ともいえます。

現在、相当地代の割合は更地価額のおおむね年６％程度の金額とされています。

その根拠は、法人税基本通達13－１－２および個別通達の二つを合わせることにより読み取ることができます。すなわち、法人税基本通達13－１－２の条文には年８％程度と定められており、当初はこの割合が適用されていましたが、平成元年３月30日付通達（法人税基本通達とは別に定められた個別通達）により、当分の間年６％が適用されることとなり現在に至っています。

●法人税基本通達

（使用の対価としての相当の地代）

13－１－２　法人が借地権の設定等（借地権又は地役権の設定により土地を使用させ、又は借地権の転貸その他他人に借地権に係る土地を使用させる行為をいう。以下この章において同じ。）により他人に土地を使用させた場合において、これにより収受する地代の額が当該土地の更地価額（権利金を収受しているとき又は特別の経済的な利益の額があるときは、これらの金額を控除した金額）に対しておおむね年８％程度のものであるときは、その地代は令第137条《土地の使用に伴う対価についての所得の計算》に規定する相当の地代に該当するものとする。（昭55年直法２－15「三十一」、平３年課法２－４「十一」、平19年課法２－３「三十七」、

平23年課法２-17「二十七」により改正）

（注）

1　「土地の更地価額」は、その借地権の設定等の時における当該土地の更地としての通常の取引価額をいうのであるが、この取扱いの適用上は、課税上弊害がない限り、当該土地につきその近傍類地の公示価格等（地価公示法第８条《不動産鑑定士の土地についての鑑定評価の準則》に規定する公示価格又は国土利用計画法施行令第９条第１項《基準地の標準価格》に規定する標準価格をいう。）から合理的に算定した価額又は昭和39年４月25日付直資56直審（資）17「財産評価基本通達」第２章《土地及び土地の上に存する権利》の例により計算した価額によることができるものとする。（以下省略）

●法人税の借地権課税における相当の地代の取扱いについて

平成元年３月30日直法２－２

平成３年12月25日課法２－４（例規）により改正

標題のことについては、当分の間、下記によることとしたから、今後処理するものからこれによられたい。

（趣旨）

最近における地価の異常な高騰にかんがみ、借地権課税における相当の地代について、その実情に即した取扱いを定めるものである。

記

法人税基本通達13-１－２（(使用の対価としての相当の地代)）に定める「年８％」は「年６％」と、「昭和39年４月25日付直資56・直審（資）17『財産評価基本通達』第２章（(土地及び土地の上に存する権利)）の例により計算した価額」は「昭和39年４月25日付直資56・直審（資）17『財産評価基本通達』第２章（(土地及び土地の上に存する権利)）の例により計算した価額若しくは当該価額の過去３年間における平均額」とする。

（平成３年課法２－４により改正）

（注）「過去３年間」とは、借地権を設定し、又は地代を改訂する年以前３年間をいう。

なお、年８％の規定が定められた背景については、次の記述が参考になります。[注11]

「……、８％がどのようにして算定されたかといいますと、その当時の最低の利回りをみますと、国債の応募者利回りが年6.2%となっていましたので、これに固定資産税等の公租公課を加え、年８％という線に落ち着いたものです。このように年８％という基準が生まれたのですが、ご承知のように、権利金も地代もその所在場所により異なり、必ずしも一律ではありません。従って、この率は一応の目安として定めるという意味で、通達でも『おおむね……程度』と断っていたわけです。」

[注11] 高木文雄、前掲書[注10]、p.105

条文のみではわかりにくいため、今まで掲げてきたことをまとめると次のとおりとなります。

① 相当地代の算定のもとになる更地価額とはその土地の通常の取引価額（時価）を指しますが、課税上弊害がない限り次の価額によることもできるとされています。

・対象地の近くにある利用状況の類似した公示価格や基準地価格から合理的に算定した価格

・対象地の相続税評価額または相続税評価額の過去３年間の平均額

② 相当地代の算定のもとになる利回りは、上記理由により現在でも６％を用います。

また、次に挙げる国税庁ホームページ「タックスアンサー」も併せてご参照ください。

相当の地代及び相当の地代の改訂

法人が借地権の設定により他人に土地を使用させる場合、通常、権利金を収受する慣行があるにもかかわらず権利金を収受しないときには、原則として、権利金の認定課税が行われます。

しかし、権利金の収受に代えて相当の地代を収受しているときは、権利金の認定課税は行われません。この場合の相当の地代の額は、原則として、その土地の更地価額のおおむね年6パーセント程度の金額です。

土地の更地価額とは、その土地の時価をいいますが、課税上弊害がない限り次の金額によることも認められます。

(1) その土地の近くにある類似した土地の公示価格などから合理的に計算した価額

(2) その土地の相続税評価額またはその評価額の過去3年間の平均額

なお、相当の地代を授受することとしたときには、借地権設定に係る契約書において、その後の地代の改定方法について次の①または②のいずれかによることを定め、遅滞なく「相当の地代の改訂方法に関する届出書」を借地人と連名で法人の納税地の所轄税務署長に提出することが必要です。届出がされない場合は、②を選択したものとして取り扱われます。

① 土地の価額の値上がりに応じて、その収受する地代の額を相当の地代の額に改訂する方法

この改訂は、おおむね3年以下の期間ごとに行う必要があります。

② 上記①以外の方法

（法令137、法基通13-1-2、13-1-8、平元直法2-2）

（出典） 国税庁ホームページ「タックスアンサー」No.5732 相当の地代及び相当の地代の改訂

（2）税法上の「通常の地代」

通常の地代とは、借主が権利金を支払って借地権の設定を受けた場合に、その後に支払う年々の地代のことを指します。

借地権の設定にあたり権利金が支払われた場合、借主は半永久的にその土地の利用を保障されることとなります。その意味で、借主にとって権利金の支払いは将来にわたる土地利用権の取得の対価ともいえるものです。したがって、権利金が支払われた場合に、借主が今後支払う地代は相当地代ではなく、権利金が支払われた土地について賃貸借当事者間で一般的に授受される地代（＝通常の地代）を基準に考えることになります。

しかし、実際にこのような調査を行って、通常の地代の水準を把握することは困難です。そのため、通常の地代の算定にあたっては、実務上、更地価格から借地権割合相当額を差し引いた残りの金額に対して６％を乗ずる方法が用いられています。権利金はその地域の慣行的な借地権割合（60％～70％）を目安として支払われる傾向にあるため、算式中に借地権割合ということばが登場してきます。

算式　**通常の地代**

通常の地代の年額＝更地価額×（１－借地権割合）×６％

参考までに、相当の地代と通常の地代のイメージを対比させたものを**図表20**に掲げます。

図表20　相当の地代と通常の地代

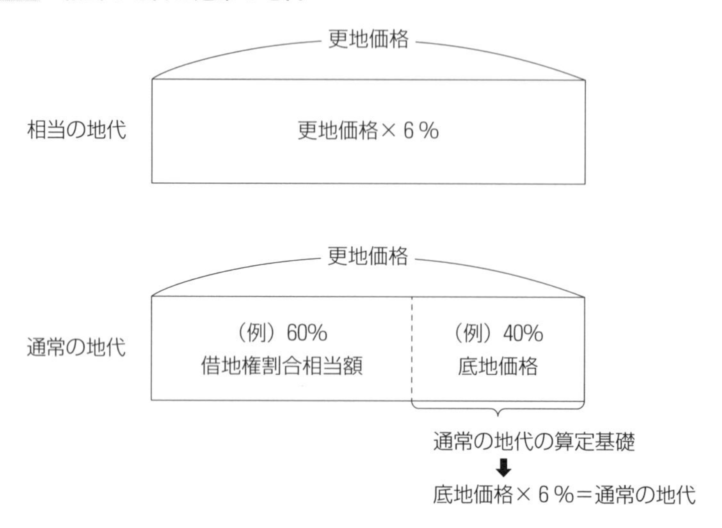

（3）税法とは無関係に市場の需給関係で決まる地代

今まで述べてきた相当の地代や通常の地代という概念は、主に税法の規定を意識したものです。

しかし、新規に、しかも長期間にわたり建物利用を目的とする土地賃貸借が行われるのは、実際にはほとんどのケースが親子会社・関連会社、親族会社間に限られると思われます。このようなケースではあえて権利金の授受は行われないでしょうから、通常の地代よりも相当の地代が問題となるほうが圧倒的に多いといえましょう。

ただし、一般市場はどうかといえば、建物利用を目的とする普通借地権の供給は極めて稀であり､仮に新規貸しが行われる場合には権利金の授受を前提に考える必要があります(借地権の取引慣行が形成されていない地域は除く)。そのため、相当の地代という概念をそのまま一般市場に当てはめることは実態にそぐわないといえます。なぜなら、相当の地代の取り決めをするのは、権利金を授受する慣行のある地域でありながら、あえてこれを授受しないからです。

その意味では、一般市場において仮に新規貸しを行うとすれば、更地価格から借地権価格相当額の権利金を差し引いた残りの金額に対して期待利回りを乗じ、これに必要諸経費を加算した結果が貸主の提示する地代となり、これをもとに借主との交渉のうえ決定することになると思われます。しかし、現実の市場をみた場合、住宅用地（定期借地権付住宅）においては家計所得の５％程度の地代相場が形成されており、企業用地においては、「月・坪○○○円」等のいい方で把握されている業態ごとの地代相場を前提に、土地所有者と借地需要者の仲立ちを通じて、各々の具体的地代の合意に至るというのが実際のところであろう[注12]という報告もあります。このような状況下においては、上記のような期待利回りに基づく地代算定方法は直接前面に登場してきませんが、実際の事例から推定される価格と利回りとの関係を検証しておくことは有益なことと思われます。

[注12] 桜井誠三「地代（土地賃料）鑑定の今日的意義」『Evaluation』2008年５月号、p.45～46

次に、継続地代ですが、一般市場における既存の借地契約で地代改定をするにあたっても、新規地代と同様に税務上の地代の概念をそのまま当てはめるわけにはいきません。なぜなら、継続中の契約における地代改定に際しては、契約締結時の経緯、過去における地代改定の状況、直近合意時点からの経済状況や地価状況の変動等を踏まえる必要があり、現実の紛争事例をみても鑑定評価の結果を考慮して決定されているケースが通常であるからです。

もちろん、当事者間で話合いのうえ、紛争に至らずスムーズに改定が行われている例もあり、そのようなケースでは直近合意時点からの地代の変動率、借主の負担能力等の観点から交渉が行われ、改定額が決定されています。

5 借地契約の形態と地代

借地契約の形態によっても地代の水準は異なるようです。

借地借家法では、いわゆる普通借地権（旧法における借地権に該当）の他に定期借地権の制度を設け、さらに定期借地権の形態を三つに分けています。また、借地借家法が適用されない一時使用賃貸借契約というものもあります（図表21）。

図表21　契約形態と地代

- 地　代
  - 普通借地契約の地代（更新のある長期の借地契約。旧法の借地権に該当）
  - 定期借地契約の地代
    - 一般定期借地権（契約期間50年以上）
    - 事業用定期借地権（契約期間10年以上50年未満）
    - 建物譲渡特約付定期借地権（契約期間30年以上）
  - 一時使用賃貸借契約の地代

このように、現在の借地借家法には契約期間が満了しても貸主に正当事由がなければ契約が更新されてしまうタイプのもの（普通借地権）と、期間満了とともに貸主の正当事由の有無に関係なく契約が終了するタイプのもの（定期借地権）が混在しています。

（1）借地権の存続期間

借地権の存続期間については、旧法（借地法）と新法（借地借家法）との間に以下のような相違があります。

■1 旧法・新法間における相違

最初に、その借地契約が旧借地法（以下、旧法という）の時代に締結されたものであるのか（＝平成４年７月31日までの借地契約）、新しい借地借家法（以下、新法という）が適用された後に締結されたものであるのか（＝平成４年８月１日以降の借地契約）を確認する必要があります。

さらに、新法が適用される場合、その借地契約が普通借地契約（旧法と同じイメージの借地権）であるのか、定期借地契約であるのかを区別することが重要となります。なぜなら、どちらに属するかにより、借地権の存続期間をめぐる取扱いが大きく異なってくるためです。

■2 借地権の存続期間の比較

図表21は新法と旧法での借地権の存続期間を対比したものです。

1)　旧法の場合

（ア）期間を定めなかった場合

図表22のとおり、旧法では借地契約の期間を定めなかった場合、その存続期間は堅固な建物の所有を目的とするものについては60年、非堅固なものについては30年とされていました。ただし、この期間内に建物が朽廃すれば借地権は消滅する扱いとなっていました。

次に、当初の契約期間が満了した場合の取扱いですが、その時点で建物が存在し、かつ、貸主にその土地の使用を必要とする正当な事由がない限り、契約は当然に更新されてしまうのが通常でした。もちろん、このような法定更新とは別に、当事者間で合意のうえで契約を更新する例は多くありました。

そして、更新後の契約期間については、期間を定めなかった場合、堅固な建物を目的とするものについては30年、非堅固なものについては20年とみなされていました（旧法第２条）。

当初の契約期間と同様に旧法によれば、期間を定めなかった場合には、更新後の期間内に建物が朽廃すれば借地権も消滅してしまうことになります。

（イ）期間を定めた場合

これに対し、旧法では契約で期間を定める場合、堅固な建物については30

年以上、非堅固な建物については20年以上としなければならない旨の規定が設けられていました（旧法第２条）。実務上は、堅固な建物で30年、非堅固な建物で20年とする契約が多かったといえます。また、更新後の存続期間についても同様の考え方が適用されていました。そして、期間を定めた場合には、期間中に建物が朽廃しても契約期間内は借地権が存続するというものでした。このような扱いは、当初締結した借地契約の期間内に建物が朽廃した場合でも、更新後の期間内に朽廃した場合でも同様です。

2)　新法の場合

これに対し、新法では借地権を設定する際の存続期間は建物の堅固、非堅固に関係なく一律30年とされています。ただし、契約でこれより長い期間を定めた場合はこれによります。更新後の存続期間も、**図表22**のとおり期間の定めがあってもなくても実質的な差異はみられません。また、新法では旧法と異なり、建物の朽廃によって借地権が消滅するという規定は廃止されています。なお、期間の定めの有無には関係ありません。

３ 建物の朽廃と滅失との関係

旧法では建物の朽廃と滅失という概念を区別して扱っていました。すなわち、朽廃と呼ぶ場合には時の経過によって建物が自然に損壊し、建物としての効用を果たせなくなるような状態を意味します。これに対し、滅失と呼ぶ場合には地震等の災害によって建物が滅失してしまう状態を指しています。

そして、旧法では建物の朽廃によって借地権が消滅するか否かは、上記のとおり契約に期間を定めてあるかどうかにより大きな影響を受けていましたが、他方、建物の滅失によっては借地権は消滅しないとされていました。

このように朽廃と滅失とが明確に区別され、それによる借地権の存続期間にも相違が生じていたといえます。これに対し、新法では、当初の存続期間中は期間の定めの有無に関係なく、建物が朽廃しても借地権は消滅しないとして扱われている点に留意する必要があります。ただし、更新後の期間内に建物が朽廃した場合には、借地権は消滅する扱いとなっていることにも併せて留意が必要です。

図表22　新旧対比表

<table>
<tr><th colspan="2"></th><th colspan="2">当初の存続期間</th><th>更新後の存続期間</th></tr>
<tr><td rowspan="4">旧法</td><td rowspan="2">期間の定めのない場合</td><td>堅固な建物の所有目的の場合</td><td>60年
（期間中に建物が朽廃すれば借地権は消滅する）</td><td>30年
（同左）</td></tr>
<tr><td>非堅固な建物の所有目的の場合</td><td>30年
（同上）</td><td>20年
（同左）</td></tr>
<tr><td rowspan="2">期間を定める場合</td><td>堅固な建物の所有目的の場合</td><td>30年以上
（期間中に建物が朽廃しても借地権は消滅しない）</td><td>30年以上
（同左）</td></tr>
<tr><td>非堅固な建物の所有目的の場合</td><td>20年以上
（同上）</td><td>20年以上
（同左）</td></tr>
<tr><td rowspan="4">新法</td><td rowspan="2">期間の定めのない場合</td><td>堅固な建物の所有目的の場合</td><td rowspan="2">一律30年
（期間中に建物が朽廃しても借地権は消滅しない）</td><td rowspan="2">1回目の更新　一律20年
2回目以後　一律10年</td></tr>
<tr><td>非堅固な建物の所有目的の場合</td></tr>
<tr><td rowspan="2">期間を定める場合</td><td>堅固な建物の所有目的の場合</td><td rowspan="2">一律30年以上
（同上）</td><td rowspan="2">1回目の更新　一律20年以上
2回目以後　一律10年以上</td></tr>
<tr><td>非堅固な建物の所有目的の場合</td></tr>
</table>

［注］堅固建物とは鉄筋コンクリート造のようなものを、非堅固建物とは木造建物のようなものを指します。

(2) 定期借地権の内容

定期借地権の趣旨については前項までに簡単に取り上げてきましたが、改めてその種類別に内容を整理しておきます。

❶定期借地権の趣旨

定期借地権は普通借地権とは異なり借地契約の更新がなく、当初定められた契約期間が満了すれば、地主が正当事由を有するか否かに関わりなく借地関係が終了するものです。

借地借家法では、定期借地権を次のように規定しています。

●借地借家法

(定期借地権)

第22条　存続期間を50年以上として借地権を設定する場合においては、第9条及び第16条の規定にかかわらず、契約の更新(更新の請求及び土地の使用の継続によるものを含む。次条第1項において同じ。)及び建物の築造による存続期間の延長がなく、並びに第13条の規定による買取りの請求をしないこととする旨を定めることができる。この場合においては、その特約は、公正証書による等書面によってしなければならない。

2　(省略)

(事業用定期借地権等)

第23条　専ら事業の用に供する建物(居住の用に供するものを除く。次項において同じ。)の所有を目的とし、かつ、存続期間を30年以上50年未満として借地権を設定する場合においては、第9条及び第16条の規定にかかわらず、契約の更新及び建物の築造による存続期間の延長がなく、並びに第13条の規定による買取りの請求をしないこととする旨を定めることができる。

2　専ら事業の用に供する建物の所有を目的とし、かつ、存続期間を10年以上30年未満として借地権を設定する場合には、第３条から第８条まで、第13条及び第18条の規定は、適用しない。

3　前２項に規定する借地権の設定を目的とする契約は、公正証書によってしなければならない。

（建物譲渡特約付借地権）

第24条　借地権を設定する場合（前条第２項に規定する借地権を設定する場合を除く。）においては、第９条の規定にかかわらず、借地権を消滅させるため、その設定後30年以上を経過した日に借地権の目的である土地の上の建物を借地権設定者に相当の対価で譲渡する旨を定めることができる。

2　前項の特約により借地権が消滅した場合において、その借地権者又は建物の賃借人でその消滅後建物の使用を継続しているものが請求をしたときは、請求の時にその建物につきその借地権者又は建物の賃借人と借地権設定者との間で期間の定めのない賃貸借（借地権者が請求をした場合において、借地権の残存期間があるときは、その残存期間を存続期間とする賃貸借）がされたものとみなす。この場合において、建物の借賃は、当事者の請求により、裁判所が定める。

3　第１項の特約がある場合において、借地権者又は建物の賃借人と借地権設定者との間でその建物につき第38条第１項の規定による賃貸借契約をしたときは、前項の規定にかかわらず、その定めに従う。

定期借地権の三つの種類をまとめると、次のようになります（**図表23**）。

図表23　定期借地権の種類

種　類	一般定期借地権[注1]	事業用定期借地権等	建物譲渡特約付借地権
根拠条文	借地借家法第22条	借地借家法第23条	借地借家法第24条
借地期間	50年以上	10年以上50年未満	30年以上
利用目的	限定なし	事業用（ただし、居住用には利用できません）	限定なし
手　続	更新等の排除の特約を公正証書等の書面[注2]で行うことが必要です	公正証書[注3]により借地権設定契約を行うことが必要です	契約後30年以上経過した時点で土地所有者が建物を買い取ることをあらかじめ約束しておくことが必要です
活用例	戸建住宅の敷地 マンションの敷地	ファミリーレストラン等の外食店、量販店から工場、倉庫等の敷地に至るまで幅広く利用されています	事例は極めて少ないと思われます
備　考	借地期間満了に伴い借主は建物を取り壊して土地を返還する必要があります	借地期間満了に伴い借主は建物を取り壊して土地を返還する必要があります	契約後30年以上経過し、土地所有者が建物を買い取った時点で借地権が消滅します

［注１］条文（第22条）には単に「定期借地権」と規定されていますが、他の種類の定期借地権と区別する意味でこのように表示しました。

［注２］一般定期借地権の場合、契約書の作成は公正証書で行うことが望ましいのですが、必ずしも公正証書によらなければならないとは規定されていないため、普通の書面でも有効です。そのため、「公正証書等の書面」という表現がされています。

［注３］一般定期借地権に対し、事業用借地権の場合は必ず公正証書によらなければならない（すなわち、公正証書でなければその効力を生じない）とされています。

次に、定期借地権と中途解約の可否が問題となりますが、借地借家法には中途解約にかかる規定は置かれていません。そのため、法的には、貸主側からの解約はもちろん、借主側からも一方的に解約できないこととされています。仮に、定期借地権につき借地人側から中途解約を可能にするためには、当該契約において中途解約を留保する旨の特約がなされていることが必要です。

2 定期借地権の利用目的

定期借地権は、現在、様々な目的に利用されています。

例えば、一般定期借地権であれば戸建住宅やマンションの敷地、事業用定期借地権であればロードサイドの店舗の敷地、事務所・倉庫・工場等です。ただし、建物譲渡特約付借地権については、あまり活用されていないようです。その理由は、将来における建物買取価額の算定が困難であるばかりでなく、老朽化した建物を時価で買い取ることを契約時に約束しておくことの不安等がその要因として考えられます。

3 借地形態別の利回りの傾向

ところで、借地借家法では地代の額をどのように決めるのかについて、一切規定されていません。そのため、借地契約のどのタイプの地代水準がいくらくらいであるかについては、市場における需給状況を踏まえて成約に至った事例を集積のうえ、その傾向を把握する等の方法に頼らざるを得ないのが実情です。

1) 普通借地権の新規地代

一般的な考え方をすれば、普通借地権のほうが定期借地権に比べて契約期間が長期にわたり保証されるという意味で、新規貸しの地代は相対的に高いといえます。ここで、地代が高いとか低いという場合の物差しですが、不動産の実務においては絶対的な金額（単価）よりも、利回り（年間地代収入÷土地価格）で比較することが通常です。

すなわち、地代の利回りが高い場合は、その土地を賃貸することによって得られる地代収入が土地価格に比べて満足のいくものであることを表します。反対に、地代の利回りが低い場合は、その土地を賃貸することによって得られる地代収入が土地価格の割には不十分であることを表します。

このように利回りという物差しを用いることにより、借地形態別の地代水準を相対的に比較することが可能となります。これを新規地代としてとらえるならば、次のような算式になります。

算式

普通借地権の利回り＞定期借地権の利回り

権利金の授受がある場合には、これを授受する前の土地価格で比較をしています。

ただし、普通借地権の新規供給は極めて少なく、税務上の相当の地代の考え方を援用するのであれば時価の６％相当額ともいえますが、その地代水準の傾向を統計的に把握するのは困難です。

2) 普通借地権の継続地代

本章の前半で（公社）東京都不動産鑑定士協会による継続地代の調査分析結果について紹介しましたが、これとは別に日税不動産鑑定士会[注13]では、昭和49年から３年ごとに継続地代の実態を調査しており、その成果は「継続地代の実態調べ」として公表されています。

[注13] 税理士と不動産鑑定士の両方の資格を有する会員から構成されている団体です。

この調査は、東京都23区で建物所有を目的とする借地権（定期借地権を除く）で既存の契約を対象としていますが、これによっても普通借地権の継続地代の利回りは著しく低いことが報告されています。

ちなみに、この調査では土地価格に対する支払地代の割合を「平均的活用利子率」というかたちで把握していますが、土地価格は公示価格レベルのものを基礎としています。

参考までに、令和３年１月１日から４月１日調査時点での平均的活用利子率は、商業地で1.01％、住宅地で0.67％となっています。（公社）東京都不

図表24　東京都23区における継続地代の平均的活用利子率の推移

【平均的活用利子率＝土地価格に対する支払地代年額の割合】

摘要 用途別	平成18年 （H18. 1. 1時点）		平成21年 （H21. 1. 1時点）		平成24年 （H24. 1. 1時点）		平成27年 （H27. 1. 1時点）		平成30年 （H30. 1～4月時点）		令和3年 （R3. 1～4月時点）	
	平均的活用利子率	資料件数	平均的活用利子率	資料件数	平均的活用利子率	資料件数	平均的活用利子率	資料件数	平均的活用利子率	資料件数	平均的活用利子率	資料件数
住宅地の場合（加重平均）	8.3/1,000 0.83%	（335件）	7.6/1,000 0.76%	（371件）	7.9/1,000 0.79%	（375件）	7.2/1,000 0.72%	（335件）	7.0/1,000 0.70%	（468件）	6.7/1,000 0.67%	（361件）
商業地の場合（加重平均）	14.1/1,000 1.41%	（178件）	11.1/1,000 1.11%	（206件）	13.7/1,000 1.37%	（183件）	11.9/1,000 1.19%	（185件）	11.0/1,000 1.10%	（151件）	10.1/1,000 1.01%	（130件）
（参　考）	継続地代の事例727件から抜粋		継続地代の事例742件から抜粋		継続地代の事例587件から抜粋		継続地代の事例540件から抜粋		継続地代の事例684件から抜粋		継続地代の事例546件から抜粋	

（注）　東京都23区における継続地代の収集事例のうち、客観的な地価が判明したものについて、その土地価格に対する地代（支払賃料年額）の割合を求め、それらの各区の平均的割合、即ち土地を元本としたときの平均的活用利子率を算定したものである。
　この客観的な時価は、不動産市場で取引される現実の時価ではなく、その地点の相続税路線価を原則として80%で除して求めた価格を時価とみなしたものである。
　なお角地等が確認されたものについては一定の補正を行い、地域の標準的な利子率が得られるように努めた。
　ただし、不動産市場での現実の取引価格をもとにこの活用利子率を乗ずると、答えが異なる場合が生じることに留意。

（出典）　日税不動産鑑定士会ホームページ掲載資料（令和3年版「継続地代の実態調べ」）

動産鑑定士協会の調査結果（ただし、令和2年調査時点との比較）と比較して住宅のほうがやや低めとなっていますが、その要因はサンプル数や対象物件の相違等によるものと推察されます（**図表24**）。

　次に、定期借地権についてですが、市場では一般定期借地権に比べて事業用定期借地権のほうが利回りが高い傾向が見受けられます。確かに、**図表21**のとおり、一般定期借地権のほうが事業用定期借地権よりも契約期間を長く設定することができますが、一般定期借地権の場合、市場に供給されているほとんどのものは住宅建設を目的とするものです。また、貸し手も、郊外の土地でその土地を有休状態にしておくよりも、駐車場代と同程度の収入が長期にわたり確保でき、管理の手間もかからないという理由で土地を貸し出しているケースが多くあります。また、借り手に対しても、マンションの管理費等に比べて地代が安く、借地権付分譲住宅の割安感を感じさせるという狙いもあるでしょう。

参考までに、**図表25**は「公的主体における定期借地権の活用実態調査報告書」（国土交通省 不動産・建設経済局不動産市場整備課、令和３年３月）のなかから、一戸建て住宅の敷地として活用されている定期借地権の地代に関するアンケート結果を抜粋したものです。これにみられるとおり、令和２年時点では全体としてみた場合、土地価格に対する年額地代の割合としては0.5％未満と2.0％以上が半々を占めています。

これに対し、事業用定期借地権の場合、利用形態は様々で、店舗（コンビニ、量販店等）、倉庫・工場等をはじめ幅広いものがあります。

また、事業用定期借地権の利回りですが、一例として関東甲信不動産鑑定士協会連合会の実施した「第３回 定期借地権の地代利回りに関する実態調査報告」（平成28年３月）によれば、民間事業用定期借地権の場合、支払い地代利回りで平均4.79％という結果が報告されています。権利金償却額と保証金運用益を考慮した場合の実質賃料利回りは4.89％、これから公租公課相当分を除いた実質純賃料利回りは4.09％と算定されます。

これを自治体系事業用定期借地についてみれば、支払い地代利回りは3.13％、実質賃料利回りは3.18％となり、実質純賃料利回りは2.38％に相当します。

次に建物譲渡特約付定期借地権ですが、このタイプの借地権は市場にほとんど供給されておらず、このような事例があったとしても数少ない事例から地代水準を把握するのは難しいといえます。

最後の一時使用賃貸借契約の場合ですが、このような契約には借地借家法が適用されず、借地人の保護も弱いため、その分、一般的には地代の水準も低い傾向にあります。

図表25　一戸建て住宅を目的とする定期借地権

土地価格に対する年額地代の割合の推移（上段:販売単位数、下段:%）

	合計	{(地代×12ヶ月)／(地価×敷地面積)}						平均(%)
		0.5%未満	0.5～1.0%未満	1.0～1.5%未満	1.5～2.0%未満	2.0%以上	無回答	
全体	520	10 4.9%	54 26.3%	71 34.6%	40 19.5%	30 14.6%	315	1.46%
平成5年	0	0 0.0%	0 0.0%	0 0.0%	0 0.0%	0 0.0%	0	—
平成6年	1	0 0.0%	1 100.0%	0 0.0%	0 0.0%	0 0.0%	0	0.98%
平成7年	0	0 0.0%	0 0.0%	0 0.0%	0 0.0%	0 0.0%	0	—
平成8年	4	1 25.0%	2 50.0%	1 25.0%	0 0.0%	0 0.0%	0	0.83%
平成9年	13	1 9.1%	3 27.3%	7 63.6%	0 0.0%	0 0.0%	2	1.00%
平成10年	27	1 6.7%	8 53.3%	4 26.7%	1 6.7%	1 6.7%	12	1.03%
平成11年	51	0 0.0%	2 11.1%	9 50.0%	7 38.9%	0 0.0%	33	1.40%
平成12年	62	1 5.3%	2 10.5%	9 47.4%	5 26.3%	2 10.5%	43	1.33%
平成13年	60	0 0.0%	9 40.9%	7 31.8%	2 9.1%	4 18.2%	38	1.26%
平成14年	81	1 5.3%	4 21.1%	5 26.3%	6 31.6%	3 15.8%	62	1.48%
平成15年	60	0 0.0%	0 0.0%	4 40.0%	4 40.0%	2 20.0%	50	2.46%
平成16年	24	1 8.3%	0 0.0%	6 50.0%	1 8.3%	4 33.3%	12	2.39%
平成17年	22	0 0.0%	0 0.0%	5 27.8%	7 38.9%	6 33.3%	4	1.80%
平成18年	41	0 0.0%	0 0.0%	1 50.0%	1 50.0%	0 0.0%	39	1.39%
平成19年	3	0 0.0%	1 50.0%	0 0.0%	1 50.0%	0 0.0%	1	1.26%
平成20年	1	0 0.0%	0 0.0%	0 0.0%	1 100.0%	0 0.0%	0	1.57%
平成25年	15	1 7.7%	6 46.2%	2 15.4%	2 15.4%	2 15.4%	2	1.20%
平成26年	16	0 0.0%	9 64.3%	4 28.6%	0 0.0%	1 7.1%	2	1.07%
平成27年	5	0 0.0%	2 40.0%	3 60.0%	0 0.0%	0 0.0%	0	1.08%
平成28年	1	0 0.0%	0 0.0%	0 0.0%	0 0.0%	1 100.0%	0	2.96%
平成29年	4	0 0.0%	2 50.0%	1 25.0%	0 0.0%	1 25.0%	0	1.59%
平成30年	12	0 0.0%	2 28.6%	3 42.9%	2 28.6%	0 0.0%	5	1.26%
令和元年	3	0 0.0%	1 100.0%	0 0.0%	0 0.0%	0 0.0%	2	0.61%
令和2年	12	3 50.0%	0 0.0%	0 0.0%	0 0.0%	3 50.0%	6	2.32%
無回答	2	0	0	0	0	0	2	—

注:下段の%は無回答を除いた数値である。
注:土地を貸付けている場合と借用している場合の合計
注:平成21～24年は未実施

（出典）　国土交通省　不動産・建設経済局不動産市場整備課「公的主体における定期借地権の活用実態調査報告書」（令和３年３月）

6 支払賃料と実質賃料

不動産賃貸借の慣行としてはそれほど馴染みの深いものではありませんが、賃料には月々支払われている賃料（＝支払賃料）の他に実質賃料という概念があります。

この実質賃料という意味は、名目上「賃料」というかたちで借主から貸主に支払われている金銭だけでなく、敷金や保証金のようなかたちで預け入れられている金銭の運用益も実質的には賃料の一部を構成するという考え方によるものです。すなわち、敷金や保証金は契約期間にわたり貸主が預かって運用できるため、その運用益をも含めたすべての経済的対価が借主から貸主に支払われる実質的な賃料であるということになります。

支払賃料と実質賃料との間にはこのような相違があるため、不動産鑑定評価基準では支払賃料と実質賃料を明確に使い分けています。また、基準がこのような実質賃料という概念を採用した背景には、わが国の現状として、賃貸借にあたり権利金や敷金・保証金等の授受が行われているケースが多く、これらの有無やその内容等を考慮に入れなければ的確な評価はできないという見解[注14]が多くあったようです。

［注14］例えば、次のような性格の金銭がその対象となります。

① 権利金、礼金等の運用益および償却額（これらは借主に返還されない金銭ですが、契約時に貸主が預かった後で一定期間運用し、その後に貸主に帰属するという考え方に基づき運用益および償却額を算定するもの）

② 預り金的性格を持つ協力金、保証金、敷金等の運用益

③ 共益費等の名目で支払われる金銭のうち、実質的に賃料に含まれる部分

これに関しては、基準の審議当時のエピソードですが、次の対談記事が参考になります。注15

「門脇　不動産が消滅するまでの全期間の経済価値がその不動産の価格であり、賃料というのは、一部の期間（たとえば1カ月）の総用役の対価ですから、その対価の把握のしかたについて、申し上げなければならないと思います。一部期間（たとえば1カ月とか1年とか）の総用役の対価というのは、借主から貸主に支払われるその期間内のすべての経済的な対価のことで、それを『実質賃料』と名づけたのです。最初はこれを総賃料というような名称にしたらどうかという説もあったのですが、契約期間全体の賃料のように誤解されるおそれもあるので、結局は実質賃料ということばになりました。」

「阿部　実質賃料という用語につきましては、審議の段階で、量的な表現としては不適当ではないかというご意見もありました。しかし、他に適当な用語が見つからずじまいで、このまま採用されたと記憶していますが、われわれ貸ビル業界の間では、この用語は相当以前から使われており、われわれの間では、名目賃料――基準では支払賃料とされていますが――に、敷金、保証金、協力金等預り金の運用益と、共益費などを加えたもの、すなわち、借主（テナント）が貸主に支払うすべての金銭的対価をいうものとされており、ある貸ビルの賃貸条件が近傍類似の貸ビルの賃貸条件に比べて高いか安いか等を判断する場合は、この実質賃料でもって比較検討しなければならないとしています。借主が負担する経済的利益のすべて、という意味においては、基準のいう実質賃料と同じであるといえます。」

[注15] 鑑定セミナー「賃料鑑定評価基準ができるまで（上）」『不動産鑑定』1966年8月号、当時の門脇惇不動産鑑定士および阿部諄不動産鑑定士の発言内容。

以上の経緯もあり、現行の賃貸借の実務には支払賃料と実質賃料の2種類のものが登場してくるわけですが、各々のイメージを対比させたものが**図表26**です。

図表26　支払賃料と実質賃料の関係

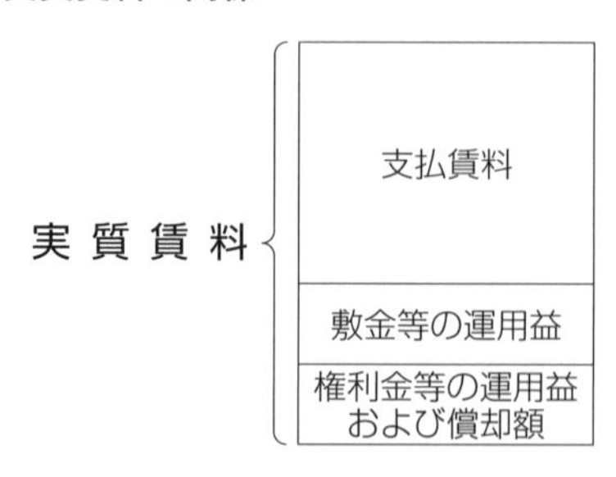

以上、支払賃料と実質賃料との関係を述べましたが、これに関する不動産鑑定評価基準の規定を次に掲げておきます。なお、一部の内容が重複するところもありますが、基準の規定という意味で紹介します。

不動産鑑定評価基準

●賃料を求める場合の一般的留意事項

賃料の鑑定評価は、対象不動産について、賃料の算定の期間に対応して、実質賃料を求めることを原則とし、賃料の算定の期間及び支払いの時期に係る条件並びに権利金、敷金、保証金等の一時金の授受に関する条件が付されて支払賃料を求めることを依頼された場合には、実質賃料とともに、その一部である支払賃料を求めることができるものとする。

（総論第７章第２節Ⅰ）

上記のとおり、基準では賃料の鑑定評価においては実質賃料を求めることを原則としますが、一定の条件のもとに支払賃料を求めることができる旨を規定しています。

一般的に賃料という場合には、月々の支払賃料を指して用いられていることが多く、不動産取引においてもこれをもとに賃貸物件の条件比較が行われる傾向にあります。しかし、すでに述べたように賃貸借に際しては賃料の他に権利金、礼金、敷金（保証金）等の授受を伴うケースが多いため、鑑定評価では敷金（保証金）の運用益や権利金、礼金の運用益および償却額をも含めたすべての経済的対価をもって賃料算定の基礎としています。そのため、賃料の鑑定評価額として最初に導き出される金額は実質賃料ということになります。

ただし、一般の賃貸借の慣行を踏まえ、一時金の授受に関する条件が付されて支払賃料を求めることを依頼された場合には、実質賃料だけでなく支払賃料を求めることができるとされています。そのため、実際には実質賃料と併せて支払賃料を求めているケースが多いといえます。

不動産鑑定評価基準

●実質賃料と支払賃料

実質賃料とは、賃料の種類の如何を問わず賃貸人等に支払われる賃料の算定の期間に対応する適正なすべての経済的対価をいい、純賃料及び不動産の賃貸借等を継続するために通常必要とされる諸経費等（以下「必要諸経費等」という。）から成り立つものである。

支払賃料とは、各支払時期に支払われる賃料をいい、契約に当たって、権利金、敷金、保証金等の一時金が授受される場合においては、当該一時金の運用益及び償却額と併せて実質賃料を構成するものである。

なお、慣行上、建物及びその敷地の一部の賃貸借に当たって、水道光熱費、清掃・衛生費、冷暖房費等がいわゆる付加使用料、共益費等の名目で支払われる場合もあるが、これらのうちには実質的に賃料に相当する部分が含まれている場合があることに留意する必要がある。

（総論第７章第２節Ⅰ．１）

ここで留意すべき点は、実質賃料とは、支払賃料だけでなく貸主に帰属するすべての経済的対価を指すため、例えばビルの賃貸借にあたって貸主から徴収される前記内容の付加使用料等のなかに実質的に賃料に相当する部分が含まれている場合には、これも実質賃料を構成するものとして取り扱うという点です。

また、実質賃料が純賃料と不動産の賃貸借等を継続するために通常必要とされる諸経費等（以下、必要諸経費等という）から成り立つというイメージを図示したものが**図表27**です。

図表27　実質賃料と純賃料との関係

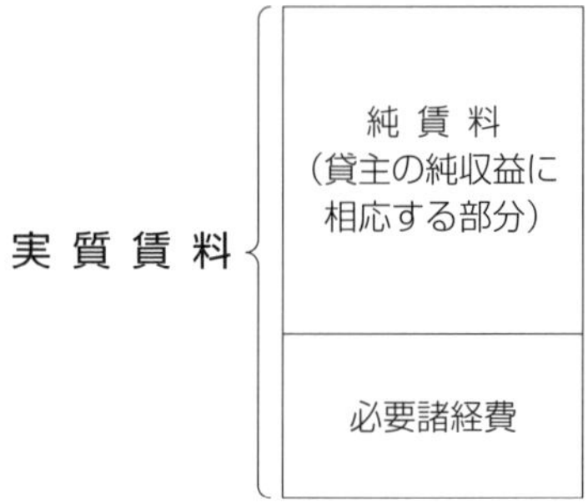

不動産鑑定評価基準

●支払賃料の求め方

契約に当たって一時金が授受される場合における支払賃料は、実質賃料から、当該一時金について賃料の前払的性格を有する一時金の運用益及び償却額並びに預り金的性格を有する一時金の運用益を控除して求めるものとする。（中略）

運用利回りは、賃貸借等の契約に当たって授受される一時金の性格、賃貸借等の契約内容並びに対象不動産の種類及び性格等の相違に応じて、当該不動産の期待利回り、不動産の取引利回り、長期預金の金利、国債及び公社債利回り、金融機関の貸出金利等を比較考量して決定するものとする。　（総論第７章第２節Ⅰ．２）

ここでは、鑑定評価の結果、決定された実質賃料をもとに支払賃料を求める方法が述べられています[注16]。また、支払賃料の額に影響を与える運用利回りの求め方についても規定されています。

[注16] この考え方に関しては、当初基準設定時から次の指摘がなされており、賃料の鑑定評価に関する本質的な特徴を示すものとして参考になります。

「慣用語としての実質賃料は、名目賃料（支払賃料）に、他の経済価値が加えられて、はじめて考えられるものであるのに対し、基準でいう実質賃料は、全体的なもの総体的なものとして先に生まれ、他の経済的価値が控除されることによって、支払賃料が導きだされる、どちらも全体と部分との関係であることに変わりはないが、前者は各部分が合計されて全部となり、後者は全部からその内訳としての部分が導きだされる、という違いであります。」

（前掲稿[注15]、当時の阿部諄不動産鑑定士の発言内容）

第3章

家賃の分類

1 いつの時点での家賃かによる分類～新規家賃と継続家賃

前章では地代を様々な観点から分類し、それぞれの利用目的に応じた解説を行いました。本章でも同様の観点から家賃の分類を行い、地代との相違や家賃に係る様々な問題を整理していきます。

地代と同様に、家賃に関してもいつの時点を対象とするかが問題となります。すなわち、これから新たに建物を賃貸するのか、契約途中で家賃を改定しようとするのかにより考え方や家賃の算定方法は異なってきます。前者の場合を新規家賃、後者の場合を継続家賃と呼んで区別しています（**図表1**）。

図表1　新規家賃と継続家賃

家　賃
- **新規家賃（これから新たに建物を賃貸する場合の賃料）**
- **継続家賃（契約継続中に家賃を改定する場合の賃料）**

鑑定評価では、家賃は「建物及びその敷地の賃料」として扱われています。不動産鑑定評価基準では「家賃」ではなく「賃料」という用語を使用していますが、本項では一般的な内容を中心に述べるため、「家賃」という用語を使用します。

なお、基準のうえでは、建物およびその敷地を新規に賃貸する場合の賃料は正常賃料が中心となり、契約継続中に家賃を改定する場合の賃料は継続賃料ということになります。評価の基本的な考え方は、前章で述べた内容と変わりありません。

（1）新規家賃

新規の貸家の供給量という視点からとらえた場合、土地に比べて特徴的なことは、それが日常生活においても事業活動においても全国あらゆるところで繰り返し行われているという点です。

建物の賃貸借においても借地借家法が適用され、定期借家契約の場合は別として、契約期間が満了しても貸主にその建物を自ら使用しなければならない正当な事由がない限り、借主はその建物を継続して使用できることとされています（借地借家法第28条）。

●借地借家法

（建物賃貸借契約の更新拒絶等の要件）

第28条　建物の賃貸人による第26条第１項の通知又は建物の賃貸借の解約の申入れは、建物の賃貸人及び賃借人（転借人を含む。以下この条において同じ。）が建物の使用を必要とする事情のほか、建物の賃貸借に関する従前の経過、建物の利用状況及び建物の現況並びに建物の賃貸人が建物の明渡しの条件として又は建物の明渡しと引換えに建物の賃借人に対して財産上の給付をする旨の申出をした場合におけるその申出を考慮して、正当の事由があると認められる場合でなければ、することができない。

しかし、建物の賃貸借の場合、借地と異なりその土地上に自己の建物を建築する等の行為をして多額の資本投下を行うわけではありません。ただし、店舗等のスケルトン貸しで内装工事をテナントが実施する場合等の例外的なケースを除きます。むしろ、一定期間その建物に居住したり、事業活動を行った後に別の場所に移転する場合も多いといえましょう。すなわち、貸主から退去を求められるというよりも、借主の都合で建物から退去するというケースです。

借地の場合、借主は建物の建築に多額の資金を要し、容易に借地上から移転できないのに対し、借家の場合はそのような事情はないことにも起因しています。このような相違から、貸家（アパート、マンション、事務所等）の新規供給は借地に比べて著しく多いといえます。また、建物の場合、土地と異なり共同住宅やオフィスビル等の新築物件の大量供給がなされている地域も少なからずあります。

そのため、新規家賃に関する情報は新聞広告、不動産業者の店頭広告、インターネットによる情報等、いろいろな媒体を通して目に入ってきます。

次に、新規家賃について特徴的なことは、そのなかには、

① 新築建物のテナントを募集する際の賃料

② 既存のテナントが退去した後に空室として新規に募集する際の賃料

の２種類があるということです。この点が、借地の場合と大きく異なっています。

新築建物の場合、それが住宅であれ事務所であれ、賃料設定にあたっては新築物件に関する市場動向の調査を行ったうえで、はじめて市場に供給されます。その意味では、一応、客観性のあるものと理解してよいと思われます。なぜなら、借り手の調査した金額と乖離があれば、需要者もいなくなるからです。

これに対し、既存のテナントが退去した後にリフォームを行って貸し出す場合、建築後の経過期間は物件によって様々であり、また、それが一棟全体の一部であれば、そのときの空室の状況にもよりますが、貸主の考え方次第で賃料設定の方法も異なるケースがあります。すなわち、空室が多ければ、相場よりもやや賃料を減額して募集しやすくする等の方法も考えられます。

このように、新規家賃だからといって、それがすべて新築物件に結びつくわけではなく、中古建物を新たに貸し出す場合の家賃も新規家賃の対象としてとらえられる点に留意が必要です。

（2）継続家賃

新規家賃は貸主・借主間の任意の取り決めによりますが、その後の賃料改定は借地借家法の制約を受けることに留意が必要です（借地の場合と同様）。

借地の項で述べたのと同じ考え方に基づき、継続家賃は継続中の賃貸借契約等に基づく賃料改定を前提とするものであり、正常賃料の場合と異なり賃貸借等の当事者は特定されています。継続家賃を求める際に留意すべき点については、前章をご参照ください。

ところで、賃料改定をめぐる紛争は、借地の場合にも多くみられますが、借家は数が多いだけに紛争に発展するケースは借地以上に多いのではないでしょうか。

借家の形態にも、後程述べるように居宅から事務所、店舗、工場、倉庫等に至るまで様々なものがあり、その規模も異なるため、継続家賃の額も大きく異なっています。

また、借家の場合、サブリース方式（事業受託方式）といって、事業者が家主から一棟の建物を一括して借り受け、これを外部のテナントに転貸する方式もあります（**図表2**）。サブリース方式は継続賃料に限定したものではありませんが、契約継続中に問題が多いため本項で取り上げておきます。

図表2　サブリース方式の仕組み

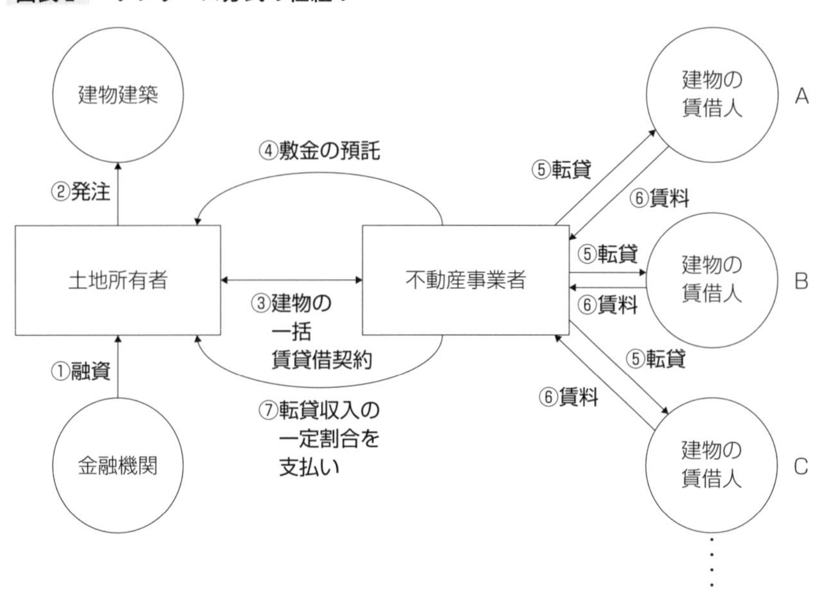

この方式は、賃貸共同住宅や事業用賃貸ビルの需要が活発なバブルの時期に、不動産事業者が支払賃料と受取転貸料の差益を獲得することを目的として広く普及しました。しかし、当時と状況が一変した現在、新規のものは少ないと思われます。

サブリース方式の特徴として、事業者は家主に対し、契約締結時にその後の入居率の大小にかかわらず転貸収入の一定割合を保証する約定を設けることが多いといえます。ただし、その後に経済情勢が変化し、特に景気停滞とともに入居率が下落したことで、事業者から家主に対し当初の保証賃料の支払いが困難となった場合に大きな問題が生じます。これが継続家賃の問題に直接影響してくるわけです。

サブリース方式の賃料改定（賃借人からの減額請求）をめぐる裁判例については章を改めて述べますが、裁判例に集約されたポイントを指摘すれば次のとおりです。

・サブリース方式の賃料に関するポイント

① サブリース契約も賃貸借契約であり、借地借家法の適用を受けること。
② そのため、契約途中であっても賃借人（事業者）からの賃料減額請求権の行使は認められること。
③ ただし、その減額請求が妥当なものか、その時点での相当賃料額をいくらと判断すべきかについては、賃貸借契約の当事者が賃料額決定の要素とした事情その他諸般の事情を総合的に考慮すべきであること。

上記の考え方は最高裁平成15年10月21日判決(民集第57巻９号1213頁)に基づくものであり、当該案件に関して、現に最高裁は賃借人から要望のあった賃料減額請求を認めず、サブリース契約に記載されている賃料自動改定特約(３年ごとに10%増額する)を認めています。ただし、ここで留意すべき点は、どのような場合にもサブリース契約に記載された約定がそのまま有効となるわけではなく、賃貸借の当事者がサブリース契約を締結するに至った経緯が重視されるということです。例えば、不動産事業者が提示した賃料自動増額条項に従って計算された賃料を基礎に家主が収支予測を行い、銀行借入れをした場合がこれに該当するといえます。なぜなら、このような場合に賃借人の賃料減額請求がそのまま認められれば、家主にとっては投下資本の回収や借入金の返済が予定通りできなくなるからです。継続賃料に関しては、この他にも様々な問題が生じています。なお、継続賃料を求める具体的な方法(差額配分法、利回り法、スライド法、賃貸事例比較法)とその試算例については、第６章で解説します。

最後に、これは理論的な見方からやや外れますが、家賃（特に住宅）の場合は単純に需要と供給との関係から決まってくるものではなく、需要者の収入との関連が大いに影響するといえます。すなわち、不動産の価格と賃料との相関関係は、賃料決定にあたっての供給側の一つの物差しとしつつも、その借り手である需要者が自分の収入との関係でどれほどの金額であれば負担し得るかという点に大きく依存する傾向にあります。いわゆる可処分所得との関係です。そのため、いかに供給を増加させたとしても、景気の状況によっては予想以上の空室が生じることも珍しいことではありません。継続賃料が新規賃料と乖離する要因は、この点にも見出すことができます。

(3) まとめ～新規家賃と継続家賃の本質的な相違

新規家賃についても、基本的な考え方は地代の場合と同様に、不動産の価格と賃料が元本と果実の相関関係に立っていることから出発するものです。この考え方は、土地建物の価格に期待利回りを乗じ、これに賃貸借期間中に生じる必要諸経費（減価償却費、修繕費、管理費、固定資産税等の公租公課、損害保険料等）を加算することによって試算賃料を求める手法（積算法）に表れています。

これに対し、継続家賃の場合、長年のうちに正常賃料と実際支払賃料との間に乖離が生じ、元本と果実の相関関係が崩れてしまったことから、その崩れを是正するという視点に立って評価を行う考え方となります。

なお、継続家賃の場合も地代と同様に、契約当初からの事実を引き継いできているため、過去の経緯に制約される面が非常に多いといえます。

2 用途別の家賃分類

借家人がその建物をどのような用途で使用するかにより、契約内容や家賃の水準も異なってきます。ただし、借地借家法は用途による適用対象の制限を定めていないため、建物の用途の如何にかかわらず適用される点に留意が必要です。

図表3に用途別にとらえた家賃分類を掲げます。

図表3　用途による家賃の分類

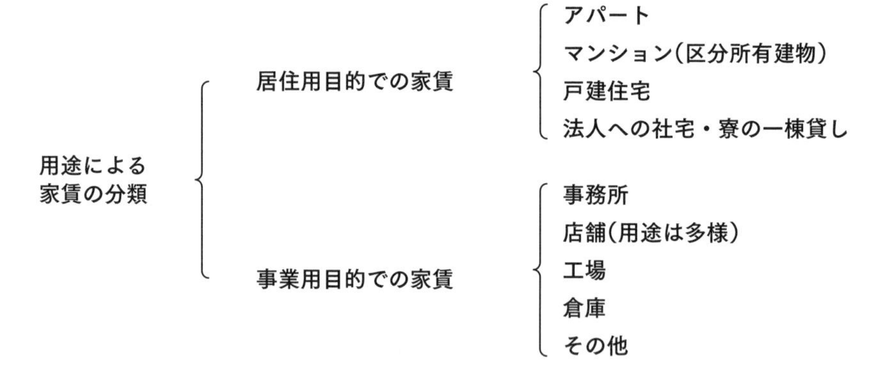

すでに述べたように、現在適用されている借地借家法には居住用とか業務用というような区別はありませんが、現実の家賃形成要因はその目的により異なっているといえます。

例えば、その目的により、契約当事者の属性、契約期間、契約の内容、家賃水準、敷金・保証金・権利金の有無とその取扱い、更新時期や更新料、明渡時の立退料等に相違がみられます。

また、居住用建物の賃貸借の場合は生活権的な意味合いが濃くなるのに対し、業務用建物の場合は経済合理性の観点から賃貸借の慣行が形成されているように思われます。

借地借家法の適用される建物賃貸借の場合、貸主からの解約はそれに正当事由がない限り、どのような用途でも認められていませんが、その内容から判断し、居住用建物と業務用建物とは区別して考えたほうが現実的であるといえます。居住用建物の場合は生活の本拠として、業務用建物の場合は営業活動の拠点として、そこに借家人の拠点が形成されます。

また、家賃の水準形成にあたっても、居住用の場合はそれが戸建てかマンションか、業務用の場合は事務所か店舗か倉庫か等によって供給者（貸主）や需要者は異なり、家賃も異なってきます。

したがって、家賃の水準を調査するにあたっては、対象物件と距離的に近いというよりも、用途や建築後の経過年数が類似している物件について、範囲を広げて調査することが必要といえます。加えて、建物価格との関連からとらえるならば、居宅、店舗・事務所、工場・倉庫等の用途や構造面から建築費は異なり、コストから積算される賃料にも乖離が生じてきます。

3 誰が家賃を決めるのかによる分類

前章で述べたのと同様に、本項でも誰が家賃を決めるのかという素朴な疑問について考えてみます。

借家の場合、借地に比べれば募集広告が多く目に入ります。それだけ貸物件の数が多いといえましょう。

では、家賃は誰が決めるのでしょうか。これについては**図表4**のような、いくつかの形態があります。

図表4　家賃決定の形態

家賃決定の形態
- **当事者が話し合って決める場合**
- **貸主があらかじめ決めた地代で借主を募集する場合**
- **当事者間で話合いがつかず、裁判所に適正家賃の決定を委ねる場合**

これについては借地の場合とおおむね共通しているため、以下、簡潔にその特徴をまとめます。

（1）当事者が話し合って決める場合

これに該当するケースとしては、貸主・借主間で特定の物件を貸し借りすることがあらかじめ合意されており、残るは家賃の決定のみという場合が考えられます。

例えば、親子会社間において、子会社の事業用建物（事務所、店舗、工場、倉庫等）を親会社が提供する方針決定がなされたとします。このようなケースは市場での賃貸借と異なり、需給関係を直接反映して地代の額が決定されるわけではありません。あくまでも事業用建物の提供という基本方針が先に決定され、需給関係とは別の視点から、当事者が話合いのうえ、家賃が決定されることになります。

また、借主から「このくらいの家賃で建物を貸してもらえないか」という要望が出た場合も、本書では**（1）**のケースに含めて考えています。

さらに、契約が継続中であっても、当事者が話合いのうえ、改定後の家賃（継続家賃）を決定しているケースも多くみられます。

（2）貸主があらかじめ決めた家賃で借主を募集する場合

先ほど述べたチラシ等による不動産広告の場合がこれに該当します。また、インターネットの情報で借主を募集しているケースも同様です（**図表5**）。

図表5　賃貸マンション募集広告

マンション名	○○○○１階○○号
賃料	月額○○, ○○○円（共益費別途○, ○○○円）
所在地	東京都○○区○○町○丁目○番○号
交通	JR ○○線「○○」駅徒歩５分
専有面積	○○. ○○ m²
間取り	ワンルーム
礼金	１か月
敷金	１か月
その他	物件明細参照

写　真

このようなケースでは、貸主があらかじめ決めた家賃（希望賃料）で借主を募集しますが、この金額はあくまでも貸主の意向であり、そのとおり成約するとは限りません。もし、借り希望者が現れたとしても、借家需要がそれほど多くない地域では、成約させようと思えば家賃の減額を余儀なくされる可能性は十分あり得ます。場合によっては、家賃の額にかかわらず借り手が見つからないこともあるでしょう。

新規家賃の決定方法としては、このようなケースが一般的であるといえます。ただし、特に居住用建物の場合、借り手は自分の所得に見合う、自分の収入で負担できる範囲内での家賃の物件を選択する傾向にあり、貸主もこの点を念頭に置く必要があることは、すでに述べたとおりです。

(3) 訴訟の結果、裁判所が決定する場合

家賃は、話合いのうえ、当事者間で任意に決定するのが本来の姿ですが、契約期間中や更新時における家賃改定に関しては現実にそのとおり行われているとは限りません。

建物の賃貸借においても、売買と異なり、契約締結後から長期にわたる人間関係が生じます。借地に比べれば相対的に短いといえますが、それでも一般の物の貸し借りのように短期間で終了するものではありません。それだけでなく、契約期間中に経済情勢が変化し、周辺の地価や賃料が上昇することもあれば、下落することもあるでしょう。

その結果が固定資産税等の税額にも波及し、これを理由として貸主・借主双方から家賃改定の要望がなされることもあります。家賃といっても、その敷地にかかる固定資産税等は家主の負担であり、これらの負担が増加すれば、家主は賃料への転嫁を考えることでしょう。

契約開始時点では双方にとって合理的と思われた賃料でも、これを改定しない限り市場の実態から乖離していく場合、貸主からは家賃増額要望が、借主からは家賃減額要望がなされることが一般的です。また、賃貸物件の売却や相続等による賃貸人の交替を契機として賃料増額訴訟に発展するケースもあります。

ただし、借地の場合と同じく問題解決を難しくしているのは、借地借家法

における借主保護の関係で、貸主の要望がそのまま受け容れられないからといって、それだけでは契約解除が認められていないという点にあります。

●借地借家法

（建物賃貸借契約の更新等）

第26条　建物の賃貸借について期間の定めがある場合において、当事者が期間の満了の1年前から6月前までの間に相手方に対して更新をしない旨の通知又は条件を変更しなければ更新をしない旨の通知をしなかったときは、従前の契約と同一の条件で契約を更新したものとみなす。ただし、その期間は、定めがないものとする。

2　前項の通知をした場合であっても、建物の賃貸借の期間が満了した後建物の賃借人が使用を継続する場合において、建物の賃貸人が遅滞なく異議を述べなかったときも、同項と同様とする。

3　建物の転貸借がされている場合においては、建物の転借人がする建物の使用の継続を建物の賃借人がする建物の使用の継続とみなして、建物の賃借人と賃貸人との間について前項の規定を適用する。

（解約による建物賃貸借の終了）

第27条　建物の賃貸人が賃貸借の解約の申入れをした場合においては、建物の賃貸借は、解約の申入れの日から6月を経過することによって終了する。

2　前条第2項及び第3項の規定は、建物の賃貸借が解約の申入れによって終了した場合に準用する。

（建物賃貸借契約の更新拒絶等の要件）

第28条　建物の賃貸人による第26条第1項の通知又は建物の賃貸借の解約の申入れは、建物の賃貸人及び賃借人（転借人を含む。以下この条において同じ。）が建物の使用を必要とする事情のほか、建物の賃貸借に関する従前の経過、建物の利用状況及び建物の現況並びに建物の賃貸人が建物の明渡しの条件として又は建物の明渡しと引換えに建物の賃借人に対して財産上の給付をする旨の申出をした場合におけるその申出を考慮して、正当の事由があると認められる場合でなければ、することができない。

上記のような制約があるため、家賃改定にあたり貸主は自分の思うとおりの家賃を主張し、借主もこれに応ぜず話合いが平行線をたどった場合、借主は賃料不払いによる債務不履行を避けるため、供託等の方法を用いることが多いといえます。

また、賃料改定交渉にあたり、借地の場合と同様に、第三者からみた適正賃料を求めるという意味で、貸主・借主の一方または双方より不動産鑑定士に鑑定評価を依頼するケースもよくあります。

なお、どうしても話合いがつかず、その解決を訴訟に委ねざるを得ないという場合もあるでしょう。ただし、その場合でもすぐに訴訟を提起するのではなく、事前に調停の申立てをする必要があることは、前章でも述べたとおりです。このような場で決定された家賃が、本項にいう裁判所が決定した家賃ということになります。その際に用いられる不動産鑑定の手法（差額配分法、利回り法、スライド法、賃貸事例比較法）は、前章で述べた方法と同じです。

4 借家契約の形態と家賃

借地借家法では、いわゆる普通借家契約（旧法から継続している形態）の他に定期借家契約の制度を設けています。また、借地借家法が適用されない一時使用賃貸借契約による借家もあります（**図表6**）。

図表6　借家契約の形態と家賃

借家契約の形態と家賃
- **普通借家契約の家賃（更新のある借家契約）**
- **定期借家契約の家賃（居住用の場合と事業用の場合）**
- **一時使用賃貸借契約の家賃**

このように、現在の借地借家法には契約期間が満了しても貸主に正当事由がなければ契約が更新されてしまうタイプのもの（普通借家契約）と、期間満了とともに貸主の正当事由の有無に関係なく契約が終了するタイプのもの（定期借家契約）が混在しています。

また、借地借家法では定期建物賃貸借につき次の規定を置いています。

●借地借家法

（定期建物賃貸借）

第38条　期間の定めがある建物の賃貸借をする場合においては、公正証書による等書面によって契約をするときに限り、第30条の規定にかかわらず、契約の更新がないこととする旨を定めることができる。この場合には、第29条第１項の規定を適用しない。

2　前項の規定による建物の賃貸借の契約がその内容を記録した電磁的

記録によってされたときは、その契約は、書面によってされたものとみなして、同項の規定を適用する。

3　第1項の規定による建物の賃貸借をしようとするときは、建物の賃貸人は、あらかじめ、建物の賃借人に対し、同項の規定による建物の賃貸借は契約の更新がなく、期間の満了により当該建物の賃貸借は終了することについて、その旨を記載した書面を交付して説明しなければならない。

4　建物の賃貸人は、前項の規定による書面の交付に代えて、政令で定めるところにより、建物の賃借人の承諾を得て、当該書面に記載すべき事項を電磁的方法（電子情報処理組織を使用する方法その他の情報通信の技術を利用する方法であって法務省令で定めるものをいう。）により提供することができる。この場合において、当該建物の賃貸人は、当該書面を交付したものとみなす。

5　建物の賃貸人が第3項の規定による説明をしなかったときは、契約の更新がないこととする旨の定めは、無効とする。

6　第1項の規定による建物の賃貸借において、期間が1年以上である場合には、建物の賃貸人は、期間の満了の1年前から6月前までの間（以下この項において「通知期間」という。）に建物の賃借人に対し期間の満了により建物の賃貸借が終了する旨の通知をしなければ、その終了を建物の賃借人に対抗することができない。ただし、建物の賃貸人が通知期間の経過後建物の賃借人に対しその旨の通知をした場合においては、その通知の日から6月を経過した後は、この限りでない。

7　第1項の規定による居住の用に供する建物の賃貸借（床面積（建物の一部分を賃貸借の目的とする場合にあっては、当該一部分の床面積）が200平方メートル未満の建物に係るものに限る。）において、転勤、療養、親族の介護その他のやむを得ない事情により、建物の賃借人が建物を自己の生活の本拠として使用することが困難となったときは、建物の賃借人は、建物の賃貸借の解約の申入れをすることができる。この場合においては、建物の賃貸借は、解約の申入れの日から1月を経過することによって終了する。
8　前2項の規定に反する特約で建物の賃借人に不利なものは、無効とする。
9　第32条の規定は、第1項の規定による建物の賃貸借において、借賃の改定に係る特約がある場合には、適用しない。

なお、定期借家契約（定期建物賃貸借契約）であっても借地借家法は適用されますが、上記のとおり通常の建物賃貸借契約とは異なり、期間が満了すれば貸主の正当事由の有無に関係なく契約は終了します。このような事情が反映されているためか、借家人からの中途解約は原則的に認められていません。ただし、居住用建物の場合で、かつ、床面積が200m^2未満であることに加え、借家人に転勤や介護等のやむを得ない事情がある場合は例外です。

さらに、定期借家契約には、次のとおり普通借家契約にはない特徴がみられます。

第一に、定期建物賃貸借契約を成立させるためには、書面の作成が必要であるということです。

一般的には、契約自体は口頭でも成立するため、契約書なしでの建物賃貸借契約もなかには存在します。ただし、後日のトラブル防止のために契約書を作成しておくことが多いといえます。

しかし、定期建物賃貸借契約の場合、公正証書等の書面を作成することが成立の要件とされています。その書面は必ずしも公正証書である必要はありませんが、書面なしでの契約は認められていません。

第二に、貸主は借主に対し事前に書面を交付して、当該契約は更新がなく、期間満了とともに終了する旨を説明しなければならないということです。その趣旨は、建物の賃貸人は、賃借人になろうとする者に対し、当該賃貸借契約は更新がなく、期間の満了により確定的に終了することを明確に認識させるためであるとされています。そのため、これがない場合には、契約の更新がないこととする旨の定めは無効、すなわち定期建物賃貸借としての効力は認められないということになります。

なお、令和３年５月19日に「デジタル社会の形成を図るための関係法律の整備に関する法律」が公布されたことに伴い、定期建物賃貸借を規定する借地借家法第38条も改正され、令和４年５月18日から施行されています。前掲条文は改正後のものであり、同条第２項および第４項が追加されています。その趣旨は、電磁的記録による方法も書面によるものとみなすというものです。

定期建物賃貸借契約にはこのような特徴があるため、特に居住目的の借家の場合、貸主は賃料を相場よりも安めに設定するケースもあります。ただし、筆者の調査によれば、必ずしも安くなっているとは限らないケースもありました。ちなみに、事業用の場合は経済合理性が働くため、普通借家と同レベルの賃料で借りても採算に見合うと借主が判断すれば、それで成立するケースもあります。家賃の性格が一定期間の建物利用の対価であることを鑑みれば、その効用に差がない限り、このような判断もあり得ることでしょう。

最後に、建物一時使用賃貸借契約の場合ですが、これには借地借家法の適用がないという点で定期借家契約と区別されることから、家賃水準が相違しても（＝低額となっても）、それなりの合理性が認められるといえます。

5 支払賃料と実質賃料

支払賃料と実質賃料との関係については、第２章（地代の分類）でも述べましたが、家賃についても同じことがいえます。

そのため、以下、家賃について、実質賃料をもとに支払賃料を求める場合の考え方と計算例のみ掲げておきます。

（1）実質賃料をもとに支払賃料を求める場合の考え方

契約にあたって一時金が授受される場合における支払賃料は、実質賃料から、当該一時金について賃料の前払的性格を有する一時金の運用益および償却額、預り金的性格を有する一時金の運用益を控除して求められます。

また、そこで用いる運用利回りは、賃貸借等の契約にあたって授受される一時金の性格、賃貸借等の契約内容、対象不動産の種類および性格等の相違に応じて、当該不動産の期待利回り、不動産の取引利回り、長期預金の金利、国債および公社債利回り、金融機関の貸出金利等を比較考量して決定されます。

（2）計算例

以下、鑑定評価額として決定された実質賃料から一時金の運用益および償却額を控除して支払賃料を求める場合の計算例を示します。

（前提）

月額実質賃料：400,000円

月額支払賃料：　X　円

敷金：支払賃料の２か月分

敷金の運用利回り：年２％

権利金、礼金等：なし

（月額支払賃料）

（支払賃料）X円＋（X×２か月×２％×１／12月）

＝（実質賃料）400,000円

1.003　X　＝　400,000円

∴　X　≒　398,800円

公有財産の貸付基準

1 道路占用料（条例）

地代家賃といえば民間同士の貸し借りを思い浮かべてしまいますが、民間人（民間企業）が市町村や国・県等から土地や建物を借りるケースもあります。このような場合には、公有財産の貸付基準が定められています。この基準は意外と知られていないようですが、特に企業の場合は事業活動に伴って道路を占用したり、港湾の使用にあたって水域を占用する等、使用料の支払いが必要となるケースが生じます。そこで、本章では公有財産の貸付基準につき、いくつかの例を掲げて参考に資したいと思います。

本項では、道路法第39条の規定により徴収する道路の占用料の額および徴収方法等につき定めたＡ市の道路占用料条例（一部）を掲げます。

●道路法

（占用料の徴収）

第39条　道路管理者は、道路の占用につき占用料を徴収することができる。ただし、道路の占用が国の行う事業及び地方公共団体の行う事業で地方財政法（昭和23年法律第109号）第６条に規定する公営企業以外のものに係る場合においては、この限りでない。

2　前項の規定による占用料の額及び徴収方法は、道路管理者である地方公共団体の条例（指定区間内の国道にあつては、政令）で定める。但し、条例で定める場合においては、第35条に規定する事業及び全国にわたる事業で政令で定めるものに係るものについては、政令で定める基準の範囲をこえてはならない。

道路占用料条例

Ａ市道路占用料条例（一部抜粋）

（当初制定日）昭和32年３月30日

（趣旨）

第１条　道路法（昭和27年法律第180号。以下「法」という。）第39条の規定により徴収する道路の占用料の額及び徴収方法並びに当該占用料に係る延滞金並びに法第39条の２第５項の条例で定める額については、法律又はこれに基づく政令に別に定めがあるもののほか、この条例の定めるところによる。

（定義）

第２条　この条例で道路とは、法により市が管理する道路及び道路予定地をいう。

（占用料の徴収）

第３条　道路を占用する者は、占用料を納付しなければならない。

（占用料の額）

第４条　占用料の額は、別表占用料の欄に定める金額に、法第32条第１項若しくは第３項の規定により許可をし、又は法第35条の規定により協議が成立した占用の期間（電線共同溝に係る占用料にあっては、電線共同溝の整備等に関する特別措置法（平成７年法律第39号）第10条、第11条第１項若しくは第12条第１項の規定により許可をし、又は同法第21条の規定により協議が成立した占用することができる期間（当該許可又は当該協議に係る電線共同溝への電線の敷設工事を開始した日が当該許可をし、又は当該協議が成立した日と異なる場合には、当該敷設工事を開始した日から当該占用することができる期間の末日までの期間）。以下同じ。）に相当する期間を同表単位の欄に定める期間で除して得た数を乗じて得た額とする。ただし、当該占用の期間が翌年度以降にわたる場合においては、同表占用料の欄に定める金額に、各年度における占用の期間に相当する期間を同表単位の欄に定める期間で除して得た数を乗じて得た額の合計額とする。

2　占用料の額が年額で定められている占用物件に係る占用の期間が1年未満であるとき、又はその期間に1年未満の端数があるときは月割をもって計算し、なお、1箇月未満の端数があるときは1箇月として計算し、占用料の額が月額で定められている占用物件に係る占用の期間が1箇月未満であるとき、又はその期間に1箇月未満の端数があるときは1箇月として計算するものとする。

3　占用料の額を算出する基礎となる占用面積、表示面積又は占用物件の面積が1平方メートルに満たないとき、又はその面積に1平方メートル未満の端数があるときは1平方メートルとして、占用の長さが1メートルに満たないとき、又はその長さに1メートル未満の端数があるときは1メートルとして計算するものとする。

4　市長は、前各項により難いもの、または特別の事由があるものについては、別表の占用料の最高額の範囲内で、別表中に定めのあるものとの均衡を考慮して特別の額を定めることができる。(以下の条文省略)

別表（第4条）

占用物件		単位	占用料
法第32条第1項第1号に掲げる工作物	第一種電柱	1本につき1年	2,500円
	第二種電柱		3,800円
	第三種電柱		5,100円
	第一種電話柱		2,200円
	第二種電話柱		3,500円
	第三種電話柱		4,800円
	その他の柱類		220円
	共架電線その他上空に設ける線類	長さ1メートルにつき1年	22円
	地下に設ける電線その他の線類		13円
	路上に設ける変圧器	1個につき1年	2,200円

<table>
<tr><td rowspan="5"></td><td colspan="2">地下に設ける変圧器</td><td>占用面積１平方メートルにつき１年</td><td>1,300円</td></tr>
<tr><td colspan="2">変圧塔その他これに類するもの及び公衆電話所</td><td rowspan="2">１個につき１年</td><td>4,400円</td></tr>
<tr><td colspan="2">郵便差出箱及び信書便差出箱</td><td>1,800円</td></tr>
<tr><td colspan="2">広告塔</td><td>表示面積１平方メートルにつき１年</td><td>11,000円</td></tr>
<tr><td colspan="2">その他のもの</td><td>占用面積１平方メートルにつき１年</td><td>4,400円</td></tr>
<tr><td rowspan="9">法第32条第１項第２号に掲げる物件</td><td colspan="2">外径が0.07メートル未満のもの</td><td rowspan="9">長さ１メートルにつき１年</td><td>92円</td></tr>
<tr><td colspan="2">外径が0.07メートル以上0.1メートル未満のもの</td><td>130円</td></tr>
<tr><td colspan="2">外径が0.1メートル以上0.15メートル未満のもの</td><td>200円</td></tr>
<tr><td colspan="2">外径が0.15メートル以上0.2メートル未満のもの</td><td>260円</td></tr>
<tr><td colspan="2">外径が0.2メートル以上0.3メートル未満のもの</td><td>400円</td></tr>
<tr><td colspan="2">外径が0.3メートル以上0.4メートル未満のもの</td><td>530円</td></tr>
<tr><td colspan="2">外径が0.4メートル以上0.7メートル未満のもの</td><td>920円</td></tr>
<tr><td colspan="2">外径が0.7メートル以上１メートル未満のもの</td><td>1,300円</td></tr>
<tr><td colspan="2">外径が１メートル以上のもの</td><td>2,600円</td></tr>
<tr><td colspan="3">法第32条第１項第３号及び第４号に掲げる施設</td><td rowspan="5">占用面積１平方メートルにつき１年</td><td>4,400円</td></tr>
<tr><td rowspan="4">法第32条第１項第５号に掲げる施設</td><td rowspan="3">地下街及び地下室</td><td>階数が１のもの</td><td>Ａに0.004を乗じて得た額</td></tr>
<tr><td>階数が２のもの</td><td>Ａに0.007を乗じて得た額</td></tr>
<tr><td>階数が３以上のもの</td><td>Ａに0.008を乗じて得た額</td></tr>
<tr><td colspan="2">上空に設ける通路</td><td>5,500円</td></tr>
</table>

	地下に設ける通路			3,300円
	その他のもの			4,400円
法第32条第1項第6号に掲げる施設	祭礼、縁日その他の催しに際し、一時的に設けるもの		占用面積1平方メートルにつき1日	110円
	その他のもの		占用面積1平方メートルにつき1月	1,100円
令第7条第1号に掲げる物件	看板（アーチであるものを除く。）	一時的に設けるもの	表示面積1平方メートルにつき1月	1,100円
		その他のもの	表示面積1平方メートルにつき1年	11,000円
	標識		1本につき1年	3,500円
	旗ざお	祭礼、縁日その他の催しに際し、一時的に設けるもの	1本につき1日	110円
		その他のもの	1本につき1月	1,100円
	幕（令第7条第4号に掲げる工事用施設であるものを除く。）	祭礼、縁日その他の催しに際し、一時的に設けるもの	その面積1平方メートルにつき1日	110円
		その他のもの	その面積1平方メートルにつき1月	1,100円
	アーチ	車道を横断するもの	1基につき1月	11,000円
		その他のもの		5,500円
令第7条第2号に掲げる工作物			占用面積1平方メートルにつき1年	4,400円
令第7条第3号に掲げる施設				Aに0.028を乗じて得た額

令第７条第４号に掲げる工事用施設及び同条第５号に掲げる工事用材料		占用面積１平方メートルにつき１月	1,100円
令第７条第６号に掲げる仮設建築物及び同条第７号に掲げる施設			440円
令第７条第８号に掲げる施設	トンネルの上又は高架の道路の路面下に設けるもの	占用面積１平方メートルにつき１年	Ａに0.012を乗じて得た額
	上空に設けるもの		Ａに0.02を乗じて得た額
	その他のもの		Ａに0.028を乗じて得た額
令第７条第９号に掲げる施設	建築物		Ａに0.012を乗じて得た額
	その他のもの		Ａに0.009を乗じて得た額
令第７条第10号に掲げる施設及び自動車駐車場	建築物		Ａに0.02を乗じて得た額
	その他のもの		Ａに0.009を乗じて得た額
令第７条第11号に掲げる応急仮設建築物	トンネルの上又は高架の道路の路面下に設けるもの		Ａに0.012を乗じて得た額
	上空に設けるもの		Ａに0.02を乗じて得た額
	その他のもの		Ａに0.028を乗じて得た額
令第７条第12号に掲げる器具			Ａに0.028を乗じて得た額
令第７条第13号に掲げる施設	トンネルの上又は自動車専用道路（高架のものに限る。）の路面下に設けるもの		Ａに0.012を乗じて得た額
	上空に設けるもの		Ａに0.02を乗じて得た額
	その他のもの		Ａに0.028を乗じて得た額

（備考）

1　令とは、道路法施行令（昭和27年政令第479号）をいう。

2　第一種電柱とは、電柱（当該電柱に設置される変圧器を含む。以下同じ。）のうち３条以下の電線（当該電柱を設置する者が設置するものに限る。以下この項において同じ。）を支持するものを、第二種電柱とは、電柱のうち４条又は５条の電線を支持するものを、第三種電柱とは、電柱のうち６条以上の電線を支持するものをいうものとする。

3　第一種電話柱とは、電話柱（電話その他の通信又は放送の用に供する電線を支持する柱をいい、電柱であるものを除く。以下同じ。）のうち３条以下の電線（当該電話柱を設置する者が設置するものに限る。以下この項において同じ。）を支持するものを、第二種電話柱とは、電話柱のうち４条又は５条の電線を支持するものを、第三種電話柱とは、電話柱のうち６条以上の電線を支持するものをいうものとする。

4　共架電線とは、電柱又は電話柱を設置する者以外の者が当該電柱又は電話柱に設置する電線をいうものとする。

5　表示面積とは、広告塔又は看板の表示部分の面積をいうものとする。

6　Ａは、近傍類似の土地（令第７条第８号及び第13号に掲げる施設について近傍に類似の土地が存しない場合には、立地条件、収益性等土地価格形成上の諸要素が類似した土地）の時価を表すものとする。

ここに掲げられているとおり、占用物件の種類は電柱、電話柱、変圧器等をはじめ様々なものとなっており、それぞれの種類ごとに占用料が定められています（電柱占用のイメージ、**図表１**）。

図表１

また、この道路占有条例に登場する「A」とは、表の末尾の備考欄に説明があるとおり、近傍類似の土地の時価を指しています。

2 河川占用料（条例）

本項では、河川法第32条の規定により徴収する土地等の占用料の額および徴収方法等につき定めたA市の河川占用料条例（一部）を掲げます。

●河川法

（流水占用料等の徴収等）

第32条　都道府県知事は、当該都道府県の区域内に存する河川について第23条、第24条若しくは第25条の許可又は第23条の２の登録を受けた者から、流水占用料、土地占用料又は土石採取料その他の河川産出物採取料（以下「流水占用料等」という。）を徴収することができる。

２　流水占用料等の額の基準及びその徴収に関して必要な事項は、政令で定める。

３　流水占用料等は、当該都道府県の収入とする。

４　国土交通大臣又は指定都市の長は、第23条、第24条若しくは第25条の許可又は第23条の２の登録をしたときは、速やかに、当該許可又は登録に係る事項を当該許可又は登録に係る河川の存する都道府県を統括する都道府県知事に通知しなければならない。当該許可又は登録について第75条の規定による処分をしたときも、同様とする。

河川占用料条例

○Ａ市河川占用料条例（一部抜粋）

（当初制定日）平成12年３月27日

（趣旨）

第１条　河川法（昭和39年法律第167号。以下「法」という。）の規定により、市長が徴収する河川の占用料の額、徴収方法等については、この条例の定めるところによる。

（流水占用料等の徴収）

第２条　市長は、法第23条又は法第24条の許可を受けた者から、別表に掲げる額の流水占用料又は土地占用料（以下「流水占用料等」という。）を徴収する。

２　流水占用料等は、占用の期間に係る分を当該流水の占用又は土地の占用（以下「流水の占用等」という。）の許可をした日から１箇月以内に一括して徴収する。ただし、流水の占用等の期間が当該流水の占用等に係る法第23条又は法第24条の許可をした日の属する年度の翌年度以降にわたるときは、翌年度以降の流水占用料等は、毎年度、当該年度分を徴収する。

３　第１項の規定にかかわらず、河川区域と港湾区域が重複する区域のうち、当該河川の最下流にある橋りょうの上流端から下流に係る流水の占用等については、流水占用料等は、徴収しない。

（流水占用料等の算出方法）

第３条　流水占用料等の算出方法は、次に定めるところによる。

(1)　占用の期間が１年未満であるとき、又はその期間に１年未満の端数があるときは、月割りをもって計算する。

(2)　占用の期間が１箇月未満であるとき、又はその期間に１箇月未満の端数があるときは、１箇月として計算する。

(3)　占用料の額を算出する基礎となる占用の面積が１平方メートルに

満たないとき、又はその面積に1平方メートル未満の端数があるときは1平方メートルとして、占用の長さが1メートルに満たないとき、又はその長さに1メートル未満の端数があるときは1メートルとして、占用の水量が毎秒1リットルに満たないとき、又はその水量に毎秒1リットル未満の端数があるときは毎秒1リットルとして計算する。（以下の条文省略）

別表（第2条第1項）

種別			単位	金額
土地占用料	通路	幅員が2.5メートル以下のもの	占用面積1平方メートルにつき1年	200円
		幅員が2.5メートルを超えるもの		790円
	貯木場、いかだの係留場その他これらに類するもの			660円
	電柱	第一種電柱	1本につき1年	2,500円
		第二種電柱		3,800円
		第三種電柱		5,100円
	電話柱	第一種電話柱		2,200円
		第二種電話柱		3,500円
		第三種電話柱		4,800円
	その他の柱類			220円
	送電塔		占用面積1平方メートルにつき1年	4,400円
	水管、ガス管、引水管、排水管、ケーブルその他の埋設し、又は架設する物件	外径が0.07メートル未満のもの	長さ1メートルにつき1年	92円
		外径が0.07メートル以上0.1メートル未満のもの		130円
		外径が0.1メートル以上0.15メートル未満のもの		200円

		外径が0.15メートル以上0.2メートル未満のもの		260円
		外径が0.2メートル以上0.3メートル未満のもの		400円
		外径が0.3メートル以上0.4メートル未満のもの		530円
		外径が0.4メートル以上0.7メートル未満のもの		920円
		外径が0.7メートル以上1メートル未満のもの		1,300円
		外径が1メートル以上のもの		2,600円
	橋りょう	幅員が2.5メートル以下のもの	占用面積1平方メートルにつき1年	290円
		幅員が2.5メートルを超えるもの		990円
	桟橋			4,400円
	鉄道、軌道等の用に供するもの			4,400円
	工事用施設及び工事用材料置場			13,200円
	その他のもの			3,720円
流水占用料	鉱工業その他の用に供する場合		水量毎秒1リットルにつき1年	4,949円

（備考）

1　第一種電柱とは電柱（当該電柱に設置される変圧器を含む。以下同じ。）のうち3条以下の電線（当該電柱を設置する者が設置するものに限る。以下この項において同じ。）を支持するものを、第二種電柱とは電柱のうち4条又は5条の電線を支持するものを、第三種電柱とは電柱のうち6条以上の電線を支持するものをいう。

2　第一種電話柱とは電話柱（電話その他の通信又は放送の用に供する電線を支持する柱をいい、電柱であるものを除く。以下同じ。）のうち3条以下の電線（当該電話柱を設置する者が設置するものに限る。以下この項において同じ。）を支持するものを、第二種電話柱とは電話柱のうち４条又は５条の電線を支持するものを、第三種電話柱とは電話柱のうち６条以上の電線を支持するものをいう。

ここに掲げられているとおり、土地占用料も道路、貯木場、電柱をはじめ多様な種類に分かれており、これとは別に流水占用料についても規定されています。

3 水域占用料（条例）

本項では、港湾法第37条の規定により徴収する水域占用料の額および徴収方法等につき定めたＡ市の水域の占用等に関する条例（一部）を掲げます。

●港湾法

（港湾区域内の工事等の許可）

第37条　港湾区域内において又は港湾区域に隣接する地域であつて港湾管理者が指定する区域（以下「港湾隣接地域」という。）内において、次の各号のいずれかに該当する行為をしようとする者は、港湾管理者の許可を受けなければならない。ただし、公有水面埋立法（大正10年法律第57号）第２条第１項の規定による免許を受けた者が免許に係る水域についてこれらの行為をする場合は、この限りでない。

一　港湾区域内の水域（政令で定めるその上空及び水底の区域を含む。以下同じ。）又は公共空地（以下「港湾区域内水域等」という。）の占用

二　港湾区域内水域等における土砂の採取

三　水域施設、外郭施設、係留施設、運河、用水渠（きょ）又は排水渠の建設又は改良（第一号の占用を伴うものを除く。）

四　前各号に掲げるものを除き、港湾の開発、利用又は保全に著しく支障を与えるおそれのある政令で定める行為

２～３　（省略）

４　港湾管理者は、条例又は第12条の２の規程で定めるところにより、港湾区域内水域等に係る第１項第一号又は第二号の許可を受けた者から占用料又は土砂採取料を徴収することができる。ただし、前項に規定する者の協議に係るものについては、この限りでない。（以下の条文省略）

水域占用料条例

◯Ａ港の港湾区域内における水域の占用等に関する条例

（当初制定日）平成12年３月27日

（趣旨）

第１条　この条例は、港湾法（昭和25年法律第218号。以下「法」という。）その他の法令に定めるもののほか、Ａ港の港湾区域内における水域の占用、土砂の採取及び工事の施行について必要な事項を定めるものとする。

（定義）

第２条　この条例において、次の各号に掲げる用語の意義は、それぞれ当該各号に定めるところによる。

(1)　水域占用許可　法第37条第１項第１号に掲げる行為の許可をいう。

(2)　土砂採取許可　法第37条第１項第２号に掲げる行為の許可をいう。

(3)　工事許可　法第37条第１項第３号に掲げる行為の許可をいう。

（許可の申請）

第３条　Ａ港の港湾区域内において、前条各号に掲げる許可を受けようとする者は、あらかじめ、規則で定めるところにより市長に申請しなければならない。

（許可期間）

第４条　水域占用許可の期間は、５年以内において規則で定める。

第５条～第９条　（省略）

（水域占用料及び土砂採取料）

第10条　水域占用許可又は土砂採取許可を受けた者は、規則で定める期日までに、別表に定める水域占用料又は土砂採取料（以下「水域占用料等」という。）を納付しなければならない。（以下の条文省略）

別表（第10条）

区分		単位	金額
水域占用料	桟橋、係船ぐい、荷役機械、管、船きょ、船揚場	1月1平方メートルまでごとに	55円
	係船浮標、信号標	1月1基につき	279円
	船舶の係留	1月1平方メートルまでごとに	28円
	その他	1月1平方メートルまでごとに	55円
土砂採取料		1立方メートルまでごとに	210円

（備考）

1　占用の期間が1月に満たないときは、1月として計算する。ただし、占用の期間が15日以下の場合において、市長が認めるときは、日割計算によることができる。

2　港湾区域と二級河川に係る河川区域が重複する区域の水域占用料は、市長が定めて告示する河川の橋りょうの下流端から下流に係る水域の占用について徴収する。

3　港湾区域と準用河川に係る河川区域が重複する区域の水域占用料は、河川の最下流にある橋りょうの上流端から下流に係る水域の占用について徴収する。

ここに掲げられているとおり、水域占用料の内訳も、桟橋、係船ぐい、荷役機械をはじめいくつか区分されており、これとは別に土砂採取料についても規定されています。

4 市町村の公有財産貸付基準

市町村ごとに公有財産貸付基準が定められていますが、本項では、その一例を掲げます。Ｂ市では、行政財産（土地に限る）および普通財産（土地および建物に限る）につき、貸付けの範囲、貸付料等をそれぞれ規定しています。

公有財産貸付基準

○Ｂ市公有財産貸付基準

（当初制定日）平成11年４月１日

（目的）

第１条　この基準は、行政財産（土地に限る。以下同じ。）並びに普通財産（土地及び建物に限る。以下同じ。）（以下これらを「公有財産」という。）の貸付けの範囲及び貸付料を定めることを目的とする。

（行政財産の貸付けの範囲）

第２条　行政財産は、駐車場に係る事業の用に供する場合に限り、これを貸し付けることができる。

（普通財産の貸付けの範囲）

第３条　普通財産は、次のいずれかに該当するときは、これを貸し付けることができる。

(1)　Ｂ市の指導監督を受けＢ市の事務事業を補佐し、又は代行する団体において、補佐又は代行する事務又は事業の用に供するとき。

(2)　他の地方公共団体その他公共団体又は公共的団体において、公用若しくは公共用又は公益事業の用に供するとき。

(3)　電気・ガス・通信事業その他の公益事業の用に供するために使用させるとき。

(4)　Ｂ市が施行する事業の工事を請け負った者が、その施工のために使用するとき。

(5)　他の地方公共団体その他公共団体又は公共的団体が施行する事業の工事を請け負った者が、その施工のために使用するとき。

(6)　隣接する土地の所有者又は使用者が、その土地を利用するため短期間使用するとき。

(7)　公共的な活動に使用するため、その建物を地域住民が短期間使用するとき。

(8)　その他市長が特に必要と認めたとき。

（公有財産の貸付料）

第４条　公有財産の貸付料は各年度ごとの１月当たりの額により算出するものとし、その額は財産の種類及び使用の状況に応じ、次に定めるところによる。

(1)　土地を貸し付ける場合には、次の算式に基づいて算定する。

　当該土地の前年度の１平方メートル当たりの近傍類似土地の固定資産税評価額を適正な価格として、その価格に1,000分の３（特別な事由が認められる場合は、Ｂ市行政財産使用料条例（昭和46年条例第24号）に定める率）を乗じて得た額

(2)　建物を貸し付ける場合には、当該建物及びその敷地について、それぞれ次により算定した額を合計して得た額

ア　建物の推定再建築費、耐用年数、経過年数、維持及び保存の状況、利用効率等を考慮して算定した当該建物の適正な価格に1,000分の７（特別な事由が認められる場合は、Ｂ市行政財産使用料条例に定める率）を乗じて得た額

イ　建物の敷地に相当する面積の土地について、前号により算出した土地の使用料に相当する額

2　前項の規定にかかわらず、B市立公園条例（昭和53年条例第23号）別表に掲げる工作物、物件又は施設で土地に接する占用面積が0.5平方メートル以下のものについては、同表に規定する当該工作物、物件又は施設の占用料の額とする。

3　前2項の規定にかかわらず、公募による随意契約により公有財産を貸し付ける場合は、当該随意契約の決定価格をもって貸付料とする。

（日割計算）

第5条　貸付けを開始する日が月の初日でない場合又は貸付けを終了する日が月の末日でない場合における貸付料は、日割計算とする。

（普通財産の貸付料の減免）

第6条　普通財産の貸付料は、次の各号に掲げる区分に応じ、当該各号に定める割合で減額し、又は免除することができる。

（1）　第3条第1号に該当するとき　免除

（2）　第3条第2号に該当するとき　50パーセント

（3）　第3条第7号に該当するとき　25パーセント

（4）　第3条第8号に該当するとき　市長が貸付けの目的に応じて認める割合

（貸付けの解除変更）

第7条　次の各号のいずれかに該当するときは、貸付契約の全部又は一部を解除し、又は変更するものとする。

（1）　B市が貸付財産を公用又は公共用に供するため必要とするとき。

（2）　用途を指定して貸し付けた財産がその指定用途に供せられないとき。

（3）　公有財産の借受者が貸付契約に違反したとき。

（施行期日）

この基準は、平成20年4月1日から施行する。

5 国による普通財産貸付事務処理要領

国（財務省）では普通財産貸付事務処理要領を作成し、そのなかで普通財産の新規貸付や継続貸付の基準を定めています。

上記要領によると、普通財産の貸付けを行う場合の貸付期間、貸付契約の更新、貸付料などの基準が財産の種類別に定められており、その考え方は一般の人が土地建物の賃貸借を行う場合に応用がきくものとなっています。詳細は財務省のホームページを参照していただくこととし、ここでは、土地建物の貸付期間に関する基本的な考え方と貸付料の算定基準（当該要領の別添資料）を掲げます。

なお、貸付料の算定基準については、その要所に鑑定評価の考え方が反映されています。これを参照するにあたっては鑑定評価の基本的な知識を踏まえたほうが理解しやすいと思われるため、本書の第２章、第３章および第６章に目を通したうえで貸付要領を読むことをお勧めします。

●貸付期間

普通財産の貸付けを行う場合の貸付期間については、契約の性質や使用の目的に従い、次に定めるところによるものとする。

(1) 土地に建物の所有を目的とする賃借権を設定しようとする場合（借地借家法第25条に該当する場合を除く。）30年

(2) 建物（その敷地を含む。）を使用させるために建物の賃借権を設定しようとする場合（借地借家法第40条に該当する場合を除く。）３年 （以下省略）

◉貸付契約の更新等

貸付期間が満了する場合には、契約を解除する必要が生じた場合（中略）を除き、前契約と同一の期間について更新するものとする。ただし、上記1－（1）については、最初の更新にあっては20年としその後の更新については10年とする。

なお、貸付始期が平成4年7月31日以前の場合には、建物存続期間とするが、当該建物が堅固な構造の場合は30年、それ以外の構造の場合は20年を超えてはならないものとする。（以下省略）

（出典） 財務省「普通財産貸付事務処理要領」

貸付料の算定基準については、次頁以降をご参照ください。

普通財産貸付事務処理要領

（平成13年3月30日
財理第1308号）

改正　　平成13年10月29日財理第3660号
最終改正 令和3年9月21日 同 第3258号
財務省理財局長から各財務（支）局長、沖縄総合事務局長宛

普通財産の貸付事務については、下記のとおり取扱いを定めたので通知する。

なお、昭和61年6月10日付蔵理第2283号「普通財産貸付事務処理要領について」通達は、廃止する。ただし、同通達別添1「普通財産（土地及び建物）貸付料算定基準」については、平成14年3月31日限りで廃止することとする。（中略）

別添１

普通財産貸付料算定基準

この基準は、平成27年４月１日以降貸付料を算定するものから適用し、それ以外のものについては、なお従前の例によるものとする。ただし、下記第４「一時等貸付料の算定」については、平成13年10月１日以降貸付料を算定するものから適用するものとする。

第１　土地の貸付料

１　継続貸付料

(1) 貸付料基礎額の算定

計算式　貸付料基礎額＝従前の貸付料ａ×スライド率ｂ

ａ＝改定前の直近分として通知している貸付料（以下「従前の貸付料」という。)。ただし、従前の貸付料が前回改定時に算定した貸付料基礎額を下回っている場合は、前回改定時に算定した貸付料基礎額

ｂ＝（消費者物価指数＋地価変動率）／２を標準とし、次の（2）により設定する。

なお、貸付料基礎額が国有資産等所在市町村交付金（以下「市町村交付金」という。）の額を下回る場合には、下記第１－３－（2）により民間精通者の意見価格等を基礎として貸付料基礎額を修正したものを除き、当分の間、市町村交付金の額を貸付料基礎額とみなすものとする。

(2) スライド率の決定

スライド率は、前回算定した貸付料の適用始期から今回算定する貸付料の適用始期までの期間における変動率を、直近の各指数を用いて小数点第４位（第５位以下切捨て。）まで求めることとし、次のイ、ロ及びハに留意して設定するものとする。

イ　消費者物価指数

総務省が発表する消費者物価指数の全国及び都市階級・地方・都

道府県庁所在市別の総合指数、各都道府県が発表する消費者物価指数の各都道府県及び各市町村の総合指数等を基に、財務局長等が予め設定した地域毎に設定する。

なお、当該指数は、変動率を求める期間の始期及び終期の属する四半期の初月から6か月前の指数を用いて設定するものとする。

ロ　地価変動率

貸付財産毎に、前回算定時に用いた相続税評価額等と今回改定時の前年の相続税評価額等を比較して求めるものとする。なお、一定の地域毎又は用途地域毎に予め算定する地価の変動に係る率を採用することもできる。

ハ　承認申請

財務局長等は、スライド率を定める場合には、次に掲げる事項を記載した書面により承認申請を行い、理財局長の承認を得なければならない。

なお、承認後、毎年度の改定等において、計算方法の変更を伴わず、指数の入れ替えのみを行う場合には、この限りでない。

① 採用する消費者物価指数（地域割り及び地域割り毎に採用する指数）

② 採用する地価変動率（地域割り及び地域割り毎に採用する指数又は計算方法）

③ 採用するスライド率の計算式（地域割り毎に計算式を定める場合は、地域割り及び地域割り毎の計算式）

(3) 貸付料の通知等

貸付料基礎額と従前の貸付料を比較して、次のイ、ロ、ハによる調整を行ったうえで貸付料を算定し、相手方に通知するものとする。ただし、貸付けの経緯、貸付料改定及び貸付財産の状況等を勘案し、次の調整率によることが不適当と認められる場合には、民間精通者（不動産鑑定士等）の意見等により、当該調整率を修正したうえ、従前の貸付料との調整を行うことができるものとする。

なお、次のニに掲げる場合には、ニに定めるところによる。

イ　上記（1）により算定した貸付料基礎額が、従前の貸付料を上回っている場合

① 第一年次 従前の貸付料×1.05と貸付料基礎額のいずれか低い方の額

② 第二年次 第一年次の貸付料×1.05と貸付料基礎額のいずれか低い方の額

③ 第三年次 第二年次の貸付料×1.05と貸付料基礎額のいずれか低い方の額

ロ　上記（1）により算定した貸付料基礎額が、従前の貸付料を下回っている場合

① 第一年次 従前の貸付料×0.95と貸付料基礎額のいずれか高い方の額

② 第二年次 第一年次と同額

③ 第三年次 第一年次と同額

ハ　上記（1）により算定した貸付料基礎額が、従前の貸付料と同額の場合

貸付料基礎額をもって、各年次の貸付料とする。

ニ　物納財産収納後、初回の貸付料改定を行う場合

従前の貸付料が下記2－（1）により算定される額を上回る場合には、上記（1）により貸付料基礎額を算定のうえ、上記イ、ロ、ハを適用し、初回の貸付料を算定し、相手方に通知するものとする。

また、従前の貸付料が下記2－（1）により算定される額を下回る場合には、下記2－（1）により貸付料基礎額を算定のうえ、上記イ、ロ、ハを適用し、初回の貸付料を算定し、相手方に通知するものとする。

ホ　貸付料を日割り計算する場合には、閏年を含む期間についても、1年を365日として取り扱うものとする。

なお、以下の貸付料算定においても同様の取扱いとする。

2　新規貸付料

(1) 貸付料基礎額の算定

計算式　貸付料基礎額＝期待利回りａ×相続税評価額ｂ

ａ＝「貸付先例毎に算定した貸付料基礎額÷相続税評価額」の平均値

（いずれも直近改定時の数値を用いる。）

ｂ＝貸付始期の直近における相続税評価額（貸付始期が９月以降であるものはその年の相続税評価額を用いる。）

（注１）　期待利回りａは、新規に貸付けを行う財産を含む地域の近隣地域内の貸付先例毎に求めた期待利回りの平均値とする。（小数点第４位（第５位以下切捨て。)。）

（注２）　貸付先例は、下記第９－１「貸付先例の採用」の規定により選定する。

(2) 貸付料の決定

貸付料基礎額をもって、各年次の貸付料とする。

ただし、最適利用通達の記-第２－５に規定する地方公共団体等と随意契約により新規に貸付けを行う場合又は予決令第99条第６号若しくは予決令臨特第５条第１項第２号により新規に貸付けを行う場合には、貸付料基礎額を予定価格として、最適利用通達の記-第７－３－（4）に規定する処分等価格の決定手続きに準じて、貸付料を決定するものとする。

（注）　見積り合せ（予決令第99条の６の規定に基づき、相手方の契約希望価格を書面により確認し、当該価格が国の予定価格の制限の範囲内であるか否かを確認する手続きをいう。以下同じ。）の実施に先立ち、相手方に対して貸付料の概算額を提示する場合においては、最適利用通達の記-第７－３－（注）－(2) の規定に準じて手続きを行うものとする。この場合において、上記 (1) の規定により貸付料基礎額を算定するときは、最適利用通達の記-第７－３－(注)－(2) の規定中「不動産鑑定評価」とあるのは「相続税評価

額を基準として別に定める評価方法」と読み替えるものとする。

3　貸付料算定の特例

(1) 上記1「継続貸付料」又は2「新規貸付料」により算定した額が一定地域の民間実例等の実情に照らして不適当と認める場合又は相手方から実情に照らして額に不満があるとの意見があり財務局長等がその意見に相応の合理性があると認める場合には、差額配分法等により、上記1又は2により算定した貸付料基礎額を修正できるものとする。

(2) 貸付料年額が一千万円以上かつ面積が概ね二千平方メートル以上のもののほか、地域的に特殊な事情を考慮すべきもの及び近隣地域内の標準的なものに比べ貸付財産が著しく広大又は高額であるもの等については、民間精通者の意見価格等を基礎として、上記1「継続貸付料」又は2「新規貸付料」により算定した貸付料基礎額を修正できるものとする。なお、増改築を承諾した貸付財産に係る最初の貸付料の改定に当たっては、承諾料の授受の有無を勘案した民間精通者の意見価格等を基礎として、算定した貸付料基礎額を修正できるものとする。

　当該貸付けの対象となっている財産の全部が国有資産等所在交付金法（昭和31年法律第82号）第2条第2項により国有資産等所在市町村交付金の交付を要しないものである場合には、上記の規定より算出した貸付料年額の評価額から、公租公課相当額を控除した額に修正するものとする。

（注）民間精通者への発注に当たっては、貸付料年額のほか公租公課相当額を明記させることとする。

第2　建物の貸付料

1　継続貸付料

(1) 貸付料基礎額の算定（建物のみの計算）

計算式　貸付料基礎額＝（従前の貸付料ａ×スライド率ｂ）×経年による残価変動率ｃ

a＝従前の貸付料。ただし、従前の貸付料が前回改定時に算定した貸付料基礎額を下回っている場合は、前回改定時に算定した貸付料基礎額

b＝（消費者物価指数＋一定率ｄ）／２を標準とし、地域の実情を踏まえ財務局長等が設定する。

c＝経年による残価変動率は、次の算式により求めるものとする。

経年による残価変動率＝１－｛(１－建物残存割合）／建物耐用年数×前回改定時からの経過年数｝

（注）　建物耐用年数は、「減価償却資産の耐用年数等に関する省令」（昭和40年大蔵省令第15号）別表第１「機械及び装置以外の有形減価償却資産の耐用年数表」に定めるところによるものとする。

また、建物残存割合は0.1とする。

なお、建物の耐用年数が満了した時点以降において建物貸付料を改定しようとする場合には、経年による残価変動率ｃは1.00に据え置くものとする。

d＝一定率については民間調査機関の統計資料等を勘案して財務局長等が定める率とする。

なお、貸付料基礎額が市町村交付金の額を下回る場合には、上記第１-3-（2）により民間精通者の意見価格等を基礎として貸付料基礎額を修正したものを除き、当分の間、市町村交付金の額を貸付料基礎額とみなすものとする。

(2) スライド率の決定

スライド率は、前回算定した貸付料の適用始期から今回算定する貸付料の適用始期までの期間における変動率を、直近の各指数を用いて小数点第４位（第５位以下切捨て。）まで求めることとし、次のイ、ロ及びハに留意して設定するものとする。

イ　消費者物価指数は、上記第１-１-（2）-イの土地の貸付料の規定に準じて設定する。

ロ　一定率は、（財）日本不動産研究所が毎年発行している「全国賃料統計」等を基に定めることができる。

ハ　承認申請は、上記第１－１－（2）－ハの規定に準じて行い、土地に係るものと同時に申請するものとする。

(3) 貸付料の通知等

イ　建物を土地付きで貸付けする場合には、土地貸付料（地代）相当額を建物貸付料の算定に当たり含めることとなるので、貸付料の算定に当たっては、上記第１「土地の貸付料」によって算定した土地の貸付料基礎額と上記（1）「貸付料基礎額の算定（建物のみの計算）」によって算定した建物のみの貸付料基礎額を合計し、その合計額をもって、従前の貸付料と、第１－１－（3）「貸付料の通知等」による調整を行って決定し、相手方に通知するものとする。

ロ　下記３による貸付料基礎額の修正を行う場合には、土地及び建物一体の意見価格等を用いるものとする。

ハ　民有地上の国有建物を貸付けしている場合には、上記（1）「貸付料基礎額の算定（建物のみの計算）」によって算定した貸付料基礎額をもって、第１－１－（3）「貸付料の通知等」の規定に準じて調整を行って算定した額に、国が民有地の所有者に支払うべき地代の年額を加算した額をもって相手方に通知するものとする。

2　新規貸付料

付近の賃貸実例又は民間精通者の意見価格等をもって貸付料年額とする。

ただし、最適利用通達の記－第２－５に規定する地方公共団体等と随意契約により新規に貸付けを行う場合又は予決令第99条第６号若しくは予決令臨特第５条第１項第２号により新規に貸付けを行う場合には、上記第１－２－（2）（同注釈の規定を除く。）によるものとする。なお、本通達第１節－第２－１－（3）又は（8）に該当する貸付けに係る貸付料を算定しようとする場合には、下記第４「一時等貸付料の算定」によるものとする。

3　貸付料算定の特例

建物貸付料については、上記第1－3「貸付料算定の特例」の規定を準用して処理することができる。

第3　マンション等の貸付料の特例

マンション等の貸付料については、上記第1、2にかかわらず次により土地及び建物貸付料を一括して算定するものとする。

ただし、最適利用通達の記-第2－5に規定する地方公共団体等と随意契約により新規に貸付けを行う場合又は予決令第99条第6号若しくは予決令臨特第5条第1項第2号により新規に貸付けを行う場合には、上記第1－2－(2)（同注釈の規定を除く。）によるものとする。

1　貸付料年額は、近傍の適当な賃貸実例に比準し、又は、民間精通者の意見を参考として算定した額（ただし、区分所有建物の一住戸部分等を貸付けする場合又は国有建物の一棟全体を各住戸部分毎に貸付けする場合であって、当該建物又は近隣の同種の建物内に適当な賃貸実例があるときには、それに比準して算定した額）又は上記第2－1「継続貸付料」により算定した額とすることができる。

2　区分所有建物の一住戸部分等を貸付けする場合又は国有建物の一棟全体を各住戸部分等毎に貸付けする場合の貸付料年額は、共益費等をそれぞれ実態・実例により算定し、上記1の規定により算定した額に、必要に応じ、共益費等年額を加算した額とする。

（注1）　マンション等とは、いわゆるマンション、商業ビル及び事務所用ビル等で、

① 区分所有の目的となっている建物

② 複数の者の借家権等の権利の目的となっており共用部分を有する建物をいう。ただし、いわゆる棟割長屋、タウンハウス等の連続建住宅のように個々の借家人が使用する敷地が特定され

ているもの若しくは特定したとみなしても支障のないものを除く。

（注２） 共益費とは、マンション等の共用部分及び共用施設の管理のために必要な費用であって、次のものをいう。

イ 室外の電気、水道及びガスの使用に伴う諸費用

ロ 室外の給水施設、汚水処理施設等排水施設、エレベーター、その他の雑構築物等の維持又は運営に関する費用

ハ その他マンション等の入居者が共通して負担する費用（修繕積立金等家主が負担することとされているものは含まれない。

（注３） 共益費等とは、共益費の他、例えばマンション等に入居者専用の駐車場が設けられている場合における駐車場使用料をいう。

なお、駐車場使用料には、マンション等に付随して貸し付けられている駐車場の使用料でマンション等の貸付料と一体不可分として支払われているものは含まれないので留意すること。

また、マンション等に付随して貸し付けられている駐車場とは、マンション等の入居者に対し、一戸当たり１台分以上確保されており、かつ、自動車の保有の有無にかかわらず割り当てられる駐車場等であり、住宅の貸付けの対価とは別に駐車場使用料が支払われていないものが該当する。

第４ 一時等貸付料の算定

１ 土地貸付料

(1) 本通達第１節-第２-１-(8)（同(3)に該当するものであって、(8)と同様の性質を有するものを含む。以下同じ。）に該当する貸付けに係る貸付料の算定は、次によるものとする（下記(2)によるものを除く）。

ただし、最適利用通達の記-第２-５に規定する地方公共団体等と随意契約により新規に貸付けを行う場合又は予決令第99条第６号若しくは予決令臨特第５条第１項第２号により新規に貸付けを行う場合に

は、上記第1－2－(2)（同注釈の規定を除く。）によるものとする。

（注） 見積り合せの実施に先立ち、相手方に対して貸付料の概算額を提示する場合においては、最適利用通達の記－第7－3－（注）－(2)の規定に準じて手続きを行うものとする。この場合において、最適利用通達の記－第7－3－（注）－(2)の規定中「不動産鑑定評価」とあるのは「相続税評価額を基準として別に定める評価方法」と読み替えるものとする。

イ 財務局長等が設定した地域毎に、複数の民間の取引事例を調査し、予め当該地域内の短期間の暫定的利用に係る貸付けにおける期待利回りを得ておくものとする。

計算式 期待利回り＝民間の取引事例における貸付料年額÷当該取引事例地の相続税評価額

（注1） 採用した民間の取引事例毎に算定するものとし、当該算定された期待利回りの平均値をもって当該地域における期待利回りとする。

（注2） 当該地域のこのような貸付けにおける期待利回りを得難い場合には、他地域（社会経済的にみて貸付料等に連続性が認められるものに限る。）の期待利回り（下記(2)で準用する上記第1－3－(2)の民間精通者の意見価格等により算定した利回りを含めて差し支えない。）を、通常の貸付けにおける期待利回りの水準を比較したところにより修正し、当該地域の期待利回りを算定する。

ロ 貸付けしようとする財産の貸付始期の直近における相続税評価額（貸付始期が9月以降であるものはその年の相続税評価額を用いる。）を算定し、上記イにより設定した期待利回りのうち、貸付けしようとする財産が含まれる地域を対象として設定された期待利回りを乗じて得られた額をもって貸付料年額とする。

貸付料年額＝貸付財産の相続税評価額×期待利回り

(2) 本通達第1節-第2-2-(3) ただし書により、貸付契約の更新を行うものであって、次に掲げる場合には、上記第1-1の継続貸付料の算定方法によるものとする。

イ　貸付財産が借地借家法の適用を受ける土地（国が貸し付けている土地及び相手方所有地をいう。）と一体で利用されているとき

ロ　貸付財産が単独で利用することが困難な財産であって、相手方の使用目的が私道又は軌道敷地等契約に定める期間を超えて相当期間一定の用途に供するものと認められるとき

ハ　上記イ及びロのほか、都市計画法等の諸規制、貸付財産の現状等（規模、形状及び周囲の現況等）から、当該財産の返還後、一般競争入札等を実施しても成約が見込まれないと認められるとき

(3) 上記 (1) 及び (2) によりがたい特別の事情があると認められる場合には、上記第1-3「貸付料算定の特例」の規定を準用して貸付料を算定できるものとする。

なお、その際に民間精通者から意見価格等を徴する場合においては、個別の財産の特性及び利用形態の制約に鑑み、収益性を考慮した賃料の算定を行うことができるものとする。

2　建物貸付料

本通達第1節-第2-1-(8) に該当する貸付けに係る貸付料の算定に当たっては、下記第9「その他留意事項」の規定を準用し、当該貸付けを行おうとする財産が所在する地域の近隣地域内に所在する、相手方の利用目的と類似している用途に供されている民間の建物賃貸取引実例により算定するものとする。

計算式　貸付料＝取引事例の貸付料（1平方メートル当たり単価）×貸付数量

（注） 取引事例の貸付料は、採用した取引事例の平均値とする。

ただし、民間の建物賃貸取引実例により難い場合には、民間精通者の意見価格等により算定することができるものとする。

なお、最適利用通達の記-第2－5に規定する地方公共団体等と随意契約により新規に貸付けを行う場合又は予決令第99条第6号若しくは予決令臨特第5条第1項第2号により新規に貸付けを行う場合には、上記第1－2－(2)（同注釈の規定を除く。）によるものとする。

第5　工作物の貸付料

土地又は建物に付随するものについては上記第1又は第2に準じ、機械に類するものについては次の第6に準じることができるものとし、これらに準じることが著しく不適当な場合には、それぞれの実情に応じて財務局長等の定めるところにより算定するものとする。

（注）機械に類する工作物とは、国有財産台帳記録の財産区分の如何にかかわらず、起重機、貯槽（移動式のものに限る。）、暖房装置（配管及びラジエーターを除く。）、冷室装置、通風装置（気送管路を除く。）、通信装置（電線、付属パイプ及びがい子を除く。）、原動装置、変電装置、伝導装置及び水道装置（揚水機械及び濾過機に限る。）をいう。

第6　機械器具及び船舶等の貸付料

機械器具及び船舶等の貸付料の算定は、次の算式によるものとする。

ただし、最適利用通達の記-第2－5に規定する地方公共団体等と随意契約により新規に貸付けを行う場合又は予決令第99条第6号若しくは予決令臨特第5条第1項第2号により新規に貸付けを行う場合には、上記第1－2－(2)（同注釈の規定を除く。）によるものとする。

S＝V×｛(1－N√残存割合）＋0.096｝

S：貸付料年額

V：国有財産評価基準（平成13年3月30日付財理第1317号「国有財産評価基準について」通達の別紙「国有財産評価基準」。以下同じ。）に基づき算定した評定価格

N：耐用年数

（注）（1－N√残存割合）は、減価率（償却率）である。

第7　農地の貸付料の特例

1　貸付料の算定

(1) 農地法第52条の規定により、貸付けしている農地が所在する地域を管轄する農業委員会が情報提供する農地の賃借料の平均額に比準して算定した額をもって、各年次の貸付料年額とする。

(2) 貸付けしている農地が所在する地域の農地の賃借料について農業委員会による情報提供がなされていない場合には、農業委員会により情報提供されている近隣農地の賃借料の平均額に比準して算定した額をもって各年次の貸付料年額とする。

(3) 上記（1）又は（2）による貸付料年額によることが、貸付けしている農地の所在する近隣地域の実情に照らし、著しく不適当であると認められる場合には、全国農業会議所により情報提供されている都道府県の農地の賃借料の平均額又は民間精通者等の意見価格等を基礎として貸付料年額を修正することができる。

(4) 地方税法（昭和25年法律第226号）第343条第5項、第6項及び第702条第2項の規定により、農地の使用者が所有者とみなされて固定資産税又は都市計画税が賦課されている場合の貸付料については、上記により算定した貸付料年額から固定資産税又は都市計画税に相当する額を控除することができる。

2　農地貸付財産の利用状況に関する取扱い

農地の貸付料の特例を適用する財産については、別途定めるところにより利用状況を確認する。

第8　増額請求について

貸付財産の使用目的の変更等に伴い増額請求することが必要となった

場合には、次により増額請求するものとする。

1　貸付料基礎額の再算定

増額請求に際しては、土地貸付料にあっては上記第1－2－（1）により、建物貸付料にあっては上記第2－2に基づき、使用目的変更後等の貸付料基礎額を再算定するものとする。

この場合、変更後の使用目的に用途が類似する貸付先例を採用して期待利回りを求めるものとする。

2　貸付料の決定

上記1により算定された貸付料基礎額と、使用目的の変更を行おうとする日の属する年次の貸付料年額により、上記第1－1－（3）「貸付料の通知等」又は第2－1－（3）「貸付料の通知等」による調整を行って貸付料を決定するものとする。

3　増額請求日

使用目的の変更の申出があった日の翌月の初日を始期として増額請求を行う。

変更後の貸付料適用期間については、本通達第1節-第4－（2）に準じて定めるものとする。

4　その他

貸付料を再計算した結果、従前の貸付料を下回ることとなった場合には、増額請求権は行使しないものとする。

第9　その他留意事項（省略）

別添２

一時金等算定基準

１　借地権利金の算定

借地権利金＝借地権設定時の相続税評価額×借地権割合

２　名義書換承諾料の算定

名義書換承諾料＝名義書換時の相続税評価額×借地権割合×10／100

３　増改築承諾料の算定

改築承諾料＝改築時の相続税評価額×５／100

（改築後の建物が非堅固な建物の場合３／100）

増築承諾料＝改築承諾料×増築部分の延面積／既存建物の延面積

(1)　増築承諾料は、改築承諾料と同額をもって上限とする。

(2)　増築承諾料を徴したもので、承諾料徴求後５年以内に改築を行う場合には、改築承諾料から徴求済みの増築承諾料を控除できる。なお、改築承諾料を徴したもので、承諾料徴求後５年以内に再度増改築を行う場合には、増改築承諾料を徴求しないことができる。

４　その他

(1)　一時金等の算定の際に用いる相続税評価額は、各時点における直近（９月以降であるものはその年の相続税評価額を用いる。）のものとする。

(2)　上記により一時金等を算定することが付近の実情に照らして不適当と認められる場合又は相手方から上記によることが実情に照らして不満があるとの意見があり、財務局長等がその意見に相応の合理性があると認める場合には、民間精通者の意見価格等によって得られた額により、当該一時金等を修正することができる。

(3)　相続税評価額、借地権割合は、本通達別添１「普通財産貸付料算定基準」の第９－２「相続税評価額等の取扱い」により算定するものとする。

第5章

地代家賃の情報収集の難易度と収集方法

1 賃料情報の入手経路と収集の難易度

第２章では地代の分類を、第３章では家賃の分類を様々な角度から取り上げてきました。これらの内容に目を通していただければ自ずと理解できると思われますが、一概に地代家賃（賃料）といってもその概念は広範囲に及びます（**図表１**）。それとともに、改めて奥の深さを感じさせます。

図表１　地代家賃の概念

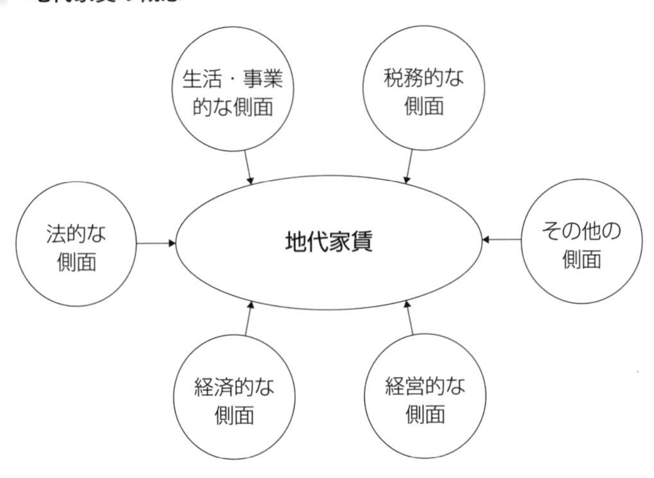

それでは、このような広範囲にわたる賃料情報を、どこでどのように収集すればよいでしょうか。また、一般の人が入手しやすい情報と入手しにくい情報には、どのようなものがあるでしょうか。

本章では、このような角度から賃料情報の入手経路を整理し、その難易度についても述べていきます（**図表２**、**図表３**）。

図表2　賃料情報の入手経路

賃料情報の入手経路
- ① 一般的に入手可能な賃料情報
- ② 専門家（専門業者）でなければ入手しにくい賃料情報
- ③ 専門家（専門業者）でも入手しにくい賃料情報

図表3　賃料収集の難易度

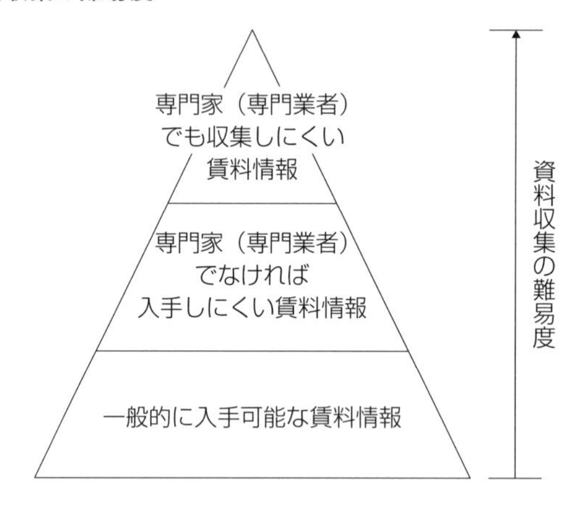

2 一般的に入手可能な賃料情報

現在、土地価格については公的指標の整備が進み、一般の人でもコストを要せず入手し得る情報が多くなっています。例えば、公示価格、都道府県基準地価格、相続税路線価、固定資産税路線価等がその代表的なものです（**図表4**）。

図表4　地価情報

地価情報（公的評価）	公示価格（都道府県基準地価格）	（A）
	相続税路線価（相続税評価額）	（A）×80%（目安）
	固定資産税路線価（固定資産税評価額）	（A）×70%（目安）

公示価格は官報に、都道府県基準地価格は都道府県の公報等に掲載されるほか、市町村役場でも該当都道府県の全地点について閲覧が可能です。図書館にも、これらの情報を取りまとめた書籍が備え付けられていることがあります。しかも、これらの情報はインターネットにも掲載されるため（国土交通省ホームページ等）、ネット環境があれば迅速に情報を収集することが可能です。

また、相続税路線価（倍率方式によって相続税評価額を算定する地域にあっては地目ごとの倍率）は所轄税務署で、固定資産税路線価はその土地の所在する市町村役場で閲覧することができますが、これもインターネットで公開されているため、利用者には便利なものとなっています（相続税路線価：国税庁ホームページで全国各都道府県別に掲載、固定資産税路線価：（一財）資産評価システム研究センターホームページで全国各都道府県別に掲載）。

さらに、国土交通省ホームページでは、「土地取引価格情報」として、実際に成約した土地の取引価格に関する情報を掲載しています。ただし、守秘義務との関係があり、地番等の場所が特定できる情報は掲載されていません。

土地価格に関しては、このように相当量の情報を収集することができますが、賃料に関しては土地価格のような情報公開体制が整っていないのが実情です（**図表5**）。そのため、公的指標というかたちでは賃料情報を入手することはできませんが、それでも一般の人が比較的容易に入手し得る手段としては、**図表6**のものが考えられます。

図表5　情報量の比較

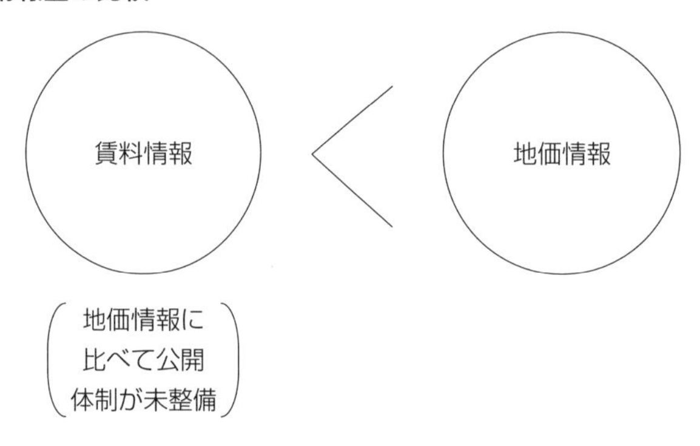

図表6　入手が比較的容易な賃料情報

一般の人が比較的容易に入手し得る賃料情報

- **① 不動産業者の店頭広告、情報誌、新聞折込みチラシ、インターネットに掲載されている募集賃料**
- **② 貸主から提示された希望賃料**
- **③ アパート・マンション等の募集看板に掲載されている賃料情報**
- **④ 会社が規定している社宅・寮等の使用料**
- **⑤ 各種ホームページに掲載されている賃料情報（具体例は第8章に掲載）**

・賃料情報の入手方法と難易度

土地価格の場合にも同じことがいえますが、賃料情報を入手する方法には次のものが挙げられます。

① 自分の足で歩いて情報収集する方法
② 広告・チラシ等の媒体を通じて情報を入手する方法（受け身的な方法）
③ インターネットにより、居ながらにして情報検索する方法
④ 不動産会社に仲介情報を問い合わせる方法
⑤ 取引先等から持ち込まれた物件情報をもとに賃料相場を把握する方法

情報収集について、その難易度を整理すると以下のようになります。

・情報収集の難易度

C：居ながらにして短時間で情報検索が可能な場合
相手方からの情報提供を受ける立場にある場合
B：少々の時間を費やせば情報収集が可能な場合
A：BおよびCと比較して情報収集に時間を要する場合
時間を費やしても収集が難しい場合

以下、それぞれの方法の特徴や留意点を述べます。

（1）自分の足で歩いて情報収集する方法（難易度：B）

不動産業者の店頭に足を運び、貼り出されている広告を見るとか、アパート・マンション等の募集看板に賃料等が掲載されている場合にはそれを確認する等の方法がこれに該当します。いわゆる原始的な方法です（**図表7**）。

図表7　自分の足で歩いて情報収集する方法

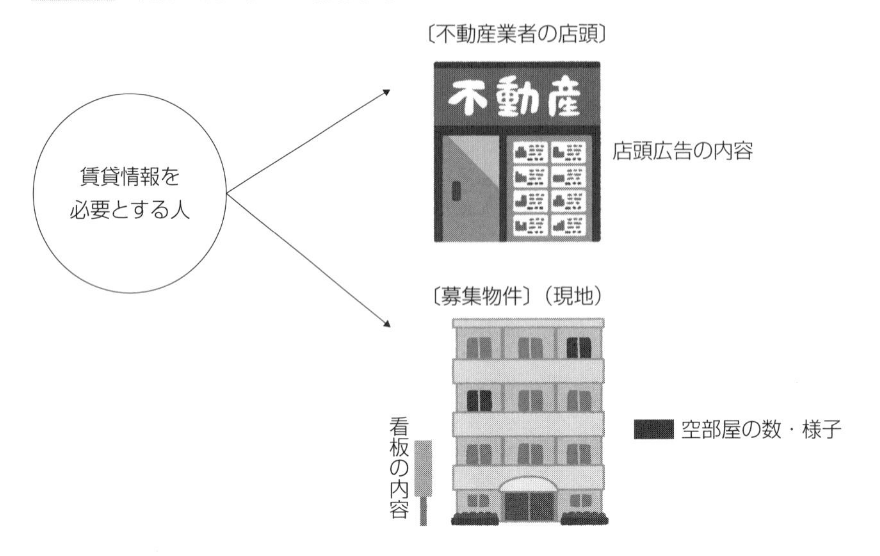

不動産は同じものが二つとなく、物件の用途や仕様が似ていても、内容は個別に異なります。たとえ、物理的に同じ建物であっても、周辺環境や入居者の質は異なり、そのことが賃料水準に影響を与えていることがあります。その意味で、「自分の足で歩いて情報を収集する方法」は原始的ではありますが、適正な賃料把握の手段として極めて重要だといえます（**図表8**）。

図表8　目に見える情報と見えない情報

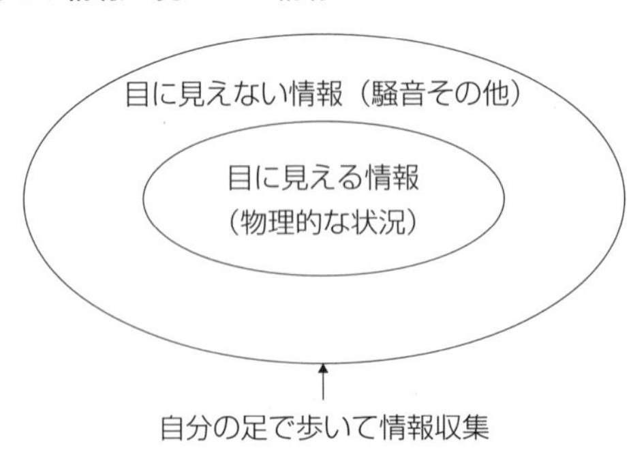

ただし、インターネット検索のようにはいかないため、この方法で賃料情報を入手するには少々の時間を要します。また、すべての募集物件が店頭に掲載されているとは限らず、加えて店頭の限られた物件だけで相場を判断するのは早計ということもあります。

ここで、情報収集の難易度を次の点からランク付け（容易な順）すれば、本ケースは「Ｂ」に該当するといえましょう。

（2）広告・チラシ等の媒体を通じて情報を入手する方法（受け身的な方法）（難易度：Ｃ）

この方法によれば、新聞等に折り込まれた賃貸物件の広告やチラシ等により、その概要や募集賃料を知ることができます（**図表９**）。

図表９　情報伝達

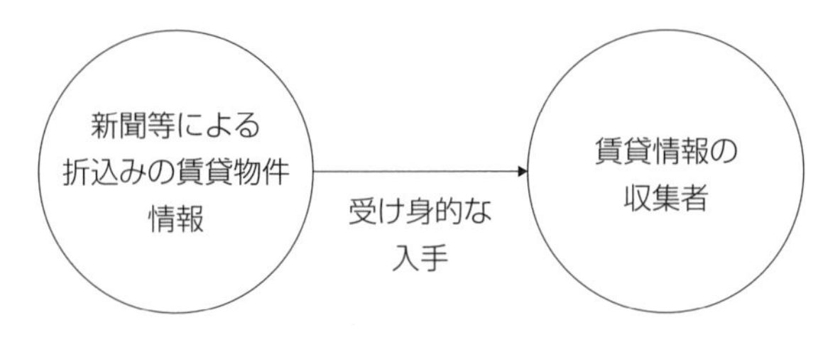

新築マンション・アパート・事務所等の入居者を募集する際にこのような手段が用いられることがありますが、このような方法であれば情報入手は極めて容易です。ただし、新聞折込み等により得られた賃料情報はそれが特定の限定された賃貸物件にかかるものであり、他の物件にそのまま当てはまるというわけでもありません。新築物件と中古物件では当然のことながら賃料水準は異なりますし、新築物件同士、中古物件同士でも品等（グレード）によって異なります。したがって、このような方法で収集した賃料情報は、日頃から賃料水準を調査し、その地域の相場の把握に役立てるという意味で参考資料の一つとして活用することが望ましいと思われます。

(3) インターネットにより、居ながらにして情報検索する方法
(難易度：インターネット利用者の場合C、インターネットを利用しない人の場合A)

今日ではインターネットの普及により、自宅で、あるいは事務所に居ながらにして多くの情報を収集することが可能となりました。その波は不動産の売買や賃貸借にも押し寄せ、仲介会社の店頭に足を運ばなくても市中に供給されている賃貸情報を入手できるようになっています(**図表10**)。ただし、インターネットに掲載されている物件がすべてではありません。

図表10　インターネットを利用する方法

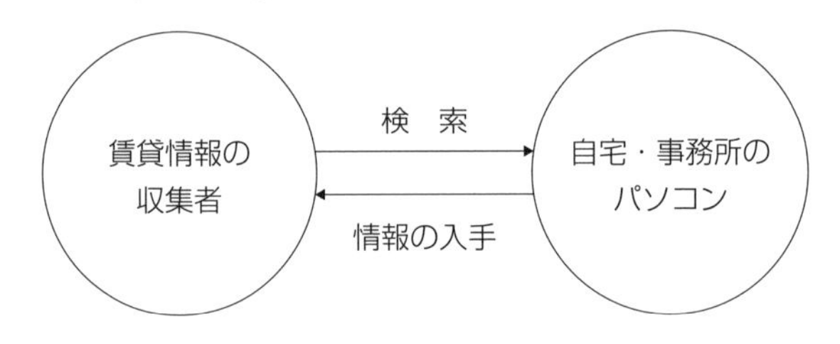

このような情報をいくつも収集し、用途や建築時期の類似する賃貸物件の単価を相互に比較することにより、賃料水準の幅をある程度絞り込むことができます(**図表11**)。例えば、新築マンションで月額○,○○○円／m^2～○,○○○円／m^2、中古マンションで月額○,○○○円／m^2～○,○○○円／m^2、戸建住宅で月額○,○○○円／m^2～○,○○○円／m^2という具合です。

図表11　賃料水準の把握

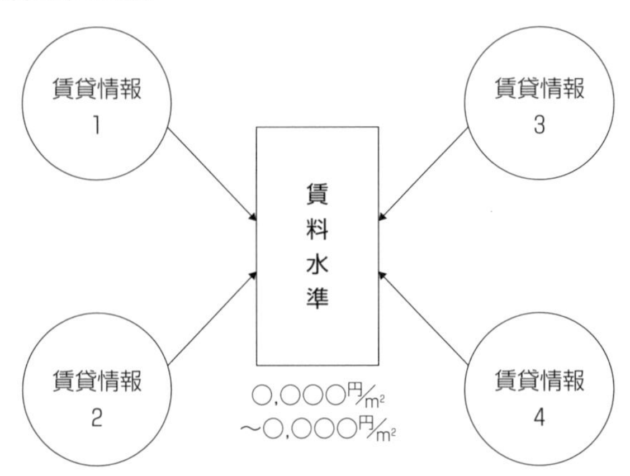

ただし、このような方法によって絞り込める賃料水準はあくまでも机上のものであり、実際に自分の目で見て物件を調査し、周辺環境を把握してみなければ実態に即したことはわかりません。例えば、建築後の経過年数が浅い割には経過年数の長い中古物件よりも単価が安かったり、その反対に経過年数の割には新築物件に近い単価が設定されているケースもあります。その理由は居ながらにして把握することはできません。自分の足で現地に出向くことにより、例えば該当物件の日当たりが非常に悪く湿気が多いとか、騒音の影響がある等、机上だけでは把握できない減価要因が明らかになることもあります（**図表12**）。

図表12　机上だけでは把握できない賃料の減価要因

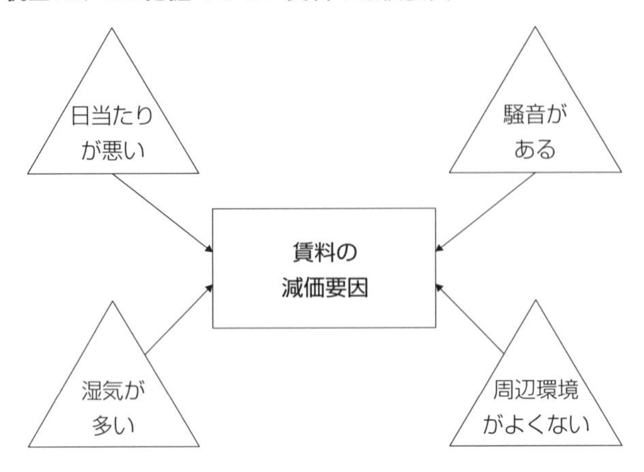

また、当該物件が最寄駅から徒歩20分以上を要するものの、最寄駅にはタクシーが常駐しておらず、バスの便も悪いという地域もあることでしょう。調査の際、タクシーで現地に赴こうと考えていても、最寄駅前にはタクシーもなかったという経験をすることもあります。このような物件で借り手を見つけようとすれば、築年数の浅い物件でも単価を下げて募集せざるを得なくなります。なぜなら、そのようにしなければ代替可能な他の物件に比べて競争力が劣ってしまうからです。

このような物件に比べ、駅至近で交通条件や利便性のよい物件の場合、新築でなくても適度なリフォームを施すことにより競争力を高めることが可能となります。この場合、築年数の経過によるマイナス面を他の条件がカバーするといえるでしょう。

以上で述べたとおり、インターネットによる情報入手には一長一短があるため、その性格を踏まえて活用することが大切です（**図表13**）。

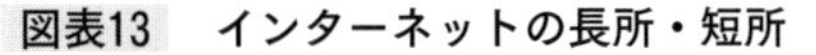

図表13　インターネットの長所・短所

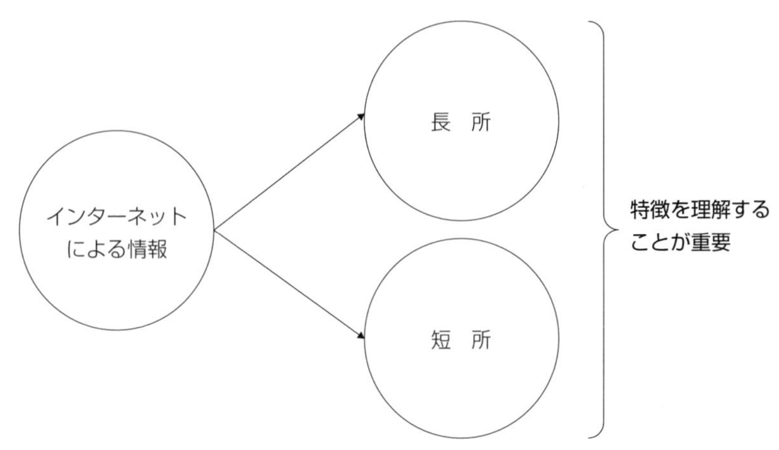

また、条件のよい物件はインターネットに掲載する前に申込みが入ることもあるため、ここに掲載されている物件だけで相場が形成されていると考えるのは早計です。

(4) 不動産会社に仲介情報を問い合わせる方法（難易度：B）

これから賃貸したい物件があるが賃料をどのように決めればよいか、あるいは賃借をしたい物件があるが賃料はいくら程度かという場合、不動産会社に賃料情報を問い合わせる方法があります（**図表14**）。

図表14　仲介会社を通じた賃貸情報の入手

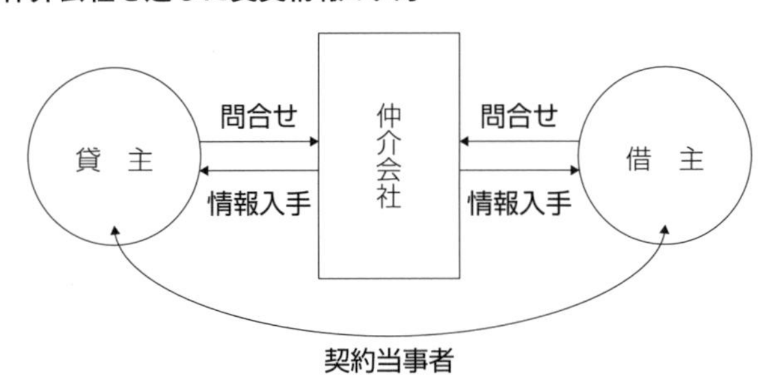

このような問合せをする場合、多くは賃貸あるいは賃借の方針が具体的になっているケースが多いと思われます。特に、賃借を検討する場合は、自分（自社）の予算に見合う物件が現実に存在するかどうかが大きな関心事となるでしょう。

また、不動産会社に仲介を依頼する場合でも、対象物件が居宅（マンション・アパート・戸建）、事務所、店舗、工場、倉庫等のいずれであるかにより、その会社が仲介物件として扱っていないということもあります。例えば、住宅を専門とする会社もあれば、オフィスビルや倉庫を専門としている会社もあります（**図表15**）。

図表15　賃貸仲介物件の用途

【対象物件】

【対象物件】	
居宅（マンション） （アパート） （戸建住宅）	仲介会社によっては扱っていない物件あり
事務所	
店舗	
工場	
倉庫	
その他の施設等	

(5) 取引先等から持ち込まれた物件情報をもとに賃料相場を把握する方法（難易度：C）

不動産会社（仲介会社）を経由しなくても、取引先等から直接賃貸物件の紹介を受けることがあります（**図表16**）。このようなケースでは、多くの場合、貸主の希望賃料が伝えられ、借り手はこれを通じて基本的な情報を得ることが可能となります。その際、借り手は提示された賃料が妥当なものか否かを自ら収集した情報をもとに検討することになりますが、その場合は今まで述べてきた情報収集の方法が役立ちます。ただし、このような経路で情報提供が行われる頻度はそれ程高くありません。なぜなら、取引先から物件情報が持ち込まれるケースとしては、例えば、自社で使用していた物件が空きとなり、その後の利用計画もないなど、もともと賃貸用物件として予定されていなかったものが市場に供給される場合等に限られるからです。したがって、このような経路による情報収集は、手段としては補助的な位置付けにあるといえます。

図表16　取引先からの情報入手

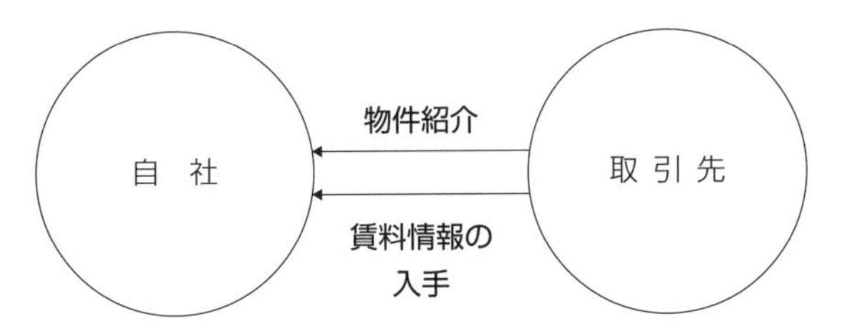

3 専門家(専門業者)でなければ収集が難しい賃料情報

前項では一般的な賃料情報収集の手段について述べましたが、不動産情報のなかには専門家（あるいは専門業者）でなければ収集が難しいものが多くあります（難易度：C）。それは、不動産情報が特定の当事者間における売買契約や賃貸借契約等をもとに成り立っていることから、他の商品のように価格等の情報が市場で公開されるケースは限られているからです。もちろん、現在ではインターネット等の媒体を通じて価格や賃料に関する一般的なデータの収集が可能となっていますが、それでも具体的にどこの物件がいついくらで売買（賃貸）されたか等については、外部からは把握できません。

不動産の賃貸を専門とする会社（あるいは仲介会社）でも、物件情報の取扱いにあたっては守秘義務を課されています。そのため、物件の成約可能賃料がいくら程度であるか等については相談者に対してアドバイスを行うものの、成約賃料についてはオープンにできないという限界があります。

このように、市場での募集賃料と実際の成約賃料との乖離の有無やその程度等については専門家（専門業者）でなければ把握が難しいといえます。これと同様のことは、価格についてもいえます（**図表17**）。

図表17　募集賃料と成約賃料

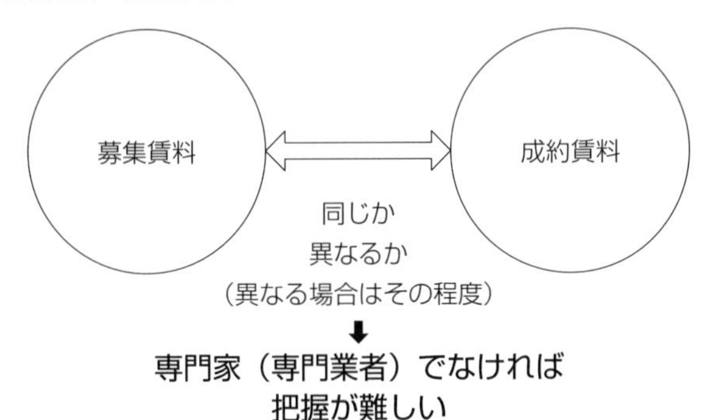

なお、専門家（専門業者）でなければ収集が難しい賃料情報としては、以上の他に住宅・事務所以外の用途のもの（店舗、工場等）にかかるもの、定期借地権としての供給物件やその賃料水準等が考えられます。

4 専門家（専門業者）でも収集しにくい賃料情報

賃料情報として現実的に最も有用性の高いものは、実際に成約した類似用途の賃貸物件がいくつもあり、それらを分析した結果、ある一定幅に収まる賃料水準が把握できることです。これに該当するケースとしては、マンション、アパート、戸建住宅等が挙げられます。近隣地域でこのような物件が多く賃貸されていれば、自ずと相場は形成されていきます。

しかし、物件の用途によっては汎用性の低いもの、汎用性はあるもののその地域で貸物件が全く供給されていないもの等の場合は、地域の相場そのものの把握が難しくなります。相場が形成されていない以上、専門家といえども、市場賃料による方法では、的確な水準を把握するのは容易なことではありません（**図表18**）。

図表18　専門家（専門業者）でも収集が難しい賃料情報

専門家（専門業者）でも収集が難しい賃料情報
- **汎用性の低い物件**
- **汎用性はあるがその地域で供給のない物件**
- **契約継続中の賃料（継続地代・継続家賃）**
  - **↑市場の情報として把握できないため**

ちなみに、汎用性の低い物件の例としては、次のものが挙げられます。

・企業の保養施設

・体育館、スポーツセンター

・量販店

・工場

また、継続中の土地賃貸借契約または建物賃貸借契約において、契約後に賃料改定をしている場合には、改定後の地代家賃は当事者以外にはわからないのが実情です。契約後の経過期間が長くなればなるほど、新規貸しの場合の賃料と乖離する傾向にありますが、このようなケースでは継続賃料の水準は一層把握し難いものとなります。

なお、賃貸情報が乏しい場合、鑑定評価を実施して賃料の目安を推し測ることもありますが、その際に活用される手法が積算法です。

積算法については第６章に計算例を掲げますが、この手法による場合、土地建物の時価（基礎価格）にその不動産から得られるであろうと期待される利回り（期待利回り）を乗じた金額に必要諸経費を加算したものが積算賃料となります。この手法は物件の供給者からみた試算賃料であるという点に特徴がありますが、周辺に類似物件の賃貸事例が見当たらない場合に大きな拠り所となります。

賃貸物件を多く扱っている不動産会社においても、賃貸事例が収集しにくい地域では積算法の考え方を活用することが合理的であるといえます。ただし、積算法による結果は需給関係を直接反映して試算されたものではないため、その結果をストレートに受け止めるか、あるいは市場の動向を加味して調整を行う必要があるかの判断が求められます。

賃料の決め方と具体例

1 不動産鑑定評価による方法

賃料の決め方には、専門的な評価手法を用いる方法から一般的な相場を当てはめる方法まで、様々なものが考えられます。

賃料算定の対象物件がマンションの一部屋で、しかも同一マンションのなかに実際に成約した、あるいは募集中の賃貸物件がいくつかある場合には、これらの情報を参考にすれば賃料の目安はつきます。しかし、規模の大きな建物であったり、まわりに賃貸物件がなく相場がつかめない場合には、このような方法を当てはめるわけにはいきません。

それだけでなく、土地建物にかかわらず、すでに賃貸中の物件で、契約後の期間が経過していればいるほど、新規に賃貸する際の賃料と比べて乖離が生じるのが一般的傾向です（継続賃料に該当するケース）。このような場合には、賃料改定にあたり、どれくらいの金額が適切なものであるかを判断することは容易ではありません。そのため、専門的な鑑定評価を行い、その結果をもとに貸主・借主間で賃料を協議することも多くあります。

以下、本章では専門的な手法である鑑定評価の方法を前段で取り上げ、後段ではこのような方法によることなく算定が可能なケースを掲げて、それぞれ試算例も示しておきます。

不動産の賃料を求める鑑定評価の手法は、新規賃料にあっては積算法、賃貸事例比較法、収益分析法があり、継続賃料にあっては差額配分法、利回り法、スライド法、賃貸事例比較法があります。不動産鑑定評価基準では、このように賃料を求める鑑定評価の手法を、新規賃料と継続賃料とに分けてそれぞれ規定しています。そのため、本章でもこの区分に沿って賃料評価の方法を取り上げます。

なお、賃料評価の基本は実質賃料を求めることにあるため、本項では実質賃料の意義について述べ、次項以降で具体的な手法に入ることとします。

賃料の鑑定評価は、対象不動産について、賃料の算定の期間に対応して、実質賃料を求めることを原則としています。そして、賃料の算定の期間および支払いの時期にかかる条件ならびに権利金、敷金、保証金等の一時金の授受に関する条件が付されて支払賃料を求めることを依頼された場合には、実質賃料とともに、その一部である支払賃料を求めることが基本となっています。

一般的に賃料という場合、月々の支払賃料を指して用いられていることが多く、不動産取引においてもこれをもとに賃貸物件の条件比較が行われる傾向にあります。しかし、賃貸借に際しては賃料の他に権利金、礼金、敷金（保証金）等の授受を伴うケースが多く、鑑定評価では敷金（保証金）の運用益や権利金、礼金の運用益および償却額をも含めたすべての経済的対価をもって賃料算定の基礎としています。そのため、賃料の鑑定評価額として最初に導き出される金額は実質賃料ということになります。ただし、一般の賃貸借の慣行を踏まえ、一時金の授受に関する条件が付されて支払賃料を求めることを依頼された場合には、実質賃料だけでなく支払賃料を求めることができるとされているため、実質賃料と併せて支払賃料を求めているケースが多いといえます。

上記のとおり、賃料の鑑定評価にあたり最初に求められるものは実質賃料ですが、なぜこれを求めるのが基本とされているのかを理解しておくことは重要だと思われます。そこで、その趣旨を以下に整理しておきます。

① わが国では、宅地や建物の賃貸借にあたり、権利金、礼金、敷金（保証金）等の授受がなされている例が多く、これらの金銭の授受の内容やその程度を考慮に入れなければ、使用収益にかかる経済的価値の適正な把握はできないこと

ちなみに、これらの性格は次のとおり分類されます。

・預り金的性格を有する敷金、保証金、建設協力金等の運用益

・賃料の前払的性格を有する権利金、礼金等の運用益および償却額

・共益費や付加使用料として授受されているもののうち、実際にはその目

的に費消されず、実質的に賃料の一部とみなされるもの

② 以上の慣行を踏まえた場合、借主にとって支払賃料は実質的負担の一部に過ぎず、その全部をとらえるためには実質賃料を把握する必要があること

本書の随所で述べてきましたが、実質賃料とは、賃料の種類の如何を問わず貸主に支払われる賃料の算定の期間に対応する適正なすべての経済的対価をいい、純賃料および不動産の賃貸借等を継続するために通常必要とされる諸経費等から成り立ちます。

また、支払賃料とは、各支払時期に支払われる賃料をいい、契約にあたって、権利金、敷金、保証金等の一時金が授受される場合においては、当該一時金の運用益および償却額と併せて実質賃料を構成します。

なお、慣行上、建物およびその敷地の一部の賃貸借にあたって、水道光熱費、清掃・衛生費、冷暖房費等がいわゆる付加使用料、共益費等の名目で支払われる場合もありますが、これらのうちには実質的に賃料に相当する部分が含まれている場合がある点に留意が必要です。

［注］賃料の算定の期間

鑑定評価によって求める賃料の算定の期間は、原則として、宅地ならびに建物およびその敷地の賃料にあっては１か月を単位とし、その他の土地にあっては１年を単位とします。

2 新規賃料(新規地代)の評価手法 ～新規家賃の評価手法も含めた解説

本項では宅地の新規地代（賃料）の考え方や評価手法を取扱いますが、不動産鑑定評価基準の適用方法には建物の新規賃料（新規家賃）と共通するものがあります。そのため、以下、建物に関する部分も含めて不動産鑑定評価基準の解説を行うことをあらかじめお断りしておきます。

(1) 積算法

1 意義

積算法は、対象不動産について、価格時点における基礎価格を求め、これに期待利回りを乗じて得た額に必要諸経費等を加算して対象不動産の試算賃料を求める手法です。この手法による試算賃料を「積算賃料」といいます。

2 適用方法

1) 基礎価格

基礎価格とは、積算賃料を求めるための基礎となる価格をいい、原価法および取引事例比較法により求めます。なお、国土交通省「不動産鑑定評価基準運用上の留意事項」には、基礎価格を求めるにあたっての留意点が以下のとおり掲げられています。

不動産鑑定評価基準運用上の留意事項

(1) 積算法について

基礎価格を求めるに当たっては、次に掲げる事項に留意する必要がある。

① 宅地の賃料（いわゆる地代）を求める場合

ア　最有効使用が可能な場合は、更地の経済価値に即応した価格である。

イ　建物の所有を目的とする賃貸借等の場合で契約により敷地の最有効使用が見込めないときは、当該契約条件を前提とする建付地としての経済価値に即応した価格である。

② 建物及びその敷地の賃料（いわゆる家賃）を求める場合

建物及びその敷地の現状に基づく利用を前提として成り立つ当該建物及びその敷地の経済価値に即応した価格である。

2)　期待利回り

期待利回りとは、賃貸借等に供する不動産を取得するために要した資本に相当する額に対して期待される純収益のその資本相当額に対する割合をいい、収益還元法における還元利回りを求める方法に準じて求めます。

3)　必要諸経費等

不動産の賃貸借等にあたっての必要諸経費等としては、減価償却費、維持管理費（維持費、管理費、修繕費等）、公租公課（固定資産税、都市計画税）、損害保険料（火災、機械、ボイラー等の各種保険）、貸倒れ準備費、空室等による損失相当額があります。

3 考え方

積算法は、対象不動産について価格時点における基礎価格を求め、これに期待利回りを乗じて得た額に必要諸経費等を加算して、対象不動産の試算賃料を求める手法です。

これを計算式で表せば、

算式

純賃料（基礎価格×期待利回り）

積算賃料＝（基礎価格×期待利回り）＋必要諸経費等

となり、算式自体は単純なものといえます。

そこで問題は、基礎価格や期待利回り、必要諸経費等をどのように求めるかという点ですが、基準の趣旨および留意点を掲げれば以下のとおりです。

1)　基礎価格

基礎価格とは、積算賃料を求めるための基礎となる価格をいい、原価法および取引事例比較法により求めます。

本項で扱っている取引事例比較法の意味ですが、ここでは土地建物一体の複合不動産としての取引事例を収集して比準を行うことを指しています。そのため、用途の類似する複合不動産の取引事例が収集できない場合には、原価法に拠らざるを得ないのが実情です。この場合、実務上、建物は再調達原価をもとに減価修正を実施して積算価格を求め、土地については更地または建付地の事例資料をもとに取引事例比較法によって求めた比準価格をもって積算価格に置き換え、これらの合計額を基礎価格とすることとなります。

2)　期待利回り

基準では期待利回りにつき、賃貸借等に供する不動産を取得するために要した資本に相当する額に対して期待される純収益のその資本相当額に対する割合をいうと定義しています。また、期待利回りを求める方法については、収益還元法における還元利回りを求める方法に準ずるものとし、この場合において、賃料の有する特性に留意すべきであるとしています。

3)　必要諸経費等

前記2の3)に掲げた項目によります。

(2) 賃貸事例比較法

1意義

賃貸事例比較法は、多数の新規の賃貸借等の事例を収集して適切な事例の選択を行い、これらにかかる実際実質賃料（実際に支払われている不動産にかかるすべての経済的対価）に必要に応じて事情補正および時点修正を行い、かつ、地域要因および個別的要因の比較を行って求められた賃料を比較考量して対象不動産の試算賃料を求める手法です。この手法による試算賃料を

「比準賃料」といいます。

賃貸事例比較法は、近隣地域もしくは同一需給圏内の類似地域等において対象不動産と類似の不動産の賃貸借が行われている場合等に有効です。ただし、このような慣行の形成されていない地域および賃貸事例に乏しい地域では適用が困難です。このような地域で実質賃料を求めようとする場合、実務的には積算法の適用結果に市場性を加味した補修正の有無を検討のうえ、決定する方法を採用しています。

2 適用方法

賃貸借契約の内容が類似する事例を選択します。なお、事例の比較を行う場合、事情補正、時点修正、地域要因の比較および個別的要因の比較を的確に行うことがポイントとなります。

「不動産鑑定評価基準運用上の留意事項」には、契約内容の類似性を判断するにあたり以下の点に留意すべき旨が掲げられています。

不動産鑑定評価基準運用上の留意事項

（ア）賃貸形式
（イ）賃貸面積
（ウ）契約期間並びに経過期間及び残存期間
（エ）一時金の授受に基づく賃料内容
（オ）賃料の算定の期間及びその支払方法
（カ）修理及び現状変更に関する事項
（キ）賃貸借等に供される範囲及びその使用方法

また、賃料を求める場合の地域要因の比較にあたっては、賃料固有の価格形成要因が存すること等により、価格を求める場合の地域と賃料を求める場合の地域とでは、それぞれの地域の範囲および地域の格差を異にすることに留意する必要があります。さらに、個別的要因の比較にあたっては、契約内容や土地および建物に関する個別的要因等に留意しなければなりません。

3 考え方

新規賃料を求める際の賃貸事例比較法の適用にあたっては、次の点に留意する必要があります。

・収集する賃貸借の事例は新規貸しにかかるものであること。

・比準作業に用いる賃料は、賃貸借等の事例にかかる実際実質賃料（実際に支払われている不動産にかかるすべての経済的対価）であり、実際支払賃料ではないこと。

1)　賃貸形式の相違

建物の場合、一棟貸しの場合と部分貸しの場合の相違に留意する必要があります。なお、一棟貸しの場合、規模の大きさが賃料単価に反映される（＝単価が割安となる）傾向にあります。また、部分貸しの場合には専有部分のみが賃貸借の対象となりますが、一棟貸しの場合は共用部分も含めて賃貸借の対象となります。後者の場合、通常であれば共用となる部分が実質的には専有となることに留意が必要です。

この他に、スケルトン貸しの事例の場合、それが通常の賃貸借とは異なる施工形式をとっている点に留意が必要です。すなわち、スケルトン貸しとは、貸主は躯体および建物設備の一部のみを施工して賃貸し、内外装および設備の一部は賃借人が施工することを意味しています。

2)　賃貸面積について

賃貸面積に関して特に留意すべき点は、価格を求める場合と同様に規模の類似する賃貸事例を収集して比準を行うことにあります。また、類似規模の賃貸事例が収集できない場合には、規模格差による補正を適正に行うよう留意する必要があります。

3)　一時金の授受に関して

賃貸借にあたって授受される一時金の代表的なものとして、土地の場合は権利金、建物の場合は敷金（保証金）が挙げられます。土地の場合に授受される権利金は借地権設定の対価という性格が強く、賃料算定の際には更地価格から権利金相当額を控除した後の価額が基礎となります。これに対し、建物の場合に授受される敷金（保証金）は、預り金的な性格を有する一時金であるため、実質賃料の査定にあたっては契約期間にわたる運用益を加算することとなります。

建物賃貸借契約においては権利金を授受するケースは少なく、これに類似するものとして主に居住用建物の場合、礼金を授受するケースが見受けられます。礼金の趣旨は、権利設定の対価というよりも賃料の前払い的性格の強いものが多いのですが、賃料と異なり契約時にのみ授受され借主に返還されない点を考慮し、その運用益および期間満了時の償却額を織り込むのが通常です。

4)　修繕費に関して

土地の場合は生じませんが、家賃の算定に織り込む修繕費は、建物の機能を維持していくために必要な通常の費用を見積もることとなります。特別な補修や大規模修繕を前提としたものは対象外となります。

5)　時点修正にあたって

特に建物の場合、比準賃料を求める際の時点修正にあたっては、土地の比準価格を求める場合ほど家賃の変動率を織り込む必要はないという点です。すなわち、土地価格は６か月、１年という単位で常に変動がみられますが、家賃は土地価格が変動してもそれほど敏感に変動するものではありません。これをしばしば「家賃の遅行性」と呼んでいます。したがって、ここ３か月前、６か月前の賃貸事例を使用する場合でも時点修正を行わないケースも多いといえます。なお、土地（宅地）の場合、新規貸しの事例を収集するのは困難であるため、時点修正の上で賃貸事例を活用するケースは極めて少ないのが実情です。

6)　地域要因および個別的要因の比較にあたって

基本的には取引事例比較法と同じ考え方が適用されますが、賃料の場合、価格とは異なった市場が形成されているため、事例相互間の比較を行う際の地域の範囲（とらえ方）は価格を求める場合のそれと同じとは限りません。

また、個別的要因の比較にあたっては、契約内容、土地および建物に関する個別的要因等に留意しなければなりません。実務的には、例えば、賃貸借の場合には、不動産を新たに購入する場合と比較してより駅に近い便利な場所が選択されたり、都心部や勤務先等に近いなど、通勤に便利な場所が選択される傾向にあります。

(3) 収益分析法

1 意義

収益分析法は、一般に企業経営に基づく総収益を分析して対象不動産が一定期間に生み出すであろうと期待される純収益（減価償却後のものとし、これを「収益純賃料」といいます）を求め、これに必要諸経費等を加算して対象不動産の試算賃料を求める手法です。この手法による試算賃料を「収益賃料」といいます。

そして、収益分析法は、企業の用に供されている不動産に帰属する純収益を適切に求め得る場合に有効であるとされています。

2 適用方法

収益純賃料の算定については、収益還元法における純収益の算定に準ずるものとされています。すなわち、総収益から総費用を差し引いたものです。

3 考え方

収益賃料は、収益純賃料の額に賃貸借等にあたって賃料に含まれる必要諸経費等を加算することによって求めます。なお、一般企業経営に基づく総収益を分析して収益純賃料および必要諸経費等を含む賃料相当額を収益賃料として直接求めることができる場合もあります。

これを換言すれば、企業経営に基づく総収益を分析して、資本（不動産に化体されているものを除きます)、労働および経営に帰属する部分を控除することにより不動産に帰属する部分を適切に判定し、これに必要諸経費を加えた額が企業経営を行ううえで本来不動産に帰属する収益賃料として貸主に支払われなければならないという考え方に基づいています。その意味で、この手法によって求められた賃料は理論的色彩の強いものであるといえます。

不動産鑑定評価基準に示されているこのような考え方は、**図表1**のように要約されます。

図表1　収益分析法の考え方

企業収益に基づく総収益（売上高）	**xxxxxx円**
純収益を求めるための控除額	
－）売上原価	**xxxxxx円**
－）販売費及び一般管理費	**xxxxxx円**
－）正常運転資金の利息相当額	**xxx円**
－）経営に帰属する純収益その他	**xxxx円**
企業経営に基づく純収益（収益純賃料）	**xxxx円**
＋）賃貸借等にあたって必要な諸経費等	**xxxx円**
収益賃料	**xxxx円**

このように、不動産鑑定評価基準によれば、収益賃料は一般の企業経営に基づく総収益を分析して不動産に帰属する純収益（＝収益純賃料）を求め、これに必要諸経費を加えて求めることとされていますが、適用にあたっては様々な課題があります。例えば、一般の企業経営に基づく総収益（売上高）は業種によって大きく異なるだけでなく、企業経営の動向によっても大きく左右されます。

それだけでなく、企業全体の総収益を特定の不動産に配分することの困難さ、総収益から控除すべき諸費用を外部の不動産鑑定士が収集したり、客観的に査定することの困難さ等も加わり、実務にはほとんど適用されていないのが実情です。

(4) 賃貸事業分析法

平成26年不動産鑑定評価基準改正により、宅地の新規賃料を求める手法として賃貸事業分析法という手法が新たに導入されています。この手法は、建物およびその敷地にかかる賃貸事業に基づく純収益を適切に求めることができる場合に、当該純収益から建物に帰属する純収益を控除して土地に帰属する純収益を査定し、これをもって宅地の試算賃料とするものです。すなわち、新規家賃から宅地の新規地代を求めるという考え方に立脚しており、賃貸事業による運営収益から運営費用を控除した純収益を維持するために借地権者が負担可能な地代水準を試算し、これを比較考量のうえ、鑑定評価額を決定することを狙いとしています。

その際、新たに締結される土地賃貸借契約等の内容に基づく予定建物（新築だけでなく既存の建物でこれから賃貸借に供されるものも含みます）を前提として土地に帰属する純収益を求めることが必要となります。その意味で、この手法も理論的色彩が強いといえます。

この手法は、積算法や賃貸事例比較法に比べればまだ適用機会は少ないと思われます。その理由は、建物が古い場合はその分だけ家賃も安めとなり、結果的に土地に帰属する純収益も安めとなって、更地価格を基礎に新規貸しを想定して求めた積算賃料等に比較して精度が劣ってしまうからです。

【参考】

不動産鑑定評価基準には賃料を求める手法として規定されているわけではありませんが、事業者の収益性から負担可能な賃料相当額を査定する方法が収益還元法の考え方のなかに織り込まれています（平成26年不動産鑑定評価基準改正時）。参考までにその考え方を述べれば以下のとおりです。

●事業用不動産について収益還元法を適用する場合

例えば、ホテル等を賃貸用不動産として所有する場合または直営形式により賃貸以外の事業の用に供する場合（事業用不動産）にも収益還元法の適用が可能となります。なお、不動産鑑定評価基準において「事業用不動産」としてイメージされているものは次のものです。

・ホテル等の宿泊施設
・ゴルフ場等のレジャー施設
・病院および有料老人ホーム等の医療・福祉施設
・百貨店および多数の店舗により構成されているショッピングセンター等の商業施設

すなわち、不動産の収益性が当該事業の経営の動向に強く影響を受けるものを指しています。

ここでは、ホテル等の宿泊施設、ゴルフ場等のレジャー施設等であっても、これらが賃貸に供されている場合と所有者が直営で事業を行っている場合の双方を事業用不動産と位置付けている点が特徴的です（**図表2**）。

図表2　事業用不動産のイメージ図

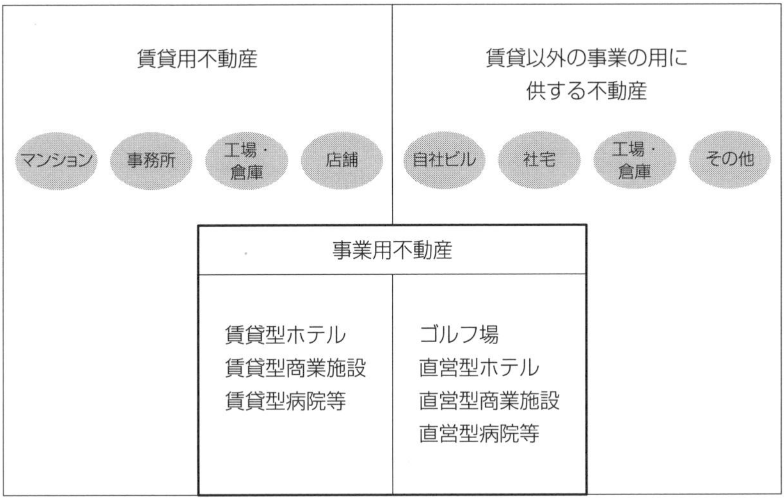

賃貸用不動産	賃貸以外の事業の用に供する不動産
マンション、事務所、工場・倉庫、店舗	自社ビル、社宅、工場・倉庫、その他

事業用不動産

賃貸型	直営型
賃貸型ホテル 賃貸型商業施設 賃貸型病院等	ゴルフ場 直営型ホテル 直営型商業施設 直営型病院等

ちなみに、直営形式の場合には、売上高から売上原価を控除して求めた売上総利益のうち、不動産に帰属する部分をもとに求めた支払賃料等相当額

（＝負担可能な賃料相当額）を査定し、これを収益還元法に適用する総収益とみなすことができるとしています（不動産鑑定評価基準総論第７章第１節Ⅳ.３.(1) ②ア（ア）、**図表３**）。

図表３　事業用不動産における支払賃料等相当額の査定

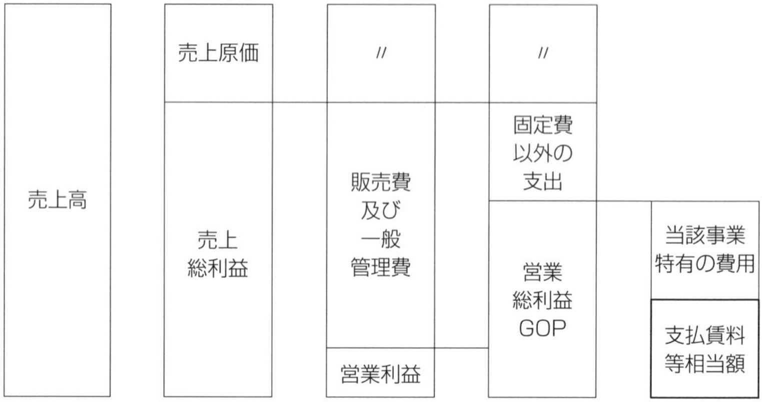

売上高

売上原価
売上総利益

〃
販売費及び一般管理費
営業利益

〃
固定費以外の支出
営業総利益GOP

当該事業特有の費用
支払賃料等相当額

（出典）（公社）日本不動産鑑定士協会連合会「改正不動産鑑定評価基準等及び倫理に関する研修〈本研修・説明資料〉」2014年（一部簡略化）

3 宅地の新規賃料（新規地代）の試算例

ここで取り上げる例は、事業用（営業用）の建物所有を目的とし、自己所有地と隣接地（借地）を併合して一体利用することを前提とした場合の借地部分の新規賃料（積算賃料）の試算例です。

なお、それぞれの土地の位置関係は**図表4**のとおりであり、面積は自己所有地が77.50m²、隣接地が328m²となっています。

図表4　一体利用する隣接地との位置関係

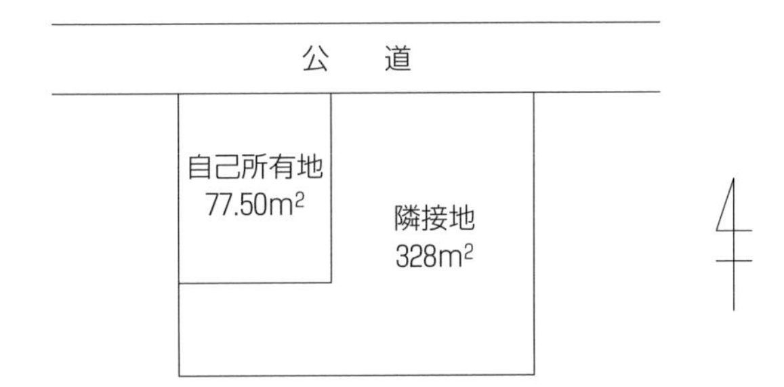

ここで求める賃料は正常賃料ではなく、特定の当事者間にのみ経済合理性をもって成り立つ賃料、すなわち限定賃料となります。そのため、賃料算定の基礎となる土地価格も双方の土地を併合した状態を前提とし（限定価格）、賃料の算定も次のステップを踏んで行います。

1 隣接地（＝借地部分）の単独価格

近隣地域の標準的な画地に対する増減価要因と格差率は、次のとおりとします。

（増価要因）

・幅員がやや優る　　（＋１％）

・国道○○号線に近い　（＋３％）

（減価要因）

・不整形地　（－10％）

（格差率）

（100％＋１％）×（100％＋３％）×（100％－10％）≒93.6％

（隣接地の単独価格）

標準的画地の価格		格差率		隣接地の単独価格
67,000円／m^2	×	93.6％	≒	62,700円／m^2

（単独価格・総額）

62,700円／m^2×328m^2≒20,600,000円

2 自己所有地の単独価格

自己所有地単独での価格を査定し、次に隣接地（借地部分）との一体地の価格を査定のうえ、併合によって生じた増分価値を隣接地に配分して隣接地の基礎価格を査定します。

自己所有地の標準的な画地に対する増減価要因、格差率および基礎価格の査定結果は以下のとおりです。

（増価要因）

・幅員がやや優る　　　（＋１％）

・国道○○号線に近い　（＋３％）

（減価要因）

なし

（格差率）

（100％＋１％）×（100％＋３％）≒104.0％

（自己所有地の単独価格）

標準的画地の価格		格差率		自己所有地の単独価格
67,000円／m^2	×	104.0％	≒	69,700円／m^2

（単独価格・総額）

69,700円／m^2×77.50m^2≒5,400,000円

3 一体地価格（面積405.50m²）

（増価要因）

・幅員がやや優る　（＋１％）

・国道○○号線に近い（＋３％）

（減価要因）

なし

（格差率）

（100％＋１％）×（100％＋３％）≒104.0％

（一体地価格）

標準的画地の価格		格差率		一体地価格
67,000円／m²	×	104.0％	≒	69,700円／m²

（一体地価格・総額）

69,700円／m²×405.50m²≒28,300,000円

4 併合による増分価値

増分価値＝28,300,000円－（20,600,000円＋5,400,000円）

＝ 2,300,000円

5 隣接地への増分価値の配分（総額比）

（配分額）

$$2,300,000円 \times \frac{20,600,000円}{20,600,000円+5,400,000円} \fallingdotseq 1,800,000円$$

6 併合使用を前提とした対象地の基礎価格

隣接地の基礎価格＝20,600,000円＋1,800,000円

＝22,400,000円

基礎価格の単価＝22,400,000円÷328m²

≒68,300円／m²

7 新規地代の決定

上記で査定した価格時点における基礎価格に期待利回りを乗じて得た額（＝純賃料）に賃貸借を継続するために通常必要とされる諸経費（公租公課相

当額）を加算して、月額実質賃料を次のとおり査定しました。

基礎価格　期待利回り[注1]　公租公課（月額）[注2]　月額実質賃料

（68,300円／m^2×3.0%）×1／12月＋58円／m^2・月≒229円／m^2・月

月額実質賃料総額＝229円／m^2・月×328m^2≒75,100円

［注1］期待利回りの査定根拠

周辺において利用状況の類似している土地の事業用定期借地権の純賃料利回り（公租公課分除く）を参考に査定しました。

［注2］公租公課の査定根拠

実額を採用しました。

なお、本件試算にあたっては、契約締結時に授受する一時金（権利金）の額が未確定であることから、これを考慮しない前提で地代を求めています。権利金を授受する場合は、更地価格から権利金相当額を控除した価額をもとに地代を求めることになります。

4 継続賃料（継続地代）の評価手法
～継続家賃の評価手法も含めた解説

宅地の継続賃料（継続地代）についても、その考え方や評価手法は建物の継続賃料（継続家賃）と共通するものがあります。そのため、本項では、建物に関する部分も含めて不動産鑑定評価基準の解説を行うことをあらかじめお断りしておきます。

（1）差額配分法

1 意義

差額配分法は、対象不動産の経済価値に即応した適正な実質賃料または支払賃料と実際実質賃料または実際支払賃料との間に発生している差額について、契約の内容、契約締結の経緯等を総合的に勘案して、当該差額のうち貸主に帰属する部分を適切に判定して得た額を実際実質賃料または実際支払賃料に加減して試算賃料を求める手法です。

2 適用方法

① 対象不動産の経済価値に即応した適正な実質賃料は、価格時点において想定される正常賃料であり、積算法、賃貸事例比較法等により求めます。

また、対象不動産の経済価値に即応した適正な支払賃料は、契約にあたって一時金が授受されている場合、実質賃料から権利金、敷金、保証金等の一時金の運用益および償却額を控除することにより求めます。

② 貸主に帰属する部分については、一般的要因の分析および地域要因の分析により差額発生の要因を広域的に分析し、さらに対象不動産について次に掲げる契約の事項等に関する分析を行うことにより適切に判断します。

- 契約上の経過期間と残存期間
- 契約締結およびその後現在に至るまでの経緯

・貸主または借主の近隣地域の発展に対する寄与度

3 適用上の留意点

差額配分法の説得力の如何は、価格時点における対象不動産の経済価値に相応した適正な実質賃料と現行賃料との差額の判定、そしてその差額に占める貸主に帰属する部分の判定等によるところが大きいと考えられます。

なお、差額配分法の適用手順は次のとおりです。

1) 対象不動産の経済価値に即応した適正な実質賃料または支払賃料の査定

ここにいう適正な実質賃料または支払賃料は、価格時点における新規賃料が前提となるため、積算法、賃貸事例比較法等によって求めることとなります。

2) 差額部分のうち貸主に帰属する部分の査定

元本の経済価値の上昇（あるいは下落）に伴う果実（すなわち新規賃料）の上昇分（あるいは下落分）につき、貸主および借主に適正に配分します。

そのために配分率を査定することが必要となりますが、配分率の査定にあたっては、一般的要因の分析および地域要因の分析により差額発生の要因を広域的に分析するとともに、対象不動産について契約の内容、契約締結の経緯、契約の経過期間や残存期間、貸主または借主の近隣地域の発展に対する寄与度等を総合的に検討する必要があります。

3) 試算賃料の査定

差額部分のうち、上記2)によって査定された貸主に帰属する部分を実際実質賃料または実際支払賃料に加減して試算賃料を求めます。

(2) 利回り法

1 意義

利回り法は、基礎価格に継続賃料利回りを乗じて得た額に必要諸経費等を加算して試算賃料を求める手法です。

2 適用方法

1) 基礎価格および必要諸経費等

基礎価格および必要諸経費等の求め方については積算法に準じます。

2) 継続賃料利回り

継続賃料利回りは、直近合意時点の賃料を定めた時点における基礎価格に対する純賃料の割合を標準とし、契約締結時およびその後の各賃料改定時の利回り、基礎価格の変動の程度、近隣地域もしくは同一需給圏内の類似地域等における対象不動産と類似の不動産の賃貸借等の事例または同一需給圏内の代替競争不動産の賃貸借等の事例における利回りを総合的に比較考量して求めます。

3 適用上の留意点

利回り法は、基礎価格に継続賃料利回りを乗じて得た額に必要諸経費等を加算して試算賃料を求める手法であり、直近合意時点における継続賃料利回りを求めることにより試算されます。

なお、直近合意時点の確定にあたっては、例えば、賃料自動改定特約があり自動的に賃料改定がされている場合には、自動的に賃料が改定された時点ではなく、賃料自動改定特約の設定を行った契約が適用された時点を直近合意時点とすべきであるとされています。また、契約当事者間で現実に合意した時点と合意した賃料が適用された時点に乖離がある場合は、合意した賃料が適用された時点が直近合意時点とされる点にも留意が必要です（(公社)日本不動産鑑定士協会連合会　鑑定評価基準委員会「不動産鑑定評価基準に関する実務指針―平成26年不動産鑑定評価基準改正部分について―」平成26年９月、平成29年５月一部改正、p.218～220を参照)。直近合意時点のとらえ方に関しては、利回り法およびスライド法（後掲）においても同様です。

算式

利回り法による試算賃料＝価格時点における基礎価格×継続賃料利回り ＋必要諸経費等

継続賃料利回り＝直近合意時点における純賃料÷直近合意時点における 基礎価格

以下、利回り法の適用手順を示します。

1）　基礎価格の査定

原価法、取引事例比較法により査定します。

2）　継続賃料利回りの査定

現行賃料を定めた時点（すなわち直近合意時点）における基礎価格に対する純賃料の割合を標準として定めます。この他に、契約締結時およびその後の賃料改定時の利回り、基礎価格の変動の程度、近隣地域や同一需給圏内の類似地域における賃貸借事例における利回り（＝比準利回り）も総合的に比較考量して求めることが必要です。

3）　必要諸経費等の査定

積算法と同様の考え方により、価格時点における必要諸経費等を査定します。

4）　試算賃料の査定

価格時点における基礎価格に継続賃料利回りを乗じて得た額に、価格時点における必要諸経費等を加算して試算賃料を求めます。

（3）スライド法

1 意義

スライド法は、現行賃料を定めた時点における純賃料に変動率を乗じて得た額に価格時点における必要諸経費等を加算して試算賃料を求める手法です。

なお、直近合意時点における実際実質賃料または実際支払賃料に即応する適切な変動率が求められる場合には、当該変動率を乗じて得た額を試算賃料として直接求めることもできます。

2 適用方法

① 変動率は、直近合意時点における賃料から価格時点までの間における経済情勢等の変化に即応する変動分を表すものであり、土地および建物価格の変動、物価変動、所得水準の変動等を示す各種指数等を総合的に勘案して求めます。

② 必要諸経費等の求め方は、積算法に準じます。

3 適用上の留意点

この方法は、以下の算式によって表されます。

算式

スライド法による試算賃料＝直近合意時点における純賃料×変動率＋必要諸経費等

すなわち、前回改定（直近合意時点）により当事者が合意した純賃料を経済情勢の変動に見合う分だけ加算（あるいは減算）して改定後の試算賃料を求めるものです。なお、利回り法の適用手順は次のとおりです。

1)　前回合意時点における純賃料の査定

利回り法と同様の考え方によります。

2)　変動率の査定

この場合の変動率は、土地および建物価格の変動、物価変動、所得水準の変動等を示す各種指数等を総合的に勘案して求めるとされていますが、変動率を求めるための指数としては次のようなものがあります。これらの指数を適用する場合、地代と家賃の別、用途別・地域別の特性等を考慮する必要があります。

・変動率を求めるための指数（例示）

家賃指数、消費者物価指数、企業物価指数、GDP、市街地価格指数、企業向けサービス価格指数、賃金指数、建設物価指数等

3） 必要諸経費等の査定

積算法と同様の考え方により、価格時点における必要諸経費等を査定します。

4） 試算賃料の査定

直近合意時点における純賃料に変動率を乗じて得た額に、価格時点における必要諸経費等を加算して試算賃料を求めます。

（4）賃貸事例比較法

継続賃料を求める際に適用する賃貸事例比較法は、新規賃料にかかる賃貸事例比較法に準ずるものとされています。ここで留意すべきは、この手法を適用するためには継続中の賃貸借にかかる事例の収集が必要となるという点です。継続賃料を求めるための賃貸事例比較法は、この点に大きな特徴があります。その他の事項に関しては、新規賃料を求めるための賃貸事例比較法に準じます。

ただし、継続中の賃貸借にかかる事例の収集は困難な場合が多く、収集できたとしても個別性が強いという特徴があります。仮に、事例の収集が可能であり、以上の特徴を踏まえて適用する場合には、新規賃料を求めるための賃貸事例比較法に準ずることとなります。

5 宅地の継続賃料（継続地代）の試算例

（1）前提

1 価格時点（＝改定後の地代を求める前提となる基準日）

令和○年○月○日

2 対象地の概要

1） 借地面積

250m²

2） 用途地域等

商業地域、防火地域、指定建ぺい率80％、指定容積率400％

3） 対象地上に存する建物

鉄骨・鉄筋コンクリート造陸屋根 6 階建事務所 延面積990m²

4） その他

対象地は最有効使用の状態で使用されています。

3 契約の内容

1） 堅固建物の所有を目的とする土地賃貸借契約

2） 契約期間

（当初契約）

平成○○年○○月○日から平成○○年○○月○日までの30年間（＝旧借地法の適用あり）

（更新後の契約）

平成○○年○○月○日から令和○○年○○月○日までの20年間（＝旧借地法の適用あり）

3)　現行賃料

月額支払賃料　　597,000円

4)　現行賃料を定めた直近合意時点

平成○○年○○月○日（同日付土地賃貸借変更契約書によります）

5)　一時金の支払い

当初契約における権利金、敷金の支払事実はありません。

契約更新時に更新料として金○,○○○,○○○円を借主から貸主に支払っています。

(2) 継続賃料の試算

本件は、同一使用目的で継続して賃貸借する場合の月額支払賃料（地代）の試算であり、差額配分法、利回り法、スライド法を適用して試算賃料を求めます。なお、賃貸事例比較法については、規範性のある継続地代に関する資料の収集が困難であったため適用していません。また、本件においては上記のとおり運用益を計上するような一時金の授受はないため、以下の各手法の適用結果である試算実質賃料（月額）がそのまま月額支払賃料となります。

1 差額配分法

土地の賃料算定とする基礎価格を、次のとおり査定しました。

（更地価格）730,000円／m^2×250m^2＝182,500,000円

1)　正常実質賃料相当額

以下のとおり、月額713,500円と査定しました（途中の過程で端数処理をした箇所があります）。

① 基礎価格	② 期待利回り注1	③ 純賃料 ①×②	④ 価格時点の注2 必要諸経費等	正常実質賃料相当額	
				⑤ 年　額 ③＋④	⑥ 月　額 ⑤÷12
182,500,000円	3.5%	6,390,000円	2,172,000円	8,562,000円	713,500円

［注１］期待利回り

期待利回りとは、賃貸借に供する不動産を取得するために要した資本に相当する額に対して期待される純収益のその資本額に対する割合をいいます。不動産に投下される資金は金融機関への投資と競合関係にあるため、不動産投資により期待される収益は、金融資産との関係において、その不動産の有する投資対象としての危険性、流動性等を反映して定まります。本試算においては、地域の特性、対象不動産の個別性等を考慮し、期待利回りを3.5％と査定しました。

［注２］価格時点の必要諸経費等

価格時点の固定資産税・都市計画税の実額を計上しました。

2)　差額配分法による賃料の試算

価格時点における対象不動産の経済価値に即応する正常実質賃料相当額から現行の実際実質賃料を控除した差額部分について賃貸人に帰属する部分を査定し、当該金額を実際実質賃料に加算して、差額配分法による月額実質賃料を以下のとおり655,250円と査定しました。

① 月額正常実質 賃料相当額	② 月額実際 実質賃料	③ 賃料差額 ①－②	④ 賃貸人への配分額 ③×１／２	⑤ 試算実質賃料（月額） ②＋④
713,500円	597,000円	116,500円	58,250円	655,250円

3)　配分率の査定根拠

長期にわたる賃貸借関係が継続している場合、賃貸人と賃借人の特定当事者間における事情を反映した賃料が形成されていることが多く、正常賃料と継続賃料との間に賃料差額が生じる傾向にあります。

このような乖離が生じた場合、賃貸人および賃借人は、賃料改定を通じて賃料差額の縮小を図ろうとするのが通常です。

なお、直近合意時点から価格時点までの間において、当事者間には賃料差額の発生に直接影響を及ぼす特段の事情の変化は認められないことから、賃料差額のうち賃貸人に帰属する割合を公平の観点から２分の１と判断しています。

2 利回り法

1) 直近合意時点の基礎価格

直近合意時点の基礎価格を160,000,000円と査定しました（価格時点における基礎価格を公示価格等の変動率をもとに時点修正しました。過程は省略します）。

2) 直近合意時点における実績純賃料利回り

直近合意時点における実績純賃料利回りを、以下のとおり3.2%と査定しました。なお、ここにいう実績純賃料利回りとは、直近合意時点における年間実際純賃料の当該時点における基礎価格に対する割合を意味します。つまり、過去の実績値としてとらえた利回りのことです。

① 年額実際 実質賃料	② 直近合意時点の必要諸経費等（固定資産税等の実額）	③ 年間実際 純賃料 ①－②	④ 直近合意時点の 基礎価格	⑤ 実績純賃料 利回り ③÷④
7,164,000円	2,044,000円	5,120,000円	160,000,000円	3.2%

3) 継続賃料利回りの査定

本件においては、基礎価格と賃料の相関関係は価格時点と直近合意時点とでは同程度と判断されることから、上記2)で査定した直近合意時点における実績純賃料利回り3.2%をもって継続賃料利回りと査定しました。

4) 利回り法における賃料の試算

価格時点の基礎価格に継続賃料利回りを乗じて純賃料を求め、価格時点の必要諸経費等を加算して、利回り法による月額実質賃料を668,000円と査定しました。

① 価格時点の 基礎価格	② 継続賃料 利回り	③ 純賃料 ①×②	④ 価格時点の 必要諸経費等	試算実質賃料	
				⑤ 年　額 ③＋④	⑥ 月　額 ⑤÷12
182,500,000円	3.2%	5,840,000円	2,172,000円	8,012,000円	668,000円

3 スライド法

1) 変動率の査定

スライド法に用いる変動率は、直近合意時点から価格時点までの間における経済情勢等の変化に即応するものです。

なお、継続賃料（地代）と関連のある指標として、各種物価指数、賃料指数等の推移・動向等が挙げられます。

【例】

・消費者物価指数（総務省統計局）

・企業向けサービス価格指数（日本銀行）

・オフィス募集賃料（オフィス仲介会社）

・近傍公示価格、都道府県基準地価格

本件においてはこれらの指数を参酌して、変動率を103%と査定しました。

2) スライド法による賃料の試算

以下のとおり、スライド法による実質賃料を月額620,500円と試算しました（途中の過程で端数処理をした箇所があります）。

① 年間実際 純賃料	② 変動率	③ 純賃料 ①×②	④ 価格時点の 必要諸経費等	試算実質賃料	
				⑤ 年　額 ③＋④	⑥ 月　額 ⑤÷12
5,120,000円	103%	5,274,000円	2,172,000円	7,446,000円	620,500円

6 建物およびその敷地の賃料（家賃）～新規家賃および継続家賃の試算例

建物およびその敷地の賃料（家賃）についても、その考え方や評価手法は宅地の場合と共通しています。ただ、基礎価格を求める過程で建物価格が加わり、必要諸経費等を求める過程で管理費や修繕費等が加わる点が相違しています。また、期待利回りの査定においても、土地の他に建物を含めたものとして一体的な利回りを査定する必要があります。

以下、これらの点を考慮に入れながら、建物およびその敷地の新規賃料（新規家賃）、継続賃料（継続家賃）の試算例を掲げておきます。なお、設例は簡素なものとしました。

(1) 建物およびその敷地の新規賃料（新規家賃）の試算例

1 積算賃料の試算例（積算法の適用）

基礎価格（過程省略）に期待利回りを乗じて得た額（＝純賃料）に、賃貸借を継続するために通常必要とされる諸経費等を加え、実質積算賃料を次のとおり450,830円と査定しました（表中のXは年額実質積算賃料）。

① 基礎価格	② 期待利回り[注1]	③ 純賃料 ①×②	④ 必要諸経費等[注2]	実質積算賃料 ⑤ 年　額 ③＋④	⑥ 月　額 ⑤÷12
57,600,000円	5.5%	3,168,000円	1,701,000円 ＋ 0.10X円	5,410,000円[注3]	450,830円

［注１］土地・建物それぞれの期待利回りを、基礎価格に占める土地価格および建物価格の割合（過程省略）で加重平均し、一体としての期待利回りを以下のとおり査定しました。

土地の期待利回り		価格割合		建物の期待利回り		価格割合		一体の期待利回り
5％	×	0.73	＋	7％	×	0.27	≒	5.5%

［注2］必要諸経費等の内訳（諸源を求める過程は省略します）

a．公租公課　1,145,000円／年
土地建物の固定資産税等の実額を参考に査定しました。

b．減価償却費相当額　350,000円／年
実額を参考に査定しました。

c．修繕費　156,000円／年
建物の積算価格の1％として査定しました。

d．管理費　0.05X円／年
年額実質賃料をX円とし、その5％として査定しました。

e．損害保険料　50,000円／年
実額を参考に査定しました。

f．貸倒準備費・空室損失相当額　0.05X円
管理費と同様の考え方で査定しました。

［注3］年額実質賃料をXとすれば、

X＝純賃料＋必要諸経費等

X＝3,168,000円＋（1,701,000円＋0.10X）

X＝5,410,000円

となります。

2 比準賃料の試算例（賃貸事例比較法の適用）

賃貸事例比較法を適用して店舗ビルの比準賃料を査定する場合の一例を示します（上記1とは別の物件を対象としています）。

【例】賃貸事例から算定された実質賃料を5,000円／m^2・月とした場合の比準賃料

実際実質賃料(月)		事情補正		時点修正		標準化補正		建物格差修正（注1）	
5,000円／m^2	×	100／100	×	100／100	×	100／100	×	100／94	×

地域要因の比較（注2）		基準階格差修正		比準賃料
100／105	×	100／100	≒	5,066円／m^2

［注1］建築後の経過年数、品等　－6　　［注2］繁華性　＋5

(2) 建物およびその敷地の継続賃料（継続家賃）の試算例

1 差額配分法

1) 正常実質賃料

積算法、賃貸事例比較法を適用した結果、1,585,000円（月額）と査定されたとします。

2) 実際実質賃料

実際支払賃料に敷金の運用益を加算した結果、1,500,000円（月額）と査定されたとします。

3) 差額とその配分

正常実質賃料		実際実質賃料		差額部分
1,585,000円	−	1,500,000円	＝	85,000円

差額部分		注		貸主への配分額
85,000円	×	1／2	＝	42,500円

［注］契約の内容、契約締結の経緯、貸主・借主の寄与度等を考慮し、貸主・借主への配分割合をそれぞれ1／2と査定しました。

4) 差額配分法による試算賃料

	実際実質賃料		貸主への配分額		試算賃料(月額)
試算賃料＝	1,500,000円	＋	42,500円	＝	1,542,500円

2 利回り法

1) 継続賃料利回り

直近合意時点における基礎価格に対する純賃料の割合を標準とし、継続賃料利回りが5％と査定されたとします。

2) 価格時点における基礎価格

190,000,000円と査定されたとします。

3) 価格時点における必要諸経費等

9,000,000円と査定されたとします。

4)　利回り法による試算賃料

基礎価格		継続賃料利回り		価格時点における必要諸経費等
190,000,000円	×	5％	＋	9,000,000円

試算賃料
＝18,500,000円（年額）

月額試算賃料＝18,500,000円÷12月≒1,542,000円

3 スライド法

1)　直近合意時点における純賃料

9,500,000円（年額）と査定されたとします。

2)　価格時点までの変動率

諸指数を検討のうえ、1.03と査定されたとします。

3)　価格時点における必要諸経費等

9,000,000円と査定されたとします。

4)　スライド法による試算賃料

直近合意時点における純賃料		変動率		価格時点における必要諸経費等
9,500,000円	×	103％	＋	9,000,000円

試算賃料
＝18,785,000円（年額）

月額試算賃料＝18,785,000円÷12月≒1,565,400円

7 税務上の相当地代による方法

新規に建物所有を目的とする土地賃貸借契約を行う場合、通常であれば借地権設定の対価として権利金が支払われます。しかし、同族関係者や親子会社間で行う土地賃貸借であれば、権利金の授受を行うケースは稀で、むしろ権利金を支払った場合よりも高めの地代で契約することのほうが圧倒的に多いという傾向があります。これは、権利金の授受に替えて相当の地代を授受していれば、借地権を将来無償で返還を受けても認定課税を行わない旨の税法規定に基づきます。このような趣旨に照らした場合、相当の地代の水準（更地価格の６％相当額）はかなり高めの地代となることがわかります。

以下、相続税評価額を基に相当地代の計算例を示します。

（前提）

・対象地の過去３年間の相続税評価額[注]

令和○年	120,000円／m^2	平均額 130,000円／m^2
令和○＋１年	130,000円／m^2	
令和○＋２年	140,000円／m^2	

［注］対象地が路線価地域に存する場合は、前面路線価に間口・奥行等の補正を行った後のものを指します。また、倍率地域に存する場合には、固定資産税評価額に指定倍率を乗じた後のものを指します。

・対象地の面積

250m^2

・相当の地代

130,000円／m^2×６％／年×１／12月＝650円／m^2

650円／m^2×250m^2＝162,500円

8 いわゆる公租公課倍率法

従来から、地代水準の妥当性を計る一つの物差しとして公租公課倍率法（固定資産税・都市計画税×一定倍率＝適正地代とする考え方）がよく用いられてきました。この方法は賃料評価の手法として不動産鑑定評価基準に規定されているわけではありませんが、一般人にもわかりやすいという点に特徴があります。

地価が安定し、しかも固定資産税等の公租公課にそれほど変動がみられない時期において、地代改定の際、この方法は地主にとって本来徴収すべき水準を示す拠り所として幅広く活用されてきました（例えば、適正地代＝公租公課×３倍）。

もちろん、現在でもこのような方法は不動産鑑定評価基準に掲げられている賃料評価の手法を検証する手段としてそれなりの意義を有しています。

ただし、一概に公租公課といっても、その土地上に建築されている建物の用途（住宅、事務所・店舗等）によって減額特例を受けられるか否かが異なり、同じ住宅用地であってもその規模により減額の度合いも異なってきます。すなわち、**図表5**のとおり、同じ住宅地でも小規模住宅用地の適用を受けられる場合は、課税標準額が本来の６分の１に、一般住宅用地の場合は３分の１に減額されます。

図表5　公租公課の減額措置

1．固定資産税

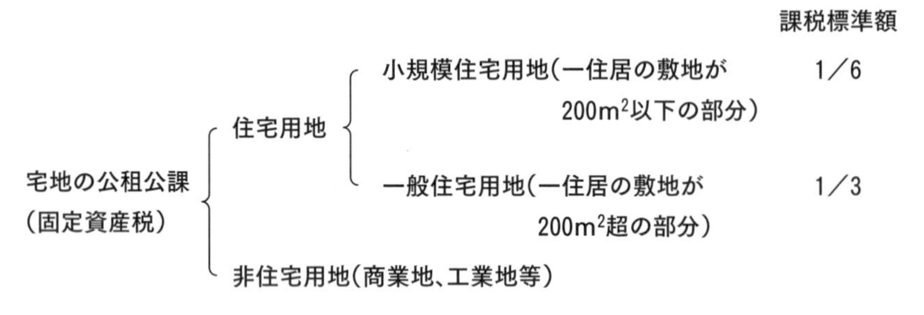

2．都市計画税

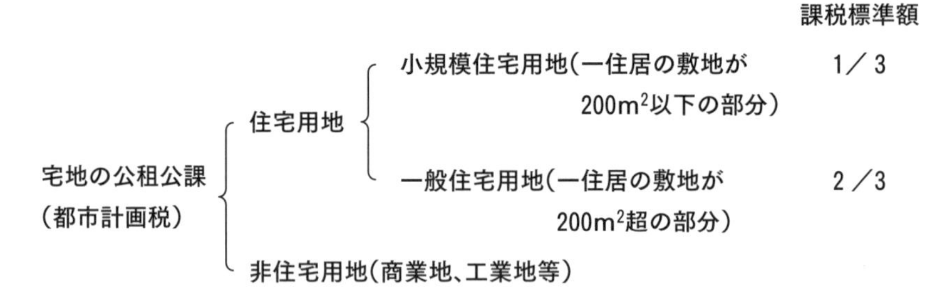

また、3年に一度の評価替え（見直し）に伴い、評価額が大幅に上昇した場合、納税者の負担に配慮して調整が行われ課税標準額が決定されるという仕組みが採用されています。

このように、税額の計算方法そのものは建物の用途や敷地規模によっても異なり、さらには負担調整措置も実施される等、相当複雑になっています。それだけでなく、固定資産税評価額の水準も公示価格の70%が目安とされる等、公租公課倍率法が盛んに提唱されていた昭和の時期とは状況が相当異なってきています。

したがって、公租公課倍率法で画一的な物差しを設定するのは難しく、問題点を多く含んでいますが、このようなことを念頭に置いたうえでの調査結果の一例を以下に掲げます。

日税不動産鑑定士会の調査によれば、令和３年１月１日～４月現在での東京都23区における継続地代（支払いベース）の公租公課に対する倍率は次のとおりです。

・商業地系　4.05倍

・住宅地計　4.32倍

ここで、住宅地系の倍率が高い理由として、住宅用地の減額特例により、住宅用地の課税標準額が商業地（非住宅用地）のそれよりも低い水準に抑えられていることが指摘されています。

ちなみに、平成30年１月１日時点の調査では以下の結果が報告されています。ただし、調査地点は令和３年とすべて同一でなく、対象となった事例数にも相違があります。

・商業地系　4.37倍

・住宅地計　4.60倍

また、上記の調査結果は東京都23区における一つの傾向を示すものであり、これが全国の土地にそのまま当てはまるというわけでもありません。

今まで述べてきたことを踏まえれば、公租公課倍率法の適用にあたっては、以下の点に留意が必要です。

・公租公課倍率法適用にあたっての留意点

① 計算方法は簡単ですが、固定資産税等の減額措置等の影響を受けるケースがあるため、どのような場合にも画一的な倍率を乗ずればよいというわけではありません。適用の仕方によっては、地代水準の的確な把握ができないことがあります。

② 都市計画税の課税されない地域で公租公課倍率法を適用した場合、賃料水準は自ずと低くなります。

9 近隣相場をもとに試算する簡便な方法

マンション・アパート・戸建住宅で間取りも標準的な物件であれば、収集した賃料情報をもとに自分で査定することも可能です。

その際に注意すべきポイントは、以下のとおりです。

① 新築物件と中古物件とでは賃料水準に格差があること（新築物件の賃料>中古物件の賃料）。

② 賃貸の場合は最寄駅からの時間と距離が売買の場合以上に重視される傾向にあること。

③ 大きな間取りの物件の場合は、月額賃料総額が大きくなることから、標準的なサイズの物件と比べると単価が割安となること。

手元に収集した賃貸事例（賃貸情報）が新築物件に関するもので、家賃算定の対象が中古物件であるという場合、事例から算定された賃料単価をそのまま当てはめると物件の割には割高な結果が導かれてしまいます。このようなことを念頭に置き、以下、自分で算定する際の簡素な例を示します。

なお、本設例の場合、敷金として家賃の１か月分を授受しますが、計算の単純化のため、ここでは実質賃料でなく支払賃料を求める前提とします。

（前提）

<table>
<tr><td>

【収集した賃貸情報】

・３DK 賃貸マンション（60m²）
・新築物件
・構造　鉄筋コンクリート造
　　　　４階建の２階部分
・最寄駅から徒歩５分
・家賃　月額132,000円
　　　　（2,200円／m²・月）
・対象物件と住環境は似ており、
　その他の条件に特段の差はない
　とします。

</td><td>

【対象物件】

・３LDK 賃貸マンション（65m²）
・築15年経過
・構造　同左
　　　　５階建の３階部分
・最寄駅から徒歩12分

</td></tr>
</table>

【対象物件の家賃の算定】

比較物件の家賃		格差率[注]		対象物件の家賃
2,200円／m²	×	90／100	≒	2,000円／m²

［注］築後15年　－５％
　　　最寄駅からの所要時間　－５％

家賃総額＝2,000円／m²×65m²
　　　　＝130,000円／月

10 その他の方法

（1）会社や法人の賃料算定基準に基づき算定する方法

会社や法人によっては、自社物件を他社に貸し付ける際の基準を作成している場合があります。このような基準の内容も様々で、単に近隣相場によるとしているものから、具体的な算定基準を作成しているものまであるようです。ただし、具体的な算定基準といっても、算定のベースとなる時価は物件によって異なりますから、どのような時価（実勢価格、公示価格、相続税路線価等）を算定のベースとするのか等の考え方を規定しておくことが多いと思われます。

例えば、地代であれば相続税評価額（該当年度）とこれに乗ずる料率（相当地代の算定に用いる年あたり６％等）、家賃であれば地代相当額と建物にかかる賃料相当額（純賃料＋必要諸経費）です。なお、建物賃貸借の場合は、土地賃貸借のように借地権の発生対象とならないことから、地代相当額の算定にあたっても相当地代の水準までは授受せず、仮に算定のベースに相続税評価額を用いる場合でも、料率を低くして調整を図る等の方法があります。

次に、建物の純賃料の算定ですが、鑑定評価のように建物の再調達原価から経年減価分を差し引く方法は適用せず、当該時点での簿価または固定資産税評価額のような画一的な金額を用いることのほうがむしろ多い傾向があります（あくまでも自社内で行う方法であるため）。また、純賃料に加算する必要諸経費としては、修繕費、管理費（外部委託の場合）、火災保険料等の過去数年間の実績（年あたり）がこれに該当します。

会社や法人の賃料算定基準に沿って地代家賃を求める場合は、賃貸料の近隣相場を調査して当てはめるというよりも、一定のルールに則った数値（金額）を入力して画一的に計算するという色彩が強くなります。

すなわち、このような計算方式を採用することにより事務担当者の恣意性を排除し、コストの節約を図るといった点にも狙いがあります。

（2）仲介・管理会社に査定を依頼する方法

仲介・管理会社に査定を依頼した場合、その会社が実際に取り扱っている物件の地代家賃等の水準（相場）に照らした査定が行われるのが通常です。ここで行われる査定は鑑定評価とは異なりますから、土地建物の時価から地代家賃にアプローチするという方法が適用されることはないと考えてよいでしょう。

近隣に類似物件の賃貸事例が多くあればそれが一つの相場を形成し、仲介・管理会社においても査定を行いやすいといえますが、事例が少ないか見当たらない場合は、周辺地域の物件から推定を行わざるを得ないでしょう。

（3）不動産鑑定士に鑑定を依頼する方法

近隣相場が比較的容易に把握でき、それをベースに賃貸借契約が成立する（あるいは、協議が整い賃料改定が実施される）のであれば、賃料の鑑定評価を改めて不動産鑑定士に依頼するまでもないでしょう。場合によっては、鑑定費用のほうが改定後の賃料増額を上回ることもあり得ます。なぜなら、賃料の絶対額が土地建物の価格に比べて少ないからです。

しかし、法人等で資産活用の一環として賃貸の方向付けが決定されたものの、近隣相場が把握し難い（相場が形成されていない）物件であるとか、その物件の時価に見合う賃料を把握したいという場合には、不動産鑑定士に賃料の評価を依頼する機会が生じてきます。

また、賃料改定交渉において協議が整わず訴訟に発展する場合、第三者からみた適正賃料額の提示が必要となります。このようなケースでは不動産鑑定士による鑑定評価が求められ、単なる賃料査定の領域を超えた法的側面および経済的側面からの根拠付けが必要となってきます。

継続中の土地賃貸借契約（あるいは建物賃貸借契約）において賃料改定を行う場合、しばしば年率２％アップ（ダウン）とか３％アップ（ダウン）というような数値を示して交渉が行われます。これは周辺の家賃の変動率を参考に、地域の実情に照らして適切と考えられる改定後の水準を提示する方法として誰にでもわかりやすい方法です。

しかし、考えてみると、一概に「継続中の賃貸借契約」といっても、経過期間が何十年と続いているものや比較的最近契約されたものまで様々です。また、そのときの事情もあり、当初設定された地代や家賃が高め（低め）であったということがあるかもしれません。したがって、個別物件ごとに実情に沿って継続賃料を評価しようとすれば、専門的な手法に頼らざるを得なくなります。

不動産鑑定士が新規賃料または継続賃料の鑑定評価を依頼された場合、先ほどの具体例に示したような試算を行い、これらの結果を分析して一つの結論にまとめたうえで鑑定評価書を発行しています。

賃料改定と借家の更新料をめぐる諸問題

1 裁判例 1

・サブリース契約における継続賃料判決と鑑定評価～賃料減額請求につき一審の鑑定評価額を大幅に上回る相当賃料額を定めた事例（東京高裁平成23年３月16日判決）

本章では、建物賃貸借のなかでも現代的課題ともいえるテーマにかかる裁判例を取り上げ、これを通して実務上の留意点を解説していきます。なお、注釈については、本項の末尾にまとめて掲載しています。

民事訴訟に鑑定評価が関わる代表的な例として、賃料増減額請求に伴う継続家賃の鑑定評価が挙げられます。

裁判の現場からも、不景気が続く状況下では賃借人から賃料減額請求訴訟が提起されるとともに、反対に、賃貸物件の売却・相続といった賃貸人の交替を契機として賃貸人から賃料増額請求訴訟が提起されており、相当数の賃料増減額請求訴訟が継続する状況にあるという声も聞かれます。他方で、主たる争点である裁判所の「相当賃料額」の認定は、不動産鑑定評価における「適正賃料額」と密接であるため、裁判においては、当事者が依頼する私的鑑定や裁判所の公的鑑定も含め複数の専門家による鑑定評価が示されることが多く、それらが算出する「適正賃料額」は常に乖離しているとの指摘もあります[注1]。

上記のことから推察されるとおり、鑑定評価においても継続家賃の適正賃料額を定めること自体、決して容易なことではありませんが、なかでもサブリース契約や、いわゆるオーダーメイド賃貸借契約（賃貸人が賃借人の意向に基づいた仕様の建物を建築して賃貸する契約形式）のような特殊なケースでは、この傾向に一層の拍車がかかるように思われます。

サブリースについては、契約書のなかに一定額の賃料保証特約や賃料自動改定（増額）特約が設けられているケースが多かった（あるいはこれが通常であった）ことから、従来よりサブリース契約が借地借家法第32条第１項の適用を受けるか否かをめぐり見解が大きく分かれていました。しかし、最高裁平成15年10月21日判決[注2]において、前記特約が付されたサブリース契約も借地借家法第32条第１項の適用を受ける（すなわち、賃料増減額請求の対象となる）旨判示されたことから、サブリース契約をめぐる相当賃料額の認定についても、裁判上および鑑定評価上大きな課題を投げかけることとなりました。オーダーメイド賃貸借についても、最高裁平成17年３月10日判決[注3]はサブリース契約と同様の考え方を採用しています。

本項では、このように継続家賃の改定をめぐる訴訟案件のなかでも特に難しい問題を抱えるサブリース契約にかかる相当賃料額の認定につき争点となった事例（東京高裁平成23年３月16日判決、平成22年（ネ）第6377号賃料減額等・建物賃料請求控訴事件）を取り上げます。なお、本件判決の原文は［注４］に掲げる資料を参照しました。

1．事案の概要

(1) 事案の要旨

サブリース契約により、Ｘ（賃貸人）所有の建物の賃貸を受けてこれを第三者に転貸して不動産事業を行っているＹ（賃借人）は、Ｘに対し、転貸事業の収益悪化等を理由に借地借家法第32条第１項の賃料減額請求権を行使しました。

その結果、Ｙは、賃料の額が平成18年４月１日以降月額663万5,135円に、平成19年１月１日以降595万円にそれぞれ減額されたとして、減額された賃料額の確認を求めて争っていたものです。

なお、本件においては、Ｙの賃料減額請求を基に、ＹがＸにすでに支払った超過賃料額の返還請求等もなされていますが、本項では紙面の都合もあり、これについては割愛します。

(2) 事実関係

1 当事者

① A株式会社（以下「A社」といいます）は、石油製品、石油化学製品およびこれらの原料の販売、液化石油ガスおよび各種高圧ガスの製造販売、ガソリンスタンドの経営等を行う株式会社です。

② Yは、演劇、映画その他各種興行、娯楽機関、体育施設および遊技場の経営、不動産の所有、賃貸借、売買、管理および斡旋ならびに都市開発の企画、設計、調査およびコンサルティング等を主な目的とする株式会社であり、平成10年2月1日、A社から石油、ガス、ガソリンスタンド関係事業以外の事業の営業譲渡を受けました。

③ Xは、○○県○○市に存するXら所有地（以下「本件土地」といいます）上に、別紙物件目録（省略）記載の建物（以下「本件建物」といいます）を建設して、これをYに賃貸しています。

2 XとA社との間の賃貸借契約

① A社は、平成元年頃、本件土地上にファッションモールを建設、運営する事業を計画し、Xに対し、次のような内容のいわゆるサブリース契約の締結を提案しました。

「A社は、Xに対し、建物建築費の全額を建築協力金との名目のもとに無利息で融資し、Xは、融資を利用して本件土地上に建物を建設し、これをA社に賃貸する。Xは、賃貸借契約期間終了までに、上記融資金を保証金および敷金名目で返済するが、その原資はA社から支払われる賃料によって賄う。」

② A社は、Xに対し、平成元年9月頃、「同月25日付け○○プラザ案」と題する提案書（以下「当初提案書」といいます）を、次いで平成2年7月19日、「同月11日付け○○プラザ案」と題する提案書（以下「修正提案書」といいます）をそれぞれ提示し、Xとの間で建物賃貸借契約締結に向けて具体的な協議を行いました。

A社とXは、平成３年６月11日、修正提案書を一部修正した内容の建物賃貸借予約契約（以下「本件予約契約」といいます）を締結し、建物賃貸借予約契約書（以下「本件予約契約書」といいます）を取り交わしました。

なお、本件予約契約書には以下の内容が規定されています。

1）A社がXに対し本賃貸借物件の建築に関わる総投資額を建築協力金として無利息で融資すること。

2）建築協力金の額は12億円とすること。

3）建築協力金のうち３分の１相当額については、建物賃貸借契約締結時に敷金に振り替えるものとし、Xは、期間満了の事由により賃貸借契約が終了し、A社が本賃貸借物件について原状回復措置を完了したうえ、引渡しをした後、遅滞なく敷金全額を一括してA社に返還すること。

4）建築協力金のうち３分の２相当額については、建物賃貸借契約締結時に保証金に振り替えたうえで、賃貸借開始日から満５か年間無利息にて据え置くこととし、Xは６年目以降15年間計15回にわたり、毎年６月末日を期日として均等額をA社に返還すること。

③ Xは、本件予約契約に基づき、本件土地上に本件建物の建設を開始し、平成５年３月15日、これを完成させました。

A社は、同年４月24日、本件建物を小売業・飲食業その他の営業および事務所等に使用する第三者に転貸する事業であるPAT〇〇事業（以下「本件事業」といいます）を開始しました。

④ A社とXは、平成６年８月23日、本件建物を目的とする賃貸借契約（以下「本件契約」といいます）を締結し、契約書（以下「本件契約書」といいます）を取り交わしましたが、その内容は、本件予約契約の内容の一部を修正したものとなっていました。

また、本件契約書には以下の内容が規定されていました。

1）A社は、本契約締結と同時に、Xに預託した建築協力金11億6,197万8,830円のうち３分の１相当額である金３億8,732万6,277円を敷金に振り替えるものとし、Xは、期間満了の事由により賃貸借契約が終了し、A社が本賃貸借物件について原状回復措置を完了したうえ、引渡しをした後、遅滞なく敷金全額を一括してA社に返還すること。

2）A社は、本契約締結と同時に、Xに預託した建築協力金11億6,197万8,830円のうち3分の2相当額である金7億7,465万2,553円を保証金に振り替えたうえで、賃貸借開始日から満5か年間無利息にて据え置き、Xは6年目以降15年間計15回にわたり、毎年6月末日を期日として、均等額をA社に返還すること。

3）賃貸借期間は、平成5年4月24日から満20年間とすること。

4）本賃貸借物件の月額基本賃料は、735万9,200円とし、さらに別紙（省略）の収益試算表における収益を保証するため、その年度の追加賃料の12分の1を加算したものをA社は毎月末日までに翌月分をXの指定する銀行口座振込により支払うこと。

5）賃料は、賃貸借開始日から満3年経過ごとに6％の増額をするものとし、著しい公租公課の増減・物価の変動等が生じた場合はXおよびA社間で協議するものとすること。

3 本件建物賃借権の譲渡

A社は、平成10年2月1日、Yに対し、石油、ガス、ガソリンスタンド関係事業を除く本件事業等の営業を譲渡し、これにより本件建物についての賃借権もA社からYに譲渡されました。

4 本件建物賃料の改定合意

XとA社およびYは、本件契約締結後現在に至るまで複数回にわたり、本件建物についての賃料額の改定について協議し、合意に至った内容を覚書と題する書面に記載し、相互に取り交わしてきました。

5 Xの収支

① Xは、平成18年2月28日までに、A社およびYから本件建物の賃料として、合計で約13億2,919万円を受領しました。

② Xは、平成20年6月30日までに、Yに対し、本件契約に基づく保証金の

返還として、合計５億6,807万8,533円を支払いました。

6 本件提訴に至る経緯

① Ｙは、平成18年２月17日付けで、Ｘに対し、デフレや賃料等の下げ止まりから抜け出せない状況下において本件建物のテナントの撤退が相次いだこと、転貸料が低下したこと、本件事業において減損損失4,900万円を計上したこと等を説明した書面（以下「本件書簡」といいます）を送付しました。

② Ｙは、同年12月14日、Ｘに対し次の旨を記載した通知を発送しました。

1）本件建物の転貸料収入は下落の一途をたどっており、また、周辺マーケットの賃料相場の下落等の事情もあり、本件建物の賃料の減額もやむを得ない状況にあること。

2）上記の状況に鑑み、Ｙは、Ｘに対して、すでに平成18年４月分から本件建物の賃料を１か月663万円（消費税別）に減額することを求める請求をしていること。また、平成19年１月分から本件建物の賃料を１か月595万円（消費税別）に減額請求させてもらいたいこと。

③ Ｙは、Ｘに対し、本件建物の賃料として、平成18年４月分から平成22年５月分まで、毎月、毎年３月分以前の賃料と同額である913万5,135円を支払ってきました。

Ｙは、平成18年４月以降における本件建物の賃料が、別紙「賃料計算明細表」（省略）における「通知後賃料」欄記載のとおりである旨主張しており、したがって、この主張が正当であるとすれば、同表末尾の「合計額」欄記載のとおり、ＹのＸに対する賃料の支払については、１億5,309万535円の過払いが生じていることになります（以下省略）。

④ その後、当事者であるＸおよびＹの双方から本件建物の賃料をめぐって訴訟が提起されました。

(3) 一審の結果

一審（さいたま地裁川越支部平成22年８月26日判決）は、サブリース契約においても借地借家法第32条第１項の適用があるとし、本件契約に賃料保証の特約が付されていること、保証賃料額が決定された事情および地価の下落やこれに伴うXの固定資産税の負担軽減等を考慮すると、本件建物の相当賃料額は平成18年４月１日以降、当該時点における約定賃料額（月額約1,010万円）から約20％を減額した月額850万円とするのが相当であるとしました。

なお、一審では、Y（原告）が甲不動産鑑定士に依頼して作成された鑑定評価書（私的鑑定書）が提出されましたが、そこに記載された結果は、平成18年４月１日時点における本件建物の月額賃料は596万4,000円、平成19年１月１日時点においては月額585万円というものでした。いずれの時期においても、上記適正賃料額は最終合意賃料（月額約1,010万円）と乖離しています。

2. 当事者の主張

鑑定評価に関わるものも含めた当事者の主張（要旨）は、以下のとおりです。

（1）一審における当事者の主張

1 原告（Y、賃借人）の主張

① 被告（X）は、原告（Y）が甲不動産鑑定士に依頼して鑑定評価を行った結果求められた適正賃料額が恣意的であると主張するが、以下のことを総合すればこのような批判はあたらない。

　1）差額配分法の適用においては、分析されるべき要因が広域にわたるため、報告書に記載すべき理由は要旨のみで足りるものである[注5]。また、本件のように適正賃料と実際賃料との間に生じた差額を当事者一方に偏って負担させる特別の事情のない事案においては、折半とすることが公平であること。

　2）差額配分法の前提となる積算賃料を計算するにあたり算出される再調達価格は、まず価格時点における基礎価格を求めて算出されるものであるから、建物建築時の価格と異なることに不自然はないこと。

3）賃貸事例比較法の適用については、本件建物の所在する○○市周辺に本件契約と類似するサブリース契約の賃貸事例がほとんど存在しないこと。また、通常の賃貸借の事例と比較したうえでサブリース割引率を控除するという方法には割引率のとらえ方において恣意的になる危険性があること。このため、単に通常の賃貸借契約やサブリース契約における末端転貸料と比較対象事例とすることが信頼性の高い手法といえるうえ、当該鑑定において選択された対象事例は、いずれも本件建物の近隣に所在する店舗向け賃貸借契約の事例であるという点で本件契約と類似性を有すること。

4）スライド法の適用に際し用いられた変動率は、不動産鑑定評価基準に従ったものであって適切であること。

② Xは、Xの収益を保証するための賃料保証条項および自動増額特約の存在を理由に、Xの減額請求が許されない旨主張するが、本件契約において収益または賃料を保証する旨の条項および自動増額特約は存在しない。

③ 本件事業は、近年、賃料相場の下落に伴う転賃貸料の下落により営業収益が減額の一途をたどっており、平成17年度の事業損失累計は約1億6,719万円にのぼった。そして、A社およびYは、Xに対し、度々、本件事業収益の悪化等を理由として本件建物賃料額の減額を申し入れ、Xもこれに応じてきたのであるから、Xにとっても本件事業収益の悪化という事情は本件建物賃料を減額する理由になる。

また、Xは、本件契約の締結にあたり、建物賃貸事業に伴うリスクの負担を自ら選択した。すなわち、A社は、当初、Xに対しA社が本件土地を賃借のうえ自ら建物を建築し事業を行うという内容の契約を提案したが、Xは、借地権の発生を嫌ってこれを拒否し、自ら所有者となることを選択したものである。当時、Xが複数の不動産を所有し、アパート経営等建物賃貸事業の経験を有していたという事情を併せ考慮すれば、X自らリスクの負担を選択したというべきである。したがって、転貸事業に伴う賃料の低下とそれに伴う収益低下という建物賃貸事業に伴うリスクについては、

Ｙのみならず Ｘも収益額の減額等によって負担すべきものである。

2被告（X、賃貸人）の主張

① Ｘは、Ａ社の事業収支の予測に基づく提案を信頼して多額の建築協力金の融資を受けたうえで本件建物を建築し、これをＡ社に一括して賃貸することを内容とする本件契約を締結した。（中略）本件契約書に自動増額特約が設けられた理由は、Ａ社の提案のとおり本件建物賃料を原資として当該建築協力金の返済ができるようにするため、契約締結後の経済事情の変動による賃料の減額変更がなされることなく、Ａ社提示にかかるＸの収益額を保証し、所定の賃料額を絶対額として確実に支払われるよう保証したことにある。

Ｘは、かかる賃料保証を前提として、Ａ社から多額の建築協力金の融資を受け、本件契約を締結し、本件土地および建物の所有や建築によるリスクをすべて負担したのである（以下省略）。

② Ｙ主張の適正な賃料額の根拠とされている鑑定評価書は、本件建物の継続支払賃料の鑑定評価を行うにあたり、差額配分法、賃貸事例比較法およびスライド法により求められた賃料を、５：３：２で加重平均した値をもって鑑定賃料としたものである。

最高裁平成15年10月21日判決では、いわゆるサブリース契約における賃料減額請求の当否および相当賃料額を判断する場合には、契約締結時以前の事情を総合的に考慮しなければならないとしているが、これは裁判所のみが証拠に基づき判断し得ることであり、不動産鑑定士が通常の継続賃料の鑑定手法を適用しサブリース契約の賃料鑑定を行うことは不適切である。

③ また、提出された鑑定評価書は次の理由で恣意的なものであり、採用できない。

1）いわゆるサブリース契約における賃料減額請求の当否に関する最高裁判例が示した規範を全く考慮していないこと。

2）差額配分法を適用するとしながら何らその根拠を示さず、折半法を採用していること。

3）差額配分法の前提となる積算賃料を計算するにあたり、本件建物の再調達価格を６億2,345万5,500円として、Ｘに貸し付けられた建築協力金11億6,197万8,830円の53.65％に過ぎない額にしていること。

4）賃貸事例比較法においては、比較対象となる賃貸借事例は、契約内容において類似性を有するものでなければならないところ、上記鑑定で用いられた賃貸事例はいずれも契約期間が３年の通常の店舗賃貸借契約の事例であり、本件契約との類似性がないこと。

5）スライド法の適用に際し用いた変動率が、上記最高裁判例の示した事情を反映したものではないこと。

（2）控訴審における当事者の主張

1 Y（賃借人）の主張

本件賃貸借契約締結時に約定された自動増額特約によって増額された賃料を基準に減額請求の当否および相当賃料額を判断している原判決は最高裁平成20年２月29日判決[注6]に反し、借地借家法第32条第１項の解釈を誤った違法である。また、一審のＸ側鑑定は不動産鑑定評価基準に違反しており、実質的に見ても鑑定評価額の算定過程は極めて不合理であって信頼性を欠く（以下省略）。

2 X（賃貸人）の主張

逆ざや状態（ＹがＸに支払う賃料額が転貸賃料を上回る状態）の継続を理由に減額を認めた原判決は、自ら考慮すべきと述べた「賃料保証条項の存在」や「保証賃料額が決定された事情」を実際には全く考慮していない。逆ざやのリスクは、賃料の支払保証をした賃借人が引き受けたものであり、賃貸人に転嫁すべきではない。

また、本件契約における約定賃料額が周辺の賃料相場と全く無関係に定められている以上、賃料相場に影響する地価動向を賃料減額請求の当否等に当たって重視すべきではない（以下省略）。

3. 裁判所の判断

裁判所の判断は以下のようになりました。

(1) 一審における判断

前記1. の**事案の概要**（**(2) 事実関係**）にも述べたとおり、一審では裁判所は相当賃料額を月額850万円と認定しましたが、これに対し、賃借人（原告、Y）および賃貸人（被告、X）の双方が結果を不服として控訴を行いました。すなわち、賃借人の側からすれば、裁判所の認定した相当賃料額（月額850万円）は賃借人依頼の鑑定結果（平成18年4月1日時点で月額596万4,000円、平成19年1月1日時点で月額585万円）よりも相当高いものとなっています。他方、賃貸人の側からすれば、上記相当賃料額は約定賃料額（月額約1,010万円）よりも相当低い結果となったためであると推察されます。加えて、上記結果がX・Y間での平成17年2月時点での最終の暫定合意賃料913万5,135円よりも低い水準にとどまったという事情も反映しています。

なお、一審では、原告（X）側が行った鑑定評価（私的鑑定）とは別に、裁判所が採用した乙不動産鑑定士による鑑定評価（公的鑑定）も行われましたが、その結果は、平成18年4月1日時点における適正賃料額が月額745万円、平成19年1月1日時点では月額743万円でした。

これに対し、裁判所は、本件鑑定結果は一括借り上げ方式による適正賃料額を算定したものであるものの、本件契約に至る経緯や賃料額決定の要素とした事情等を考慮したものではないことから、本件鑑定結果の評価額をもって直ちに本件建物の相当賃料額であるということはできないとしました。

そして、本件契約における相当賃料額を算定するにあたっては賃貸借契約の当事者が賃料額決定の要素とした事情その他諸般の事情を総合的に考慮すべきところ、本件契約における締結までの特殊事情に鑑みると、本件契約においては賃料保証条項の存在や保証賃料額が決定された事情を考慮すべきであり、その際にはXの保証金および敷金の返済計画にも十分配慮する必要があるとしています。

そして、その結果、本件建物の相当賃料額は、平成18年4月分以降、本契約による平成18年4月分の賃料から約20％を減額した月額850万円とするのが相当であると判示しています。

また、原告（Y）の提出した鑑定評価書に対しては、（本件）鑑定評価書の評価額は、本件建物をサブリース契約であることを前提に評価したものであるかどうかが明らかでなく、仮にサブリース契約であることを前提としたものであっても、その評価は本件契約に至る経緯や賃料額決定の要素とした事情等を考慮したものとなっていないのであり、したがって、鑑定評価書の評価額をもって本件建物の相当賃料額であると認めることはできないという見解を採用しています。

（2）控訴審における判断

これに対し、控訴審判決では、一審と同様に、平成18年4月1日時点における約定賃料が不相当となったと判断する一方、本件契約書に（賃貸人Xの）収益試算表が添付されており、賃借人（Y）がXに対しその収益を保証していることから（Xが建築資金の返済を要すること等の事情があるためです）、本件契約における賃料額がXの収益を相当程度確保するものでなければならないとしています。そのうえで、当事者間の（過去の）賃料減額交渉は双方の諸事情を反映させつつ自主的に決定されたものであるから、これを十分尊重すべきであり、最終の暫定合意賃料913万5,135円をほぼ妥当な賃料額であるとしました。そして、その後の経済情勢および公租公課の変動率を参酌しても大幅に変動させるべき事情はないとして、平成18年4月以降の相当賃料額を月額910万円と認定したものです。ただし、平成19年1月以降の賃料減額については、これを否定しています。

なお、控訴審においても丙不動産鑑定士による鑑定評価の結果が相当賃料の認定のため活用されていますが、これに関連し本件判決文には以下の記載がみられます。

〇上記暫定合意賃料913万5,135円は、本件契約の目的、その後の経緯に照らしても、平成17年5月から平成18年3月までにおける妥当な賃料であるということができる。

従って、この月額913万5,135円は、暫定的に合意されたものであるとしても、実質的に、本件契約における当事者間で合意された賃料としての意義を有するものと考えられる。（中略）そこで、平成17年2月25日に同年5月以降の賃料を月額913万5,135円とすることが確定的に合意されたものと仮定して、平成18年4月1日時点での賃料減額請求の当否を検討すると、丙鑑定人作成の不動産鑑定評価書によれば、経済情勢等の変化に即応する変動分を表わす変動率は△3％と判定されており、公租公課の変動率が△5.5％であることを参酌しても、賃料減額請求権を基礎付ける「土地若しくは建物に対する租税その他の負担の増減」または「土地若しくは建物の価格の上昇若しくは低下その他の経済事情の変動」等（借地借家法第32条第1項）が生じているとは認められない（その他、平成17年2月25日から平成18年4月1日までに、これらの経済事情の変動等が生じたことを認めるに足る的確な証拠はない）。従って、同賃料を大幅に増減させるべき事情があるということはできない。

そうすると、平成17年5月から平成18年3月までの賃料として暫定的に合意された月額913万5,135円は、本件契約の目的等に照らしても合理的なものであり、その後の若干の経済情勢の変化等を総合すると、同年4月以降の賃料としては月額910万円とするのが相当である（以下省略）。

参照した資料には鑑定評価書の概要は掲載されておらず、かつ、本件判決文においてもこれ以上の記載がないため、具体的な検討内容は把握できませんが、当事者間での最終的な暫定合意賃料を妥当なものとして検証のうえ、その後の賃料水準の動向を裏付けて相当賃料を導き出すために鑑定評価書の内容（ただし、個々の手法でなく経済情勢等の変化に対する推移の部分）が参酌されたことが読み取れます。

4. 判決から読み取る賃料評価上の留意点

（1）賃料評価に対する鑑定評価の関わり

鑑定評価と隣接分野との関わりには密接なものがありますが、本書で取り上げている継続賃料と民法・借地借家法との関連の深さはその典型例であると思われます。それとともに、現在の経済情勢下でどのようなことを契機に賃料改定の要望が生じ、その過程で鑑定評価の結果がどのように活用されているのかを把握しておくことは極めて有意義です。

不動産価格が継続して上昇していた時期には貸し手から賃料増額の要望が、不動産価格が下落している時期には借り手から賃料減額の要望が生じるのが通常です。その理由として、賃料に含まれる公租公課（固定資産税・都市計画税）の上昇（あるいは下落）、近隣相場の上昇（下落）、消費者物価指数の上昇（下落）等が指摘されることが多いといえます。

しかし、なかには、公租公課が下落しているにもかかわらず、あるいは近隣相場や消費者物価指数に顕著な変化が見られないにもかかわらず、当初取り交わした賃貸借契約書のなかに賃料自動増額改定特約が付されていることを理由に貸し手から増額要望がなされるケースも見受けられます。

また、サブリース契約においては、本件事案のように賃借人（転貸人）が賃貸人に対し、空室の有無にかかわらず一定額の家賃保証を行う旨の約定が設けられることが一般的ですが、ときとして逆ざや現象が発生した場合は契約の履行が困難となります。このようなケースでは、多くの場合が紛争に発展し、その解決手段として適正な賃料をめぐる複数の鑑定評価書が司法の場に持ち込まれることとなります。本件事案は多くの事例のうちの一つにすぎませんが、サブリース契約について争われた継続家賃の減額請求の妥当性が問題とされた点に特徴があります。

なお、本件判決の意義に関しては、次の指摘が重要な位置付けをなすと考えられます[注7]。

●最高裁平成15年10月21日判決は、サブリース契約における賃料減額請求について、請求の当否および相当賃料額を判断するに当たっては、当事者が賃料額決定の要素とした事情その他諸般の事情を総合的に考慮すべきであるとしている。本判決は、賃料額決定に当たり、建物賃借人側が賃借すべき建物の基準設計を行い、土地所有者に対して資金提供の上建物を建築させ、建物賃料の中から融資金の返済を求めるとの構造やそれを前提とする賃貸人の収益確保が図られていることを重視した上で、当事者間の賃料額減額交渉の結果としての暫定的な合意賃料について、地価下落分を考慮すると実質合意賃料としての妥当性があるとして、その後の経済情勢の若干の変動も考慮して合意賃料をやや下回る相当賃料額を定めたものであり、上記最高裁判決の判旨を事案に応じて踏まえた一適用事例と位置付けられる。

本項で取り上げている判決はサブリース契約につき賃料減額請求との関連を扱ったものですが、これと密接に関連するものとしてオーダーリース契約に関する賃料減額請求が挙げられます。

そこで、以下、最初にサブリース契約についての賃料減額請求との関連を取り上げたうえで、オーダーリース契約についても一般の賃貸借契約における継続家賃改定の考え方との相違点を検討してみます。

(2) サブリース契約における家賃保証特約の有効性をめぐって

継続中の賃貸借をめぐる当事者間の事情は極めて個別的であり、画一的な結論を導き出すことは難しいのですが、現時点における裁判例の蓄積をみる限り、家賃保証特約が付されている場合でも、経済情勢の著しい変動下においては当事者はこの特約に拘束されないというのが借地借家法の趣旨を踏まえた裁判所の考え方です。

なかでも、サブリース契約に関し裁判で大きな争点となったのは、賃貸人がその所有地上に自己の費用負担により建物の建設を行う代わりに賃借人

（転貸人）から賃料保証と長期にわたる契約期間の取り決めを行っているケースです。その意味で、オーダーリース契約が、土地所有者である賃貸人が多額の建設資金を投じて賃借人のためにその仕様に応じた建物を建設し、これを賃貸する契約を指すことから、賃貸人の投資リスクに関しサブリース契約と共通するものがあります。

従来、サブリース契約と借地借家法の適用をめぐる裁判例の結果は、これを肯定するものと否定するものとに分かれていました。しかし、上記最高裁平成15年10月21日判決は、賃料自動増額が付されたサブリース契約も建物賃貸借契約であり、賃料増減額請求の対象となると判示しました。そのうえで、請求の当否および相当賃料額を判断するための考慮要素についての考え方が示されています。

ただし、そこでは基準となる考え方は示されたものの、減額請求の対象となる相当賃料額を具体的にどのようにして定めるかに関し、新たな課題を残すこととなりました。

なお、一概に家賃保証特約の拘束力に関しても借地借家法第32条第１項の規定が適用されるとはいっても、なかには当初から存在していた建物を賃貸するのではなく、貸し手が借り手の要望や仕様に応じて建物を建築して賃貸することを前提に貸し手の資金計画や投資回収計画を考慮しなければならない例も多く存在します。

このようなケースでは往々にして建物の汎用性が低く、リスク回避のためには、契約当初から投下資本を十分に回収できるような高額の賃料を徴収することが必要ですが、借り手の負担もあり難しいといえます。そのため、一定の期間にわたり徐々に賃料を増額して回収を図るという仕組みを採用することが多く、賃料自動改定特約はこのような目的から付されるものです。

なお、次の指摘はオーダーリース賃貸借を対象としてなされた問題意識ですが、その根底にはサブリース契約の場合と共通するものがあります。

「オーダーリースでは、賃貸人が建築する建物に、用途の面から、さらにはその特別の仕様（これは賃借人独自の経営方式やブランドなどと結びついていることが多い）に基づいて、汎用性の障害となるような特性が組み込まれることにならざるをえない。このことは、そのような特殊な建物を敢えて建築して賃貸に供する賃貸人にとっては、建築資金の回収に重大なリスクが伴うことを意味する。このため、そのリスクを賃貸人に負わせたままでは、契約は成立せず、行きつくところ、リスクを賃借人の方で負うように、様々な工夫を凝らして約定が交わされることになる。（中略）問題は、このようなオーダーリースにおいて、賃借人が、事情の変動などを理由に、借地借家法32条１項に基づいて賃料の減額を請求することができるのかどうか、また、その場合の適正な継続賃料ないし相当賃料をどのような考え方に求めればよいのかということである。[注8]」

本件判決における結論の背景にも上記視点に立つものの考え方（契約事情の特殊性を考慮する発想）があると読み取れます。

（3）オーダーリース契約における賃料自動増額特約の有効性をめぐって

建物のオーダーリース契約をめぐる継続賃料の改定に関し、自動改定特約が付されているにもかかわらず賃借人が減額請求を行い、最高裁でその拘束力に関する判断を行ったケースがあります（最高裁平成17年３月10日判決[注9]）。

本事案は、土地所有者であるＡが、当該土地上にＢ（食料品、衣料、日用品の販売を目的とする会社）の要望に沿った建物（大型スーパーストア）を建築し、Ｂが長期間にわたってこれを賃借することを目的としてなされた建物の賃貸借契約です（駐車場も含む）。約定の主な内容は以下のとおりです。

① 賃貸借期間は平成６年７月29日から平成26年７月28日までの20年間とする。

② 賃料は月額649万7,800円（消費税を除く）とし、これに消費税相当額を合算した額を賃借人から賃貸人に支払う（翌月分当月末払い）。

③ 賃料は３年ごとに改定するものとし、初回改定時は前項の賃料の７％を増額し、その後３年ごとの改定時には最低５％以上を増額するものとする（その際、７％以上をめどに本件土地に対する公租公課、経済情勢の変動等を考

慮し、双方協議のうえ定める)。

④ 敷金として、ＢはＡに2,000万円を差し入れる。

その後、経済情勢の変動を理由に、賃借人であるＢは賃貸人であるＡに対し、平成９年８月に賃料を当初のまま据え置くべき旨を申し入れることにより賃料減額の意思表示を行い、さらに平成12年10月には賃料を555万5,343円に減額すべき旨の意思表示を行いました。

このため、ＡはＢに対し、本件特約に従い２回分の賃料増額改定がなされたと主張して、平成９年８月分から平成13年３月分までの未払賃料および遅延損害金の支払いを求め、ＢはＡに対し、借地借家法第32条第１項の規定に基づく賃料減額請求権の行使により賃料が減額されたことを主張して、賃料額の確認を求めるとともに不当利得返還請求として過払金の返還等を求めたものです。

このようなオーダーリース契約に関しても最高裁の判断が示されましたが、そこでの結論は、①オーダーリースのように他用途への転用が難しい建物の賃貸借に関しても借地借家法の規定が適用されること、②賃借人の要望に沿って建築された建物の賃貸借で、賃料自動改定特約が付されている場合であっても、借地借家法第32条第１項の適用を排除することができないことにあります。

これらのことから判断すれば、賃料自動改定特約が付されている場合であっても、公租公課や土地建物の価格変動、経済事情や近傍同種の建物の賃料相場等の変動がない限り賃料増額は困難と考えざるを得ませんが、反面、最高裁の判断においても賃貸借契約の当事者が賃料額決定の要素とした事情その他諸般の事情を総合的に考慮すべきであると明示されている点に留意が必要となります。

すでに述べたとおり、これに関しては具体的適用の段階でいくつかの課題を抱えており、解釈の仕方によっては様々な考え方も生じ得ますが、次の指摘は総合的な考慮事項を検討するにあたり、オーダーリース契約の特殊性を賃料改定の重要な要素と位置付けている点で大きな説得力を有すると思われ

ます。[注10]

「賃貸人による建築資金の回収に対して負う賃借人の責務はサブリース契約に比べて、オーダーリース契約における方がはるかに重いように考えられる。それは、オーダーリース契約の対象となる建物が、往々にして、用途はもとより、設計、意匠から仕上げに至るまで、賃借人の要望や仕様に基づいて建てられたものであって、汎用性を著しく欠き、そのことによって賃貸人による建築資金回収によるリスクを、はるかに大きくしているからである。このため、オーダーリース契約の場合は、サブリース契約の場合以上に、賃貸借契約の当事者が賃料額決定の要素とした事情や契約に至る経緯等に対して考慮を払わなければならなくなるのではなかろうか。」

このようなことを背景において検討すれば、継続賃料の鑑定評価の過程でいくつかの試算賃料が求められ、これらを総合的に調整して鑑定評価額を決定する際には、各試算賃料を機械的に平均するのではなく、オーダーリース契約の特殊性や当初賃料を決定した経緯等を重視して賃料決定に根拠付けを持たせることが合理的であると考えられます。この点が、すでに建築されている建物を一般のテナント向けに賃貸する場合と事情が大きく異なるところです。

例えば、改定賃料をめぐる手法をいくつか適用した結果、ある手法（例えば、スライド法）ではマイナスの結果（賃料減額）が生じ、ある手法（例えば、差額配分法）ではプラスの結果（賃料増額）が生じた場合、契約の特性や経緯を鑑みて、どの手法による結果が当事者間の衡平の観点からして最も説得力を有するかを検討する必要があるということです。

賃料改定をめぐる交渉が平行線となった場合、最終的には裁判所の判断により相当賃料が決定されることはやむを得ませんが、その判断の過程で鑑定評価の結果とともに、当該金額を導いた基礎となる考え方にどれだけ客観性や合理性が備わっているかが最終判断の分かれ目となると思われます。

継続賃料の如何をめぐっては、鑑定評価の結果だけでなく法的な判断が加わります。また、鑑定評価の結果も、鑑定人により幅が生じることは現実に避けて通ることはできません。このため、どのような水準で相当賃料が決定されるかに関しては様々な要因が複雑に絡むこととなります。

先に紹介した最高裁平成17年３月10日判決の趣旨を踏まえた場合、オーダーメイド賃貸借契約においても借地借家法第32条第１項に基づく賃料減額請求が認められ、その当否に際しては諸般の事情が考慮されますが、その際、契約の特殊性は同規定の判断の枠組みのなかで考慮されるとの指摘があることにも留意する必要があります[注11]。

本項で取り上げている判決はサブリース契約にかかるものですが、ここでは当該契約が借地借家法第32条第１項の適用対象となることを踏まえたうえで、当事者間の交渉による暫定的な減額合意賃料額を尊重しつつ、賃貸人の収益確保の観点から一審で認定されたさらなる減額後の賃料（月額850万円）は合理的でないとして相当賃料額（月額910万円）を定めています。

その意味で、今後の継続賃料の鑑定評価（特にサブリース契約やオーダーリース契約の場合）に際しては、従来の発想のみにとらわれることなく、契約締結時の経過や当事者間の事情といった相当賃料に直接関わる内容につき、それを数値に具現化させ、不動産鑑定士の見解というかたちで鑑定評価書に反映させることがあってもよいのではないでしょうか。なぜなら、その結果をどのように受け止めるかについては裁判所の判断というかたちでフィルターにかけられるからです。

なお、これに関して次の指摘があることは興味深いことと思われます[注12]。

・不動産鑑定士が行う継続賃料の評価はいわば経済の専門家としての経済的・客観的判断であり、裁判所の行う「相当賃料」の判断とは異なるものであって、裁判所の判断は具体的事案に応じて主観的な事情をも考慮して判断されるものである。この点については、最高裁判例においても、相当賃料額の認定については法所定の事情に限られることなく、賃貸借の成立に関する経緯等、具体的事案に即し、合理的に定めることの必要性が再三説かれている。

・相当賃料額と鑑定評価とで相違が出てくるのは、鑑定評価の基になる見解や数値等に合理性が欠けると判断されるといった事例以外では、（イ）サブリースの事案、（ロ）オーダーメイドの事案、（ハ）当初契約が特殊な人的関係による事案といった賃貸借契約当初において当事者間に特殊な事情があるケースに集中している。

・裁判官の価値判断による修正は、鑑定評価とは別次元のものとして整理するのが妥当であるが、不動産鑑定評価にあたって当該賃貸借の特殊事情をできるだけ考察して評価に反映されるべきは当然である。

[注1] 大野祐輔「建物賃貸借における相当賃料額の認定と鑑定評価～近時の裁判例とサブリースを中心に」判例タイムズ1372号4頁

[注2] 民集57巻9号1213頁。判例タイムズ1140号68頁
　この他に、サブリースについて賃料増減額請求権の行使が妨げられないことについての一連の判決として、最高裁平成15年10月23日判決（判例タイムズ1140号79頁）、最高裁平成16年11月8日判決（判例タイムズ1179号185頁）があります。

[注3] 判例タイムズ1179号185頁

[注4] 金融・商事判例1368号33～53頁

[注5] 参照した資料には鑑定評価の概要が掲載されていないため、具体的な内容は把握することができません。本文中に列記した**2)**から**4)**についても同様です。

[注6] 金融・商事判例1299号31頁
　最高裁平成20年2月29日判決は、賃料自動改定特約のある建物賃貸借契約の賃料減額請求の判断にあたり、特約による改定前に当事者が現実に合意した直近の賃料をもとにすることなく判断した原審の判断を違法としています。

[注7] 金融・商事判例1368号34～35頁（解説部分）

[注8] 大野喜久之輔「継続賃料を巡る鑑定と司法の判断（第3回）」『不動産鑑定』2005年12月、p.45

[注9] 判例時報第1894号14～19頁を参照

[注10] 大野喜久之輔、前掲稿[注8]、p.47～48

[注11] 中村肇「民事法判例研究―賃借人の要望に沿って建物が建築され、

他の用途に転用することが困難である賃貸借における借地借家法32条１項に基づく賃料減額請求（最一判平成17. 3. 10)」『金融・商事判例』No.1226、2005年10月15日号、p.4～5

[注12] 大野祐輔前掲稿[注１]、p.8～9

2 裁判例 2

・定期建物賃貸借契約における説明書面確認の必要性（最高裁平成24年9月13日判決、判例時報2094号58頁）

借地借家法第38条に規定されている定期建物賃貸借をしようとする場合、建物の賃貸人は、賃借人となろうとする者に対し、当該賃貸借契約は更新がなく、期間の満了により確定的に終了することを明確に認識させるため、その旨を記載した書面（説明書面）を交付して説明しなければならないとされています（同法第38条第3項）。そして、これがない場合には、契約の更新がないこととする旨の定めは無効（すなわち定期建物賃貸借としての効力は認められない）としています（同法第38条第5項）。

もちろん、定期建物賃貸借を有効に成立させるためには契約書の作成（できれば公正証書による方法が望ましい）が不可欠であり、口頭での契約では要件を満たさないことは改めて述べるまでもありません（同法第38条第1項）。

●借地借家法

（定期建物賃貸借）

第38条　期間の定めがある建物の賃貸借をする場合においては、公正証書による等書面によって契約をするときに限り、第30条の規定にかかわらず、契約の更新がないこととする旨を定めることができる。この場合には、第29条第1項の規定を適用しない。

2　（省略）

3　第1項の規定による建物の賃貸借をしようとするときは、建物の賃貸人は、あらかじめ、建物の賃借人に対し、同項の規定による建物の賃貸借は契約の更新がなく、期間の満了により当該建物の賃貸借は終了することについて、その旨を記載した書面を交付して説明しなければならない。

4　（省略）

5　建物の賃貸人が第３項の規定による説明をしなかったときは、契約の更新がないこととする旨の定めは、無効とする。

6～9　（省略）

ただし、問題は、上記の説明書面が契約書と別個のものであることを要するか否かということです。これについては、従来から、説明書面は契約書とは別個のものであることを要するという見解と、必ずしも契約書と別個のものであることを要しないという二つの見解が存在していました（詳細は後掲）。

しかし、最高裁よりこの問題に対する明確な判断が導き出されています（平成22年(受)第1209号、平成24年９月13日第一小法廷判決）。それは、「借地借家法第38条所定の書面は、賃借人が、その契約に係る賃貸借は契約の更新がなく、期間の満了により終了すると認識しているか否かにかかわらず、契約書とは別個独立の書面であることを要する。」というものです。

最高裁によりこのような明確な判断がなされたということは、今後の定期建物賃貸借契約の実務（媒介、管理を含める）に極めて重要な影響を及ぼすとともに、契約の存続（賃料を含める）に関する問題としても重大なものとなります。また、存続期間との関連で賃料の鑑定評価にも少なからず影響を及ぼすものと考えられます。

不動産鑑定評価基準

Ⅱ　権利の態様の確認

権利の態様の確認に当たっては、Ⅰによって物的に確認された対象不動産について、当該不動産に係るすべての権利関係を明瞭に確認することにより、第１節により確定された鑑定評価の対象となる権利の存否及びその内容を、確認資料を用いて照合しなければならない。

（総論第８章第４節Ⅱ）

不動産鑑定評価基準

Ⅱ　貸家及びその敷地

（前略）この場合において、次に掲げる事項を総合的に勘案するものとする。

1～5　（省略）

6　借家の目的、契約の形式、登記の有無、転借か否かの別及び定期建物賃貸借（借地借家法第38条に規定する定期建物賃貸借をいう。）か否かの別

7　（省略）　（各論第1章第2節Ⅱ）

以下、事案の概要から裁判所の判断に至るまでの内容は[注1]に掲げた資料を参照しました。

[注1] 民集第66巻9号3263～3310頁

なお、以下の裁判例に登場する定期建物賃貸借に係る条文（借地借家法第38条）は、令和4年5月18日の改正法施行前（裁判当時）のものです。そのため、第38条第2項は第38条第3項に、第38条第3項は第38条第5項に読み替えていただければ、改正後の条文内容とつながります。

1．事案の概要

（1）事案の骨子

本件は、別紙物件目録（省略）記載の建物（以下「本件建物」といいます）をXに賃貸したYが、本件建物の賃貸借（以下「本件賃貸借」といいます）は借地借家法（以下「法」といいます）第38条第1項所定の定期建物賃貸借であり、期間の満了により終了した等と主張して、Xに対し、本件建物の明渡しおよび賃料相当損害金の支払いを求めていた事案です。

なお、Xは、同条第2項所定の書面を交付しての説明がないことから、本

件賃貸借は定期建物賃貸借にあたらないと主張していました。

（2）事実関係

① Ｙは、不動産賃貸等を業とする会社です。Ｘは、貸室の経営等を業とする会社であり、本件建物において外国人向けの短期滞在型宿泊施設を営んでいます。

② Ｙは、平成15年７月18日、Ｘとの間で「定期建物賃貸借契約書」と題する書面（以下「本件契約書」といいます）を取り交わし、期間を同日から平成20年７月17日まで、賃料を月額90万円として、本件建物につき賃貸借契約を締結しました。本件契約書には、本件賃貸借は契約の更新がなく、期間の満了により終了する旨の条項（以下「本件定期借家条項」といいます）があります。

③ Ｙは、本件賃貸借の締結に先立つ平成15年７月上旬頃、Ｘに対し、本件賃貸借の期間を５年とし、本件定期借家条項と同内容の記載をした本件契約書の原案を送付し、Ｘは、同原案を検討しました。

④ Ｙは、平成19年７月24日、Ｘに対し、本件賃貸借は期間の満了により終了する旨の通知をしました。

2. 当事者の主張

上告審に至るまでの当事者の主な主張は、以下のとおりです。

（1）本件契約締結の際、借地借家法第38条の定期建物賃貸借契約であることの説明がされたか否かに関して

1 Ｙの主張

Ｙは、Ｘに対し、本件契約が借地借家法第38条の定期建物賃貸借契約であり、期間満了時に更新はなく契約が終了する旨を再三説明していた。

まず、その締結前、Ｙの代表者とその担当者がＸの会社を訪れ、本件契約を定期建物賃貸借契約としたいこと、更新はないこと、期間満了時に契約が

終了すること、期間は５年としたいことを説明した。また後日、本件契約書の原案として、これらの内容も記載した「定期借家契約書（案）」と題する書面（本件契約書とほぼ同内容のもの。以下「本件原案」という）をＸにファックスで送付した。さらに、本件契約締結時にも「定期建物賃貸借契約書」という標題の本件契約書を、その旨説明のうえで渡して契約をした（以下省略）。

2 Xの主張

Ｙは、Ｘに対し、本件契約が定期建物賃貸借契約であることを説明していない（本件契約締結時に本件契約書を読み上げる等もしなかった）。

Ｘはいわば素人であり、本件契約書は「更新はない」とする一方「再契約できる」ともしていて、借地借家法第38条に基づくとの説明を受けていなかったＸとしては、期間満了により必ず本件契約が終了すると認識することができなかった。実際、Ｘが以前契約した通常の賃貸借契約で賃貸人の希望により「定期建物賃貸借」「更新はない」との文言を入れたことも度々あり、通常の賃貸借契約でも用いると考えていた（以下省略）。

（2）借地借家法第38条第２項の「書面」とは、契約書とは別個独立の書面であることを要するか否かに関して

1 Yの主張

借地借家法第38条第２項が書面交付を求める趣旨は、賃借人が定期建物賃貸借契約締結の意思決定をするための情報を十分に提供し、定期建物賃貸借契約であることを十分に認識して契約できるようにするためである。したがって、説明に際し、契約書と別個独立の書面を常に要するものではなく、定期建物賃貸借契約であることが十分認識できる内容の書面が交付されれば足りる。

Ｘは個人ではなく株式会社であり、本件建物以外にもいくつもの物件を事業用に賃借していて、Ｘの代表者自身も（通常のものではあるが）賃貸借契約書を作成したことがあるというのである。ＹはＸに対し、本件契約締結前から定期建物賃貸借契約である旨の記載のある本件原案を示し、期間満了に

より更新せず終了する旨を説明し、本件契約書にも定期建物賃貸借契約である旨標題に明示し、その第３条で詳しく定めている。これらからすれば、本件契約書（ないしは本件原案）の交付により、定期建物賃貸借契約であることが十分認識できる内容の書面が交付されたといえる。

仮に、別個独立の書面を要すると解したとしても、上記経過からすれば、Ｘは、定期建物賃貸借契約であることを十分認識して本件契約を締結したといえ、このような場合にまで、独立の書面の交付がないことをもって更新がない旨の規定を無効と解すべきではない。

2 Ｘの主張

平成12年、建設省（現：国土交通省）が作成した「定期賃貸住宅標準契約書及び定期賃貸住宅契約についての説明書について」も示すとおり、借地借家法第38条第２項の「書面」とは、契約書とは別個独立の書面であることを要するものであり、本件では本件契約書とは別個独立の説明書面が作成交付されたことはない。

3. 裁判所の判断

双方の主張に対し、審理にあたった裁判所の判断は以下のようなものでした。

（1）原審の判断

原審（東京高裁平成22年３月16日判決）は、次のとおり判断して、本件賃貸借は定期建物賃貸借であり、期間の満了により終了したとして、Ｙの請求を認容すべきものとしました。

Ｘの代表者は、本件契約書には本件賃貸借が定期建物賃貸借であり契約の更新がない旨明記されていることを認識していたうえ、事前にＹから本件契約書の原案を送付され、その内容を検討していたこと等に照らすと、更に別個の書面が交付されたとしても本件賃貸借が定期建物賃貸借であることについてのＸの基本的な認識に差が生ずるとはいえないから、本件契約書とは別

個独立の書面を交付する必要性は極めて低く、本件定期借家条項を無効とすることは相当でない。[注2]

［注2］第一審においても、上記「当事者の主張」欄に記載されたAおよびBの争点に関し、以下のとおり原審と同様の判断がなされています。

上記Aに関して：本件契約締結の際、YからXに対し、借地借家法第38条に定める定期建物賃貸借契約であることの説明はされ、YとXは、本件契約が同条所定の定期建物賃貸借契約であることを十分認識して、これを締結したものと認められる。

上記Bに関して：本件において、Xの代表者は、本件契約書上、定期建物賃貸借契約であり更新がないと明記されていることを認識していた。さらに、本件では、事前に、本件原案がXに送付されており、少なくとも、Xにおいては本件契約書のみならず、本件原案という「書面」により事前に内容の検討をする機会が与えられ、実際、Xの提案書を作成するに際し検討もしていると認められるから、別個独立の説明書を要するとする必要性は極めて低い。

本件では、本件契約書以外に、別途の説明書を作成したとしても、Xの基本的な認識に差が生じることは考え難いところであり、別個独立の書面がないからといって、「更新がない」との合意を無効とする（本件契約が定期建物賃貸借契約ではないと解する）ことは相当ではない。

（2）最高裁の判断

これに対し、最高裁は次のとおり判断して、原判決を破棄し、借地借家法第38条所定の書面は、賃借人が、その契約にかかる賃貸借は契約の更新がなく、期間の満了により終了すると認識しているか否かにかかわらず、契約書とは別個独立の書面であることを要するとして、Yの請求を棄却しました。

○期間の定めがある建物の賃貸借につき契約の更新がないこととする旨の定めは、公正証書による等書面によって契約をする場合に限りすることができ（法第38条第１項）、そのような賃貸借をしようとするときは、賃貸人は、あらかじめ、賃借人に対し、当該賃貸借は契約の更新がなく、期間の満了により当該建物の賃貸借は終了することについて、その旨を記載した書面を交付して説明しなければならず（同条第２項）、賃貸人が当該説明をしなかったときは、契約の更新がないこととする旨の定めは無効となる（同条第３項）。

法第38条第１項の規定に加えて同条第２項の規定が置かれた趣旨は、定期建物賃貸借契約にかかる契約の締結に先立って、賃借人になろうとする者に対し、定期建物賃貸借は契約の更新がなく期間の満了により終了することを理解させ、当該契約を締結するか否かの意思決定のために十分な情報を提供することのみならず、説明においても更に書面の交付を要求することで契約の更新の有無に関する紛争の発生を未然に防止することにあるものと解される。

以上のような法第38条の規定の構造および趣旨に照らすと、同条第２項は、定期建物賃貸借にかかる契約の締結に先立って、賃貸人において、契約書とは別個に、定期建物賃貸借は契約の更新がなく、期間の満了により終了することについて記載した書面を交付したうえ、その旨を説明すべきものとしたことが明らかである。そして、紛争の発生を未然に防止しようとする同項の趣旨を考慮すると、上記書面の交付を要するか否かについては、当該契約の締結に至る経緯、当該契約の内容についての賃借人の認識の有無および程度等といった個別具体的事情を考慮することなく、形式的、画一的に取り扱うのが相当である。

したがって、法第38条第２項所定の書面は、賃借人が、当該契約にかかる賃貸借は契約の更新がなく、期間の満了により終了すると認識しているか否かにかかわらず、契約書とは別個独立の書面であることを要するというべきである。

これを本件についてみると、前記事実関係によれば、本件契約書の原案が本件契約書とは別個独立の書面であるということはできず、他にYがXに書面を交付して説明したことはうかがわれない。なお、Xによる本件定期借家条項の無効の主張が信義則に反するとまで評価し得るような事情があるともうかがわれない。

そうすると、本件定期借家条項は無効というべきであるから、本件賃貸借は、定期建物賃貸借に当たらず、約定期間の経過後、期間の定めがない賃貸借として更新されたこととなる（法第26条第1項）。

以上と異なる原審の判断には、判決に影響を及ぼすことが明らかな法令の違反がある。論旨は以上と同旨をいうものとして理由があり、原判決は破棄を免れない。そして、以上説示したところによれば、Yの請求は理由がないから、第一審判決を取り消し、上記請求を棄却することとする。

4. 判決から読み取る賃貸借上の留意点

前段にも述べたとおり、従来から、説明書面は契約書とは別個のものであることを要するという見解と、必ずしも契約書と別個のものであることを要しないという二つの見解が存在していましたが、それぞれの考え方を具体的に掲げれば以下のとおりです。

(1) 説明書面は契約書とは別個のものであることを要するという見解について

これに属する見解としては、例えば以下のものがあります。

「①借家人にとって定期賃貸借契約となるか通常の建物賃貸借契約となるかの選択は極めて重要であり、意思決定のための情報提供の機会は多いほうが望ましいこと、②条文の文言上、『同項（38条1項）の規定による建物賃貸借は契約の更新がなく、期間の満了により当該建物の賃貸借は終了することについて』とあり、契約の更新がないという定期賃貸借制度の一般的説明および当該建物の賃貸借が定期建物賃貸借であって期間の満了とともに終了すべきことをそれぞれ説明するよう求めていると解釈できることに照らし、やはり、当該建物賃貸借についての契約書を交付するだけでは不十分であり、これとは別個に説明文書としての書面を作成して予め交付する必要があると解すべきであろう[注3]。」

［注３］基本法コンメンタール『借地借家法』（第二版補訂版）、日本評論社、p.115、木村保男、田山輝明執筆部分。

上記見解は、次のごとく立法過程における定期借家制度の趣旨を踏まえたものと思われます。

「立法に際しては、契約の締結に先立って借家人となろうとする者が当該契約が定期借家契約であることを十分理解した上で契約を締結するか否かを判断できるように書面の交付と説明を要求するものである以上、事前交付書面と契約書面とは作成・使用される時期も趣旨も異なるので別個のものとなる、と考えられていたようである[注4]。」

［注４］前掲稿［注３］、p.115

（2）説明書面は必ずしも契約書と別個のものであることを要しないという見解について

これに属する見解としては、例えば以下のものがあります。

「賃貸人が賃借人に交付すべき書面には、当該賃貸借は借地借家法38条１項の規定による定期借家であり、契約の更新はなく、期間の満了により賃貸借は終了する旨記載することになるが、この交付書面については、建物賃貸借契約書に記載することをもって足りるのか、それとも賃貸借契約書とは別個の書面を作成すべきかが問題となる。しかし、規定上は書面の種類を限定していないから、賃貸借契約書では不可とする理由はない。当該書面の交付および説明は、定期借家契約の締結に先立ってなされればよく、この要件が満たされるのであれば、その旨記載された賃貸借契約書でも当該書面ということができる。また、賃貸借契約書にはその旨記載しないと、『契約の更新がないこととする旨』定めたことにはならないので、当然記載されるべきものといえる。もっとも、賃貸借契約書と別個の説明書面を作成して交付してもよいが、同書面と当該賃貸借の関連を明らかにしておく必要がある。[注5]」

［注5］澤野順彦『定期借家の実務と理論』住宅新報社、2000年2月、p.169

なお、このような見解に従った下級審判決として東京地裁平成19年11月29日判決（判例タイムズ1275号206頁）も現れましたが、本件最高裁判決の登場により説明書面は契約書とは別個独立のものであることを要するとの明確な判断がなされました。

本件最高裁判決に先立つものとして、説明書面の必要性の有無に関して生じた紛争事例を扱った最高裁平成22年7月16日判決（判例時報2094号58頁）では、借地借家法第38条第2項においては説明書面は契約に先立ち、契約書とは別個に交付するものとしている旨判示しましたが、本件最高裁判決はこのことをより具体的、かつ鮮明に方向付けしたといえます。

以下、本件最高裁判決の結論を踏まえて賃貸借にかかる実務上の留意点を掲げてみます。

① 賃貸人が賃借人に対し、定期建物賃貸借契約とは別個の説明書面を交付して説明しなかった場合、契約書のなかに説明書面を交付することを確認する旨の条項が入っていたとしても、実際にこれが交付されていない限り、契約書の記載のみによっては定期建物賃貸借契約が成立したとは扱われないこととなります。賃貸人から賃借人に対し、実際に説明書面を交付したことが立証されない限り、要件を満たしません。

② 借地借家法第38条第2項は、立法の過程において、定期建物賃貸借の制度を賃借人に明確に認識させるためには契約書の作成だけでは不十分であり、賃借人保護の観点から賃貸人に対し事前の書面の交付と説明義務を課すために追加された条項であるとされています。

このような趣旨を踏まえ、当時の建設省（現：国土交通省）では「定期賃貸住宅標準契約書」とは別に「定期賃貸住宅契約についての説明」書面を作成している点に留意すべきです（平成12年1月26日付建設省住宅局民間住宅課)。

③ 説明書面には、これから締結しようとする契約が借地借家法第38条第1項に基づく定期建物賃貸借契約であり、正当事由の規定(同法第28条)および法定更新の規定(同法第26条)が排除され、期間の満了とともに終了することを記載する必要があります(その一例を**図表1**に掲げます。前記②の国土交通省作成資料の趣旨を踏まえたものです)。そして、賃貸人はこのような記載書面を賃借人に交付したうえで、さらに当該契約が定期建物賃貸借契約である旨の説明をしなければならないといえます。

図表1　定期建物賃貸借契約に関する説明書

令和○年○○月○○日

定期建物賃貸借契約に関する説明書

貸主　所在　○○県○○市○○町○丁目○番○号
　　　名称　○○○○

下記物件について、定期建物賃貸借契約を締結するにあたり、借地借家法(以下「法」という。)第38条第2項に基づき、次のとおり説明いたします。

下記建物の賃貸借契約は、法第38条1項の規定に基づく定期建物賃貸借契約であり、法第26条および第28条の規定による更新がなく、賃貸借期間満了により終了いたします。

賃貸借期間満了日の翌日を始期とする新たな賃貸借契約を締結する場合を除き、借主は賃貸借期間満了日までに下記物件を明け渡さなければなりません。

記

1．建物

所在　○○市○○区○○町○○番○の土地上
名称　鉄骨造2階建事務所　延500.00m²

２．賃貸借予定期間

始期　　令和○年○月○日
終期　　令和○○年○○月○○日

以上

上記物件について、貴殿から法第38条第２項に基づく書面の交付と説明を受けましたので確認の上、署名・押印をします。

令和○年○○月○○日
賃借人　所在　○○県○○市○○町○丁目○番○号
名称　○○○○株式会社

④ 当該契約が定期建物賃貸借契約であることの説明義務は賃貸人が負っていますが、賃貸人が一般人の場合、宅建業者に媒介を依頼することが多いといえます。この場合、上記説明は賃貸人自身が行ってもよいのですが、宅建業者が行う場合は、仲介者という立場で上記説明を行っても説明義務が履行されたことにはなりません。仮に宅建業者が上記説明を行う場合には、宅建業者は賃貸人を代理して説明するという立場であることが必要です。このようなケースでは、賃貸人から宅建業者に対して代理権が授与されていることを証する書面（委任状）の発行が必要となります。対象不動産（特に権利の態様）の確認に際し、定期建物賃貸借契約の締結に先立って説明書面が交付されているか否かを調査する際には、このような点にも留意する必要があります。

また、借地借家法第38条第２項には「あらかじめ」という文言が入っていることから、説明書面の交付と説明は定期建物賃貸借契約の締結に先立つものでなければなりません。

⑤ 借地借家法上の定期建物賃貸借に関する事前説明と宅地建物取引業法上の重要事項説明は別のものですが、国土交通省では、一定の要件を満たすことにより事前説明を重要事項説明と併せて実施することが可能である旨の通知を発しています。**図表２**と**図表３**に当該通知を掲げます。

図表２　事前説明および重要事項説明に関する通知

国土動第133号
国住賃第23号
平成30年２月28日

各業界団体の長あて

国土交通省土地・建設産業局不動産業課長

国土交通省住宅局住宅総合整備課長

定期建物賃貸借に係る事前説明におけるITの活用等について

空き家等の有効活用やIT利活用の裾野拡大等の観点から、今般、定期建物賃貸借に係る事前説明におけるテレビ会議等のITの活用等について、下記のとおり整理したので、貴団体におかれても、貴団体加盟の会員に対する周知及び指導を行われたい。

なお、テレビ会議等のITを活用した宅地又は建物の賃借の代理又は媒介に係る重要事項の説明については、平成29年10月１日から可能となっている。

また、本件については、法務省民事局と協議済みであることを申し添える。

記

1　事前説明におけるITの活用について

テレビ会議等のITを活用した借地借家法（平成３年法律第90号）第38条第２項の規定に基づく事前説明（以下「事前説明」という。）については、次に掲げるすべての事項を満たしている場合、対面による事前説明と同様に取り扱うことが可能である。

なお、賃貸人は、ITを活用した事前説明を開始した後、映像を視認できない又は音声を聞き取ることができない状況が生じた場合には、直ちに説明を中断し、当該状況が解消された後に説明を再開するものとする。

(1) 賃貸人及び賃借人が、事前説明に係る書面（以下「事前説明書」という。）及び説明の内容について十分に理解できる程度に映像を視認でき、かつ、双方が発する音声を十分に聞き取ることができるとともに、双方向でやりとりできる環境において実施していること

(2) 事前説明書を、賃借人にあらかじめ送付していること

(3) 賃借人が、事前説明書を確認しながら説明を受けることができる状態にあること並びに映像及び音声の状況について、賃貸人が事前説明を開始する前に確認していること

⑷ 賃貸人の代理人が事前説明を行う場合には、委任状等の代理権の授与を証する書面を提示し、賃借人が、当該書面を画面上で視認できたことを確認していること

2 事前説明を重要事項説明とあわせて実施することについて

定期建物賃貸借においては、賃貸人が賃借人に対し、事前説明書を交付して、事前説明を行うことが求められるが、重要事項説明書において、次に掲げる事項を記載し、当該重要事項説明書を交付して、賃貸人から代理権を授与された宅地建物取引士が重要事項説明を行うことで、事前説明書の交付及び事前説明を兼ねることが可能である。

⑴ 本件賃貸借については、借地借家法第38条第1項の規定に基づく定期建物賃貸借であり、契約の更新がなく、期間の満了により終了すること

⑵ 本重要事項説明書の交付をもって、借地借家法第38条第2項の規定に基づく事前説明に係る書面の交付を兼ねること

⑶ 賃貸人から代理権を授与された宅地建物取引士が行う重要事項説明は、借地借家法第38条第2項の規定に基づき、賃貸人が行う事前説明を兼ねること

なお、後のトラブルを防止するためには、賃借人から、これらの説明を受けたことについて、記名押印を得ることが望ましい。具体的な記載等については、別添を参考にされたい。

また、賃貸人は、宅地建物取引士に対し、定期建物賃貸借の期間よりも長期にわたって、契約締結に係る業務についての代理権を授与することも可能だが、この場合においては、当初の定期建物賃貸借の期間満了後、再度、定期建物賃貸借の契約を締結することとなったときにも、上記対応が可能となるよう、当該再契約時にも代理権が有効であることを明確にするため、委任状等に代理権が授与されている期間等を明記し、交付しておくことが望ましい。

以上

（別添）

○重要事項説明書における定期建物賃貸借に係る記載例

【契約期間及び更新に関する事項】

定期建物賃貸借に係る説明については、借地借家法第38条第２項の規定に基づき、前記宅地建物取引士が貸主の代理人として行う事前説明を兼ねています。

<table>
<tr><td rowspan="3">契約
期間</td><td rowspan="3">（始期）　年　月　日
（終期）　年　月　日</td><td rowspan="3">年　月間</td><td>一般借家契約</td></tr>
<tr><td>定期建物賃貸借契約</td></tr>
<tr><td>終身建物賃貸借契約</td></tr>
<tr><td>更新に
関する
事項</td><td colspan="3">本件住宅の賃貸借契約は、借地借家法第38条第１項の規定に基づく定期建物賃貸借契約であり、更新がなく、期間の満了により賃貸借は終了しますので、期間の満了の日を翌日とする新たな賃貸借契約（再契約）を締結する場合を除き、期間の満了の日までに、本件住宅を明け渡さなければなりません。</td></tr>
</table>

【借主の記名押印欄】

前記宅地建物取引士から宅地建物取引証の提示があり、重要事項説明書を受領し、重要事項について説明を受けました。

あわせて、貸主から当該宅地建物取引士に対する代理権の授与を証する書面の提示があり、本重要事項説明書を借地借家法第38条第２項の規定に基づく書面を兼ねるものとして受領し、同項の規定に基づく事前説明を受けました。

平成　　年　　月　　日

借主（住所）

（氏名）　　　　　　　　　　　　㊞

図表3　事前説明および重要事項説明に関する通知（補足）

事　務　連　絡
平成30年7月12日

各業界団体の長　殿

国土交通省土地・建設産業局不動産業課長

国土交通省住宅局住宅総合整備課長

「定期建物賃貸借に係る事前説明におけるITの活用等について
（平成30年2月28日国土動第133号及び国住賃第23号）」について

空き家等の有効活用やIT利活用の裾野拡大等の観点から、定期建物賃貸借に係る事前説明におけるテレビ会議等のITの活用等について、「定期建物賃貸借に係る事前説明におけるITの活用等について」（平成30年2月28日国土動第133号土地・建設産業局不動産業課通知及び国住賃第23号住宅局住宅総合整備課長通知。以下「運用通知」という。）により、借地借家法（平成3年法律第90号）第38条第2項の規定に基づく事前説明（以下「事前説明」という。）及び宅地建物取引業法（昭和27年法律第176号）第35条の規定に基づく重要事項の説明（以下「重要事項説明」という。）をあわせて実施する場合の取扱いを通知したところであるが、当該通知について下記のとおり補足するので、貴団体におかれても、貴団体加盟の会員に対する周知及び指導を行われたい。

また、本件については、法務省民事局と協議済みであることを申し添える。

記

1　事前説明におけるITの活用について

事前説明については、借地借家法第38条第2項等により、書面を交付して説明する必要があるとされているところ、従来、電話の説明によることも可能と解されてきたところである。運用通知においては、テレビ会議等のITを活用した場合についても、電話による説明同様に事前説明とするための取扱いを示したものであり、従来の借地借家法等の解釈を変更するものではない。

また、賃貸人の代理人が事前説明を行う場合に委任状等の代理権を証する書面を提示することとしたところであるが、テレビ会議等の場合において、賃借人と面識のない代理人が説明を行う場合であってもトラブルを極力防止する必要等から、取引実務においては、代理人から委任状の交付が行われることが多いのが実態であることを踏まえ、代理人であることを確認するための手続の例示として記載したものである。すなわち、民法第99条は、代理行為は本人のためにすることを示してした意思表示により効力を生じるとし、その方法を定めていないところであり、この点も含め、運用通知は代理行為の効力発生に係る民法等の解釈を変更するものではない。

2　事前説明を重要事項説明とあわせて実施する場合の重要事項説明書上の記載について

そもそも事前説明と重要事項説明は、それぞれ別個の説明義務であるとされており（平成12年2月22日建設省経動発第21号経済局不動産業課長通知）、いずれか1つがあれば足りるということではなく、両方とも行う必要があるとされている。

これらをあわせて実施する場合であっても、法律上は、当該契約が定期建物賃貸借契約であり、契約の更新がなく、期間の満了により終了する旨が記載されていれば借地借家法第38条第2項の事前説明のための書面としての要件は満たされ、定期建物賃貸借契約は成立するところである。一方、運用通知は、重要事項説明書に事前説明の内容を記載することで事前説明と重要事項説明をあわせて行うことについて賃借人との間に誤解が生じないよう、同2（2）及び（3）の事項を重要事項説明書に記載し、賃借人に交付して説明することにより事前説明書の交付及び事前説明を兼ねる場合における一定の方法を例示したものであり、これによって定期建物賃貸借契約の成立要件に変更を加えるものではないことを申し添える。

なお、運用通知別添に示した「重要事項説明書における定期建物賃貸借に係る記載例」は、重要事項説明書の一連の記載と併せて記載することを想定したものであり、重要事項説明書と別に別添の書面を用意することを想定するものではない。今般、事前説明書を兼ねる重要事項説明書の例を作成（別添）したので、参考とされたい。

以上

⑥ 賃貸人（代理人としての宅建業者も同様）が上記説明義務を履行しなかった場合でも、当該契約自体が無効となるわけではなく、更新排除特約の部分だけが無効とされます。したがって、本件最高裁判決の結果からも読み取れるとおり、当該契約は定期建物賃貸借契約ではなく、普通建物賃貸借契約として扱われてしまう点に十分留意が必要です。

定期建物賃貸借契約の締結に先立つ説明書面の交付という問題は賃貸借の実務だけに関係するものではありません。本件判決の内容からも読み取れるように、定期建物賃貸借契約書が取り交わされていても説明書面が交付されていなければ、契約終了時点において当事者間に紛争が生じた場合には、当該契約は賃貸人が本来意図する定期建物賃貸借契約ではなく、期間の定めのない普通建物賃貸借契約として取り扱われ、契約が継続することとなります。いくら期間の定めのない契約であって、賃貸人はいつでも解約を申し入れることができるとしても、普通建物賃貸借契約である以上、それが認められるためには正当事由が必要となることは改めて述べるまでもありません。

このような意味で、本件判決の結果は賃貸借の実務にあたっても十分念頭に置くべきであり、契約書上は「定期建物賃貸借契約書」と記載されていても、説明書面が交付されていないケースがあり得ることに留意し、安易に対象不動産の確認を済ませてはならないといえます。

3

裁判例 3

借家の更新料の有効性をめぐる最高裁判決（最高裁平成23年７月15日判決、民集65巻５号2269頁）

従来、更新料といえば、借家の場合よりもむしろ借地に関して問題とされることが多かったといえます。それは、借家権に比べて借地権のほうが取引慣行の成熟度が高く、かつ存続期間も長いことから、契約更新にかかる一時金も借家の場合よりも借地のほうが多額にわたっているためです。

しかし、過去数年の間に、借家の更新料の有効性をめぐり、消費者契約法との関連で結論の異なる下級審判決が相次いで下され、借家の更新料に対する関心が高まるなか、最高裁判決により統一的な考え方が示されました。

借地の場合であれ借家の場合であれ、更新料の支払義務に関しては借地借家法に何らの規定は置かれていません。そのため、更新料の性格に関しては様々な見解が唱えられてきました。このような事情は現在も変わりありません。

以下、更新料の有効性をめぐる最高裁判決の趣旨を取り上げた後、このような問題が関心を持たれるようになった背景を探るため、次項では更新料に関連する下級審判決を三つ取り上げ、問題の本質を検討する素材を提供したいと思います。

なお、最高裁判決の紹介にあたってはその結論と要旨のみ簡潔に記すこととし、更新料の性格や消費者契約法との関連をはじめとする詳細な内容については下級審判決のなかで取り上げることとしました。

本項に関連する最高裁判決として、賃貸借契約書に一義的かつ具体的に記載された更新料条項は、更新料の額が賃料の額、賃貸借契約が更新される期間等に照らし高額にすぎる等の特段の事情がない限り、消費者契約法第10条にいう「民法第１条第２項に規定する基本原則に反して消費者の利益を一方的に害するもの」に該当しないとされた事例（最高裁平成23年７月15日判決、民集65巻5号2269頁）があります。

本件最高裁判決においては、上記更新料条項を消費者契約法第10条により無効とした原審の判断を是認することができないと判示しましたが、その理由（要旨）は次のとおりです。

① 更新料は、期間が満了し賃貸借契約を更新する際に、賃借人と賃貸人との間で授受される金銭であるが、これがいかなる性質を有するかは、賃貸借契約成立前後の当事者双方の事情、更新料条項が成立するに至った経緯その他諸般の事情を総合考慮し、具体的事実関係に即して判断されるべきである（最高裁昭和58年（オ）第1289号同59年4月20日第二小法廷判決、民集38巻6号610頁参照）。

更新料は、賃料と共に賃貸人の事業の収益の一部を構成するのが通常であり、その支払いにより賃借人は円満に物件の使用を継続することができることからすると、一般に、（ア）賃料の補充ないし前払い、（イ）賃貸借契約を継続するための対価等の趣旨を含む複合的な性質を有するものと解するのが相当である。

② 消費者契約法第10条は、消費者契約の条項を無効とする要件として、当該条項が民法等の法律の公の秩序に関しない規定、すなわち任意規定の適用による場合に比し、消費者の権利を制限し、または消費者の義務を加重するものであることを定めている。ここにいう任意規定には、明文の規定のみならず一般的な法理等も含まれる。

更新料条項は、一般的には賃貸借契約の要素を構成しない債務を特約により賃借人に負わせるという意味において、任意規定の適用による場合に比し、消費者である賃借人の義務を加重するものにあたる。しかし、更新料の支払いには合理性がないということはできず、また、一定の地域においては賃借人が更新料の支払いをする例が少なからず存することは公知である。さらに、従前から裁判上の和解手続等においても、更新料条項は公序良俗に反する等としてこれを当然に無効とする取扱いはなされてこなかった。

③ このような事実を踏まえれば、賃貸借契約書に一義的かつ具体的に記載された更新料条項は、更新料の額が賃料の額、賃貸借契約が更新される期間等に照らし高額にすぎる等の特段の事情がない限り、消費者契約法第10条にいう「民法第１条第２項に規定する基本原則に反して消費者の利益を一方的に害するもの」にはあたらない。

［注］本件に関する一審判決：京都地裁平成21年９月25日
　　　本件に関する二審判決：大阪高裁平成22年２月24日

4 裁判例 4

借家の更新料の有効性をめぐる下級審判決（大阪高裁平成21年８月27日判決、大阪高裁平成21年10月29日判決、京都地裁平成22年10月29日判決）

借家の更新料の有効性をめぐっては前項の最高裁判決により統一的な方向性が打ち出されました。しかし、更新料の性格は多様であり、しかもどの範囲（どの金額）までが有効であるかに関しては画一的な見方は存在しません。その意味で、下級審といえどもこれから掲げるいくつかの裁判例に目を通しておくことは有用と思われます。

借地契約や借家契約の期間が満了した際、賃貸人と賃借人との間で更新料を授受することにより契約更新を行っているケースは従来から多く見られましたが、消費者契約法が施行（平成13年４月１日）された後、同法との関連で借家の更新料の有効性をめぐる問題が裁判上でも提起されるに至りました。

これらは、訴訟上の根拠法令が民法第90条（公序良俗）や消費者契約法第10条（消費者の利益を一方的に害する条項の無効）とされているとはいえ、消費者契約法の適用されない借家契約で授受されている更新料の有効性とも深く関連するため、その動向が注目されていました。

問題の発端は、借家の更新料の有効性をめぐり、同じ大阪高裁で結論の異なる二つの判決が２か月の間に相次いでなされたことにありました（更新料支払条項を無効とした大阪高裁平成21年８月27日判決、更新料支払条項を有効とした大阪高裁平成21年10月29日判決）。そのため、最終結論が最高裁に持ち越されることとなったわけです。

また、上記の二つの判決とは別の視点から更新料支払条項を有効とした京都地裁平成22年10月29日判決も登場しました。

以下、最初に更新料の法的性質を述べたうえで、上記に掲げた結論の異なる三つの判決が更新料の性質をどのようにとらえ、どのような根拠で有効または無効と判断しているのかを中心に述べます。

(1) 更新料の法的性質

民法および借地借家法には賃貸借契約の更新に関する規定が設けられていますが（民法第619条、借地借家法第26条第１項、同法第28条）、更新料に関しては何らの規定も設けられていません。そのため、更新料の定義を法律の条文上で見出すことはできませんが、一般的には、更新料とは土地や建物の賃貸借契約の期間が満了した際、契約の更新に伴って賃借人から賃貸人に支払われる金銭（一時金）であると理解されています。なぜなら、実際に授受された更新料がこのような意味合いでとらえられてきたからです。

●民法

（賃貸借の更新の推定等）

第619条　賃貸借の期間が満了した後賃借人が賃借物の使用又は収益を継続する場合において、賃貸人がこれを知りながら異議を述べないときは、従前の賃貸借と同一の条件で更に賃貸借をしたものと推定する。この場合において、各当事者は、第617条の規定により解約の申入れをすることができる。

２　（省略）

●借地借家法

（建物賃貸借契約の更新等）

第26条　建物の賃貸借について期間の定めがある場合において、当事者が期間の満了の１年前から６月前までの間に相手方に対して更新をしない旨の通知又は条件を変更しなければ更新をしない旨の通知をしなかったときは、従前の契約と同一の条件で契約を更新したものとみなす。ただし、その期間は、定めがないものとする。

２～３　（省略）

更新料の授受が法律上の明確な規定なくして行われてきたことから、その性質や支払いの根拠等をめぐり様々な見解が唱えられてきました。

そこで、更新料の支払いを肯定する代表的な見解を掲げると、以下のとおりです。

1 更新拒絶権放棄の対価とするもの

この見解によれば、賃貸人は更新料を受け取ることと引き換えに賃借人に対する更新拒絶権を放棄し、更新に応ずるというものです。

2 賃借権強化の対価とするもの

この見解によれば、賃借人が更新料を支払って合意更新することにより契約は期間の定めのあるものとなり（＝当該契約に定められた期間が満了するまでは賃貸人からの解約申入れはないことが保証されます)、このことが法定更新の場合に比べて賃借権を強化することにつながるとするものです。

3 賃料の補充とするもの

これには、賃料の後払いとする見解と前払いとする見解とがあります。前者の考え方によれば、過去に徴収した賃料が安めであったことからこれを補充する意味で授受され、後者の考え方によれば、更新後の契約期間に生じるであろう同様の不足分をあらかじめ徴収しておく意味合いで授受されるといえます。

なお、更新料支払特約を有効とした過去の裁判例は多いのですが、判例のなかには、東京地裁昭和50年９月22日判決（判例時報810号49頁）のように更新料の法的性質を賃料の前払いとして明確にとらえているケースも見受けられます。

●東京地裁昭和50年９月22日判決（一部抜粋）

「近時、東京都内において、建物の賃貸借契約の締結に際し、将来契約が更新される場合更新料として何か月かの賃料相当額の金員を支払う旨合意される事例が必ずしも少なくないことは、当裁判所には職務上顕著である。（中略）このような更新料支払いの合意は、他にこれを妨げる特段の約定がない限り、期間満了時において賃貸人が賃借人に対し、合意した一定額を受領し契約を更新する旨の意思表示をした場合には、それまでと同一の契約内容（期間の点も含む。）で賃貸借契約が新規に成立する（合意更新）が、同時に賃借人には約定の賃料とは別に賃料（物件使用の対価という意味での）前払として当該一定額を支払う義務が発生する、とする趣旨の合意と解するのが相当である。」

ただし、現実には、当該更新料が前記**1**から**3**のいずれに該当するか等の約定を当事者間で取り交わすケースはほとんどなく、賃借人からすればこれを慣行と考え、あるいは更新の際に必要な金銭（手数料的なもの）とみてやむを得ず支払っているケースが多いのではないでしょうか。

そのため、前記**1**から**3**の見解も、更新料の支払事実を後から根拠付けたものという意味合いが強いといえます。

更新料支払いの有効性に関しては、上記裁判例をはじめこれを肯定したものが多くみられる半面、否定したものも多くあります。個々の事案により結論は相違していますが、大方の傾向として合意更新の場合はその支払特約を有効とみており、法定更新の場合は更新料の支払いを無効としているものが多いといえます。ただし、法定更新の場合であっても、事案の背景にある特殊な事情により更新料の支払いを命ぜられたケースがあり、画一的な結論が導かれてはいない点に留意が必要です。

借地借家法の趣旨からすれば、一般的には賃貸人が更新拒絶のための正当事由を具備していない限り、賃借人からの更新料の支払いがなくとも契約は更新されるということになります。そのため、賃借人が賃貸人に対して更新料の支払義務を負うとすればその根拠は何かが問題となるわけです。

これに関し、東京高裁昭和62年５月11日判決（金融・商事判例779号33頁）では、「建物賃貸借の更新に際し更新料を支払う慣習の有無」をめぐり、更新料の支払いが慣習として成立しているとはいえず、法定更新にあたり更新料の支払いを要しない旨を判示しています。なお、借地の例ですが、最高裁昭和51年10月1日判決（判例時報835号63頁）でも、宅地賃貸借契約の法定更新に際して賃借人が賃貸人に更新料を支払う旨の商慣習ないし事実たる慣習は存在しないと判示しています。

これらの事情を鑑みれば、賃借人が賃貸人に対して更新料の支払義務を負担するのは、賃貸借契約において賃借人が賃貸人に対して更新料を支払う旨を合意した場合、すなわち契約の拘束力の一場面として更新料の支払義務が発生するにすぎず、更新料は契約自由の原則の適用場面の一つとして、実務上利用されてきたものであるといえます[注]。過去の判例で更新料の有効性を認めたものの多くはこの視点に立つものです。

[注] 江口正夫「更新料の有効性に関する最近の判決の分析と課題」『Evaluation』第36号、p.42

（2）更新料の有効性をめぐる最近の裁判例

更新料をめぐる過去の裁判例では、争点の前提とされた事実が合意更新によるものか（さらに、契約書のなかに更新料支払特約を含むか否か）、法定更新によるものかが有効性を左右する重要な要因となっていました。

しかし、消費者契約法との関連において下された最近の判決は過去の判例とは視点を異にしています。すなわち、更新契約の内容が合意更新によるものか法定更新によるものかにより更新料支払いの有効性を争っているのではなく、賃借人が一度更新料を支払っているにもかかわらず、消費者契約法との関連において改めてその有効性が問われているからです。

以下、冒頭に掲げた結論の異なる三つの判決を掲げ、その内容を比較検討してみます。

なお、判決の要点を**図表4**に整理したため、これを参照しながら読んでいただければ幸いです。

図表4　更新料支払特約をめぐる三つの判決

項　目	大阪高裁平成21年８月27日判決	大阪高裁平成21年10月29日判決	京都地裁平成22年10月29日判決
一審	京都地裁平成20年１月30日判決	大津地裁平成21年３月27日判決	更新料特約は有効
控訴審での結論	更新料特約は無効	更新料特約は有効	――
契約の内容	居住用建物賃貸借契約（共同住宅） （賃貸期間）　１年間 （賃料）　月額45,000円 共益費等を含む （礼金）　60,000円 （敷金）　60,000円 （更新料）　100,000円	居住用建物賃貸借契約（共同住宅） （賃貸期間）　２年間 （賃料）　月額52,000円 （共益費）　月額2,000円 （礼金）　200,000円 （敷金）　200,000円 （更新料）　旧賃料の２か月分	居住用建物賃貸借契約（共同住宅） （賃貸期間）　１年間 （賃料）　月額48,000円 （共益費）　月額11,000円 （敷金）　300,000円 （敷引250,000円） （更新料）　100,000円 （水道代）　月額2,000円
事案の概要	建物の一室に居住していた賃借人が、更新料支払いの約定は消費者契約法第10条または民法第90条に反し無効であると主張し、過去５回にわたって支払った更新料（500,000円）の返還を求めた（一審はこれを有効、本判決は無効として賃貸人に更新料の返還を命じた。民法第90条に反しない点では一審および本判決とも同様）。	同様に、建物の一室に居住していた賃借人が、更新料支払いの約定は消費者契約法第10条または民法第90条に反し無効であると主張し、過去３回にわたって支払った更新料（１回目、２回目はそれぞれ104,000円、３回目は52,000円、合計260,000円）の返還を求めた（一審、本判決とも更新料特約を有効とした。民法の規定に反しない点は一審および本判決とも同様）。	同様に、建物の一室に居住していた賃借人が、更新料支払いの約定は消費者契約法第10条に反し無効であると主張し、過去３回にわたって支払った更新料（300,000円）の返還を求めた（本判決は更新料特約を有効とした）。
更新料の法的性質	一審では、①更新拒絶権放棄の対価、②賃借権強化の対価の性質は希薄であるとしたが、③賃料の補充としての性質を認めた。本判決では①、②、③とも否定した。	一審では、左記③の性質を有するものと認めた。本判決では①、②、③とも否定したものの、更新料の性質を賃貸借期間の長さに相応して支払われるべき賃借権設定の対価の追加分（補充分）とした。	本判決では左記見解とは視点を変え、更新料の性格を、 ・賃貸借契約期間が満了した場合には賃料に、 ・賃借人が途中解約した場合には、既経過部分については賃料に、未経過分については違約金 として扱っている。
消費者契約法との関連	更新料特約は消費者契約法に違反し無効（第10条前段および後段に該当）	更新料特約は消費者契約法に違反せず有効（第10条前段に該当するが後段には該当せず）	更新料特約は消費者契約法に違反せず有効（第10条前段に該当するが後段には該当せず）

❶大阪高裁平成21年８月27日判決（判例時報2062号40〜56頁）

本件は京都地裁平成20年１月30日判決の控訴事件であり、**図表４**中の「事案の概要」に示すとおり、居住用建物の借家人が過去５回にわたって支払った更新料につき、これが消費者契約法第10条または民法第90条に反し無効であるとして争っていたものです。

一審判決では更新料の支払いを有効としていましたが、控訴審判決では反対に無効とされ、裁判所は賃貸人に対し更新料の全額を賃借人に返還するよう命じました。

契約の内容は賃貸期間を１年間、賃料は月額45,000円とし、更新の際に更新料100,000円を賃借人から賃貸人に支払うというものですが、控訴審判決では本件更新料が更新拒絶権放棄の対価、賃借権強化の対価、賃料の補充のいずれにも該当しないとされました。さらに、後掲する理由により、本件更新料特約が消費者契約法第10条に違反するものであるとされています。また、契約締結時および更新時に更新料の趣旨が賃借人に説明されていないこと等も考慮されました。

ちなみに、賃借人が更新料返還請求の根拠とした消費者契約法第10条および民法第90条の規定は次のとおりです（裁判当時の条文であり、現在は条文の文言が若干変更されています）。

◉消費者契約法

（消費者の利益を一方的に害する条項の無効）

第10条　民法、商法（明治32年法律第48号）その他の公の秩序に関しない規定の適用による場合に比し、消費者の権利を制限し、又は消費者の義務を加重する消費者契約の条項であって、民法第一条第二項に規定する基本原則に反して消費者の利益を一方的に害するものは無効とする。

◉民法

（公序良俗）

第90条　公の秩序又は善良の風俗に反する事項を目的とする行為は、無効とする。

控訴審判決では、民法第90条との関連に関しては、授受された更新料の金額に照らし、消費者契約法の施行前であった当初の本件契約締結時点では、更新料約定を公序良俗に反するとまでは言い難いとしています。以下は、控訴審判決における更新料の法的性質に関する考え方および消費者契約法に照らした場合の妥当性に関する判断の部分につき、要旨を整理したものです。

1)　更新料の法的性質

① 更新拒絶権放棄の対価との関連

不動産賃貸業者である賃貸人がその事業の一環として行う本件賃貸借契約のように、専ら他人に賃貸する目的で建築された居住用物件の賃貸借契約においては、もともと賃貸人は賃料収入を期待して契約を締結している。このため、建替えが目論まれる場合等頻度の少ない例外的事態を除けばそもそも更新拒絶をすることは想定し難く、賃借人も更新拒絶があり得ることは予測していないのが普通の事態である。

仮に、例外的な事態として賃貸人が更新拒絶をしたとしても、建物の賃借人は正当事由があると認められる場合でなければ建物賃貸借契約の更新拒絶をすることはできず、賃貸人の自己使用の必要性は乏しい。したがって、通常は更新拒絶の正当事由は認められないと考えられることから、更新料が一般的に賃貸人による更新拒絶権放棄の対価の性質を持つと説明することは困難である。

② 賃借権強化の対価との関連

更新料を支払って合意更新すれば、（法定更新と異なり）期間の定めのある賃貸借契約となり賃借人にとって利益が存すると考えれば、本件賃貸借契約における更新料は賃借権強化の性質を有するとみえなくもない。

しかしながら、本件賃貸借契約においては、契約期間が１年間という借地借家法上認められる最短期間であって、合意更新により解約申入れが制限されることにより賃借権が強化される程度はほとんど無視してよいのに近い。

また、上記①の更新拒絶の場合と同様に、本件賃貸借契約のように専ら他人に賃貸する目的で建築された居住用物件の賃貸借契約においては、通常は賃貸人からの解約申入れの正当事由は認められないと考えられる。

したがって、本件更新料を賃借権強化の対価として説明することも難しい。

③ 賃料の補充との関連

本件の賃貸人および仲介業者は、当初の本件賃貸借契約締結までに、またそれ以降契約更新時までに賃借人に対し、本件更新料につき契約更新時に支払われる金銭であること以外に、その授受の目的、性質等につき何らの説明も行っていない（このことからすれば、本件更新料は単に契約更新時に支払われる金銭という以上の認識はなかったものと推認される）。

また、仮に本件更新料が本来賃料であるとすれば当然備えているべき性質（例えば、前払賃料であれば賃借人にとって有利な中途解約の場合の精算）も欠いている以上、当事者双方がこれを賃料として認識していたということはできず、法律的にこれを賃料として説明することは困難である。よって、本件更新料が賃料の補充としての性質を持っているということもできない。

④ 本件更新料の性質について

本件更新料は、あらかじめ次の更新時に賃借人が賃貸人に定額の金銭支払いを約束するものでしかなく、特にその性質も対価となるべきものも定められておらず、法律的には容易に説明することが困難で、対価性の乏しい給付という他はない。

2) 消費者契約法に照らした場合の妥当性

① 本件更新料は更新の際に支払われる対価性の乏しい給付であり、民法が適用される場合に比べて賃借人の義務を加重するものである（消費者契約法第10条前段に該当）。

② 本件賃貸借契約の期間が借地借家法上認められる最短期間である1年間という短期間であるにもかかわらず、更新料の金額は100,000円であり、月払いの賃料の金額（45,000円）と比較してかなり高額である。

法定更新の場合には更新に条件を付することはできないため、更新料を支払う必要はないと解すべきであるから（強行規定との関連）、このような高額の支払いをすることは賃借人にとって相当大きな経済的負担となることは明らかである。

③ 本件更新料約定のもとでは、それがない場合と比べて賃借人に相当大きな経済的負担が生じるのに、本件更新料約定には賃借人が負う金銭的対価に見合う合理的根拠を見出すことはできない。むしろ、(本件更新料の授受により)一見低い月額賃料を明示して賃借人を誘引する効果があること、本件においては賃借人は借地借家法の強行規定の存在から目を逸らされており、賃貸人および賃借人との間に情報収集力に大きな格差があったことは否定できないことから、賃借人は実質的に対等にまた自由に取引条件を検討できないまま契約に至ったものである。このため、本件更新料約定は「民法第一条第二項に規定する基本原則に反して消費者の利益を一方的に害するもの」(消費者契約法第10条後段に該当)といえる。

④ 以上のことから、本件更新料約定は消費者契約法第10条に違反し無効である。

2 大阪高裁平成21年10月29日判決（判例時報2064号65～75頁）

本件は大津地裁平成21年3月27日判決の控訴事件ですが、**図表4**中の「事案の概要」に示すとおり、居住用建物の借家人が過去3回にわたって支払った更新料につき、これが消費者契約法第10条または民法第90条に反し無効であるとして争っていたものです。

一審判決では更新料の支払いを有効とし、本件控訴審判決でもこれを有効としました。上記1の判決とは結論が全く異なっていますが、以下、その背景にある相違点の部分を中心に取り扱うこととします。

本件の契約の内容は賃貸期間を2年間、賃料は月額52,000円とし、更新の際に旧賃料の2か月分の更新料を賃借人から賃貸人に支払うというものです。ちなみに、一審判決では本件更新料を賃料の補充(一部前払い)の性質を有するものととらえ、更新料特約の有効性を認めました。ただし、更新拒絶権放棄の対価、賃借権放棄の対価としての性質は希薄であるとしています。

控訴審判決では本件更新料が更新拒絶権放棄の対価、賃借権放棄の対価、賃料の補充のいずれの性質も有しないとしましたが、従来の判例に表れたこのような取上げ方とは視点を変え、更新料は賃貸借期間の長さに相応して支払われるべき賃借権設定の対価の追加分（補充分）という新しい見解のもとに更新料特約の有効性を認めています。

さらに、本件控訴審判決に特徴的なことは、本件更新料特約が消費者契約法第10条前段に該当する点は前記1の大阪高裁判決と同様であるものの、更新料の性質や金額から判断して本件更新料特約は消費者契約法第10条後段に該当せず、消費者契約法第10条には違反しないとしている点です。民法第90条との関連に関しては、更新料約定を公序良俗に反するとはいえないとしている点で前記1の判決と同様です。

以下、本件控訴審判決における更新料の法的性質に関する考え方および消費者契約法に照らした場合の妥当性に関する判断の部分につき、要旨を整理しておきます。

1)　更新料の法的性質

本件のような共同住宅の賃貸人は、事業経営者として賃貸物件の建築費用等につき相当額の資本を投下して賃貸事業を行うものである。最終的には投下資本の回収を超える収益の確保を目的とする以上、その事業計画において、当該建物の規模・設備状況・築年数、賃料の近隣相場の他、諸費用等の要因も踏まえて賃貸物件の提供に対する収益上可能かつ最適の対価を設定することになる。

その際、賃貸借契約の締結時点において長期間の契約を想定した多額の礼金を取得するのではなく、まずは比較的短い賃貸借期間に相応した賃借権設定の対価としての礼金（本件では200,000円）の支払いを受けたうえで、将来的に契約が更新された場合には、賃借権設定の対価の追加分（補充分）として更新料の支払いを受ける旨をあらかじめ賃借人との間で合意しておくことも賃貸事業経営において合理的な態度といえる。

2)　消費者契約法に照らした場合の妥当性

本件更新料特約が消費者契約法第10条後段に該当せず、消費者契約法第10条に違反しないとされた理由は以下のとおりである。

① 消費者契約法第10条後段の要件に該当するか否かは、当該条項が定めら

れていることにより消費者の利益が信義則に反する程度まで侵害されているか、事業者と消費者の間に合理性のない利益の不均衡を生じさせているかにより決定されるべきである。その際、単に消費者にとって不利益というだけで、事業者の経済的利益を図った契約条項を一切無効とするものでないことは明らかである。

② 更新料支払条項によって支払いを義務付けられる更新料が、賃貸借契約の締結時に支払うべき礼金の金額に比較して相当程度抑えられている等適正な金額にとどまっている限り、直ちに賃貸人と賃借人の間に合理性のない不均衡を生じさせるものではない。本件についても同様である。

③ 仮に本件更新料が存在しなかったとすれば、月額賃料は当初から高くなっていた可能性があるところ、これと比較して、本件更新料が存在しなかったことのほうが果たして賃借人にとって実質的に利益であったといえるのかは疑問である。このことからすると、本件更新料支払条項が設定されていたことにより、賃借人が信義則に反する程度にまで一方的に不利益を受けていたということはできない。

以上述べたとおり、本件控訴審判決では更新料特約の有効性を認めていますが、当該判決からはあらゆる場合においてこのことを認めているとは読み取れず、更新料の金額の如何によってはこれが無効とされる可能性を秘めていることに留意する必要があります。

3 京都地裁平成22年10月29日判決（判例タイムズ1334号100～108頁）

本件は、**図表4**の「事案の概要」に示すとおり、居住用建物の借家人が賃貸借契約を3回更新し、過去3回にわたって支払った更新料につき、これが消費者契約法第10条に反し無効であるとして争っていたものです。

本件では、更新料の性質を単なる賃料の補充というとらえ方をせず、また、更新拒絶権放棄の対価や賃借権強化の対価でもなく、これらの考え方によって更新料を説明することはできないとしました。そして、更新料を対価性のない給付（あるいは対価性の乏しい給付）とする見解についても排斥しています。

本判決の特徴として挙げられることは、本判決が更新料の性質を従来の見解とは視点を変え、

① 賃貸借契約期間が満了した場合には賃料に、

② 賃借人が途中解約した場合には既経過部分については賃料に、未経過分は違約金になる

と判示している点です。

以下、本判決における更新料の法的性質に関する考え方および消費者契約法に照らした場合の更新料の妥当性に関する判断の部分につき要旨を整理しておきます。

1) 更新料の法的性質

同じ更新料といっても、借地の場合と借家の場合とでは異なるし、建物賃貸借であっても、賃貸目的物件が一戸建てであるか収益目的マンションであるかによっても異なるものである。したがって、更新料がいかなる性格を有するかは、賃貸借契約の当事者、賃貸目的物件、賃貸借契約の内容、当該更新料の支払の合意が成立するに至った経緯等を総合考慮して判断することが必要である（最判昭和59年4月20日民集38巻6号610頁参照）。

本件賃貸借契約の特徴としては、①賃貸建物は賃貸人が収益目的で所有する居住用賃貸マンションであること、②賃借人は居住目的でマンションの一室を賃借したものであること、③賃貸借期間は1年であり、家賃は月額4万8000円であること等を挙げることができます。

（ア）賃料の補充（前払い）との関連

・賃料の補充との関連

もともと更新料は賃料の補充という性質を強く持っていたということができる。すなわち、更新料は、地価が高騰し始めた昭和30年ころから急速に広まり、借地契約では賃貸借期間が長かったことから、継続賃料と新規賃料との間に格差が生じ、それを是正するために更新料が始まったという経緯からすると、更新料は賃料の補充という面を持っていたと認められる。しかし、現在、不動産価格が上昇するという傾向にはな

く、賃料の補充を考えなければならない状況にはない。そして、賃貸期間が１年や２年の短期間の賃貸借契約では、契約期間中に賃料の不足分が生じるとは考えにくい。そうすると、現在、上記のような特徴を有する本件賃貸借契約において、更新料を賃料の補充ということで説明することはできない。

・賃料の前払いとの関連

賃料の前払いという点をみると、更新料は賃料そのものであって、その支払いは賃貸借契約を更新するにあたって必要となり、更新しない場合には必要ないのであるから、賃料の前払いを意味していると考えることになる。（中略）しかし、典型契約としての賃貸借契約における「賃料」とは、賃貸目的物の使用収益に対する対価として支払われるものであるから、使用収益期間に依拠して対価である賃料額が算出され、支払われるという関係にあるはずである。つまり、「賃料」は、当該賃貸借契約のもとで賃借人による使用期間を基準として、その支払額が決定されるものである。この観点からすると、更新料が「賃料」の一部と評価されるのであれば、賃貸借契約更新後の賃借人による使用収益期間（賃貸期間）に対応するかたちで支払額が決定され、更新後に賃貸借契約が中途終了した場合には、使用収益に至らなかった期間に対応する更新料額は賃借人に返還されるべき性質のものであるといえる。しかるに、本件賃貸借契約における更新料は、賃貸借契約の更新時に一定額が必要とされ、賃貸期間が途中で終了したとしても全く清算されないことになっている。

そうすると、更新料について、賃貸借契約における「賃料」と同じであり、支払方法の違いであるということはできず、更新料を賃料の前払いであるということのみから説明することはできない。

（イ）更新拒絶権（異議権）放棄の対価との関連

借地借家法の制度のもとでは、建物の使用継続を希望する建物賃借人としては、明渡しの正当事由がなければ法律上当然に当該建物を賃借することができ、賃貸借契約を継続したからといって賃料を継続的に支払う他に対価的な支払いをする必要はない。賃借人としては、賃貸借契約の期間満了にあたり、建物賃借人が賃貸借契約の更新を望む場合には、明渡しの正当事由がなければ、賃借人による建物の使用継続を受忍しなければならず、賃貸人において賃貸借契約を更新することによる対価を求めることができる地位にはない。しかも、本件においては、賃貸建物は居住用のマンションであり、賃貸人やその関係者が自ら居住することは予定しておらず、賃借人に賃料不払いや用法遵守義務違反等の債務不履行がない限り、更新拒絶が正当化されることはまずないものと考えられる。

このようにみると、更新料が更新拒絶権（異議権）放棄の対価という性質を有するとは考えられない。

(ウ) 賃借権強化の対価との関連

法定更新による場合には、賃貸借契約が期間の定めのないものとなり、賃貸人は正当事由がある限り、いつでも解約の申入れをすることができるのに対し、更新料を支払って合意により賃貸借契約を更新すれば、賃借人としては、賃貸借契約の期間満了までは当該賃貸建物の使用収益が保障されることになるため、法定更新に比べ賃借権が強化されており、更新料はその対価であるという見解である。

しかし、本件賃貸借契約における賃貸建物は居住用賃貸マンションであり、収益目的で賃貸しているのであって、法定更新によって賃貸借契約が期間の定めのないものになったとしても、正当事由を具備することはまず考えられず、法定更新ではなく合意による更新によって賃借権が強化されたということはできない。

(エ) 本件更新料の性質について

・以上の観点からすると、賃貸期間を１年あるいは２年とする居住用賃貸建物に関しては、更新料について、①賃料の補充（前払い）、②更新拒絶権（異議権）放棄の対価、③賃借権強化の対価ということから正当化することは困難であるということができる。

・居住用建物を所有する賃貸人としては、もともと賃借人の賃料不払いや用法遵守義務違反等の債務不履行がない限り、自ら解約の申入れをすることはまず考えられず、住宅供給過剰状態にあるといわれる現在、賃借人にできるだけ長く居住してもらい、賃料収入を確実に得たいという考え方に立っているといえる。しかるに、居住用建物の賃貸借契約においては1年または2年の期間の定めのある契約であるが、賃借人はいつでも賃貸借契約を解約することができるのが通常であり（ただし、解約の1か月前までに通知する必要があり、即時解約する場合には1か月分の家賃相当額を支払う必要があるとする賃貸借契約が多い）、本件賃貸借契約も同様である。そうすると、賃貸人としては、賃貸借契約を更新して1年または2年は賃料を取得できると考えていたとしても、賃借人から解約の申入れがされると、契約期間の途中で賃貸借契約が終了し、賃貸人としてはそれ以降に新たな賃借人が見つかるまでは空室となって賃料を取得できないことになる。

賃貸人としては、空室となって賃料が入らなくなるリスクを軽減するために更新料の支払いを求めているということができる。賃借人の側からいえば、1年または2年の賃貸借契約であり、本来1年または2年は賃料を支払う義務を負うところ、契約期間中いつでも解約することができるが、解約した場合には違約金として更新料が返還されないと考えることができる。他方、契約期間中に解約されずに賃貸借契約の期間が満了した場合には、その更新料は賃料ということになる。

・従来、賃貸借契約においては、賃貸借契約が解約されることがないように賃借権の保護がされてきたが、本件のような居住用賃貸建物においては、賃貸人が賃貸借契約期間中に解約することはまず考えられず、賃借権を強化するよりも、賃借人において、転勤等の理由によって転居しなければならないことがあるので、いつでも賃貸借契約を解約できることを認め、解約した場合には、更新料が次の賃借人が見つかるまで空室となって賃料収入が入らないことのいわば補償（賃借人からみると違約金）

として扱われ、期間が満了した場合には更新料は賃料として扱われることになると考えるのが、居住用賃貸建物における更新料の実態に最も適合するものと考える。

したがって、更新料を授受した時点では、いまだ更新料の法的な性質は確定しておらず、期間が満了した場合には賃料に、賃借人が途中で解約した場合には既経過部分については賃料に、未経過分は違約金として扱われることになり（当事者間において預託金として金銭の授受をし、後に売買代金や貸金等として処理することは世間ではよく行われており、同様に考えることができる）、純粋に民法第601条にいう「賃料」ではないので、賃貸人が賃借人に対し更新料の未経過分を返還しないことに問題はないと考えられる。

2)　消費者契約法に照らした場合の妥当性

本件更新料特約が消費者契約法第10条前段に該当するが、同法第10条後段には該当せず、消費者契約法第10条に違反しないとされた理由は以下のとおりです。

（ア）消費者契約法第10条前段該当性

更新料は、前記のとおり、賃料の前払いとしての性質と賃貸借契約が途中で解約された場合には違約金としての性質を併せ持っていると考えられる。そして、「公の秩序に関しない規定」とは任意規定を意味すると解されるところ、賃料の前払いとしての側面では、民法は任意規定として賃料の後払いを定めている（民法第614条）ので、賃料の前払いは消費者である賃借人の義務を加重する特約であり、消費者契約法第10条前段に該当するということができる。違約金としての側面については、民法には賃貸借契約の中途解約時に違約金を支払わなければならない規定はないので、同様に消費者である賃借人の義務を加重する特約であり、消費者契約法第10条前段に該当するものということができる。

（イ）消費者契約法第10条後段該当性

・更新料は、賃貸借契約期間中の途中解約がない限り、賃貸期間全体に対する前払いの賃料に該当するものであるところ、賃料は必ず月額で定めなければならないものではなく、更新料名目で賃貸借契約の更新時に賃料の一部を一時払いとして支払いを求めることは不合理なものではない。

また、賃借人が賃貸借契約を期間途中で解約した場合には、既経過部分は賃料に未経過部分は違約金に相当するところ、契約期間の途中で賃貸借契約が解約された場合には、賃貸人としては予定していた賃料を取得できなくなったわけであり、本来、期間の定めのある契約では一方的に途中で契約を終了させることができないのが原則であるから、違約金を徴収することには一定の合理性が認められる。そうすると、賃貸借契約において更新料の定めをすることは不合理なものではなく、不当条項にはあたらない。

・賃料の前払いは、賃貸人の債務不履行が生じた場合には、賃料支払を保留して対抗手段となし得る賃借人の法的地位を危うくするものと考える余地はあるが、賃貸人の主要な義務は賃貸物件の使用収益をさせることであるところ、賃貸借契約の更新時には賃貸物件の引渡しはすでに履行されており、賃貸人の債務不履行が問題となることは少なく、賃料の前払いによって賃借人が信義則に反する程度に一方的に不利益を受けているということはできない。

また、賃料の前払いを民法の一般原則である信義則違反あるいは公序良俗違反の観点から検討しても、賃貸借契約を途中解約することなく期間を満了した賃借人の場合、前記のとおり、経済合理性の観点からすると、更新料があることによって賃借人に不当に高額の金銭の負担をさせていることにはならない。また、本件賃貸借契約においては、月額賃料4万8,000円、更新料10万円であることは賃貸借契約書に明確に記載されており、年間の賃料と更新料を併せた金額を容易に知ることができるところであって、ことさらに賃料額を低く見せかけて消費者を欺くようなものであるとは認められない。

したがって、賃料の前払いの側面からは、更新料は消費者契約法第10

条に照らしても、無効といえるものではない。

・同法第９条１号は、違約金につき同種の契約の解除に伴い事業者に生ずべき平均的な損害額を超える部分において無効であることを定めるので、高額な更新料を定める条項は、中途解約の期間によっては同号に反して一部無効となることはあり得る。

・賃貸借契約が途中で解約される場合、一定期間前に賃借人からの解約申入れがされるので、賃貸人としては新たな賃借人を探す準備に取りかかれるが、賃借人は現実にその物件をみて賃借するかを決めるのが一般的であることからすると、賃借人が退去した翌日に新たな賃借人が入居して賃貸借契約が継続されるということはまずあり得ず、賃貸借契約を途中で解約されると、賃貸人としては、一定期間、賃料収入が途絶えることになり、違約金としての性質を有する更新料を取得することは一定の合理性を有するといえる。

　しかし、順調にいけば、賃貸借契約終了から１か月程度で次の賃借人が決まって入居することになると思われ、それ以降も新たな賃借人が見つからないことについては途中で賃貸借契約を解約した賃借人が負担すべき違約金の額は、賃貸借契約が１年の場合、賃料１か月分程度とするのが相当であると思われる。

・本件においては、賃借人は、本件賃貸借契約を途中で解約したわけではないので、更新料は賃料の前払いに相当すると解されるところ、前記のとおり、前払いの性質を有する更新料条項については、賃借人が信義則に反する程度に一方的に不利益を受けているということはできず、信義則違反あるいは公序良俗違反の観点からしても無効といえるものではない。したがって、賃借人は更新料の返還を求めることはできない。

以上、本項では、更新料の有効性をめぐる最近の三つの判決につきその概要を中心に掲げましたが、最後に、まとめとして、ここでの争点となっている前提が従来の判例とは傾向の異なるものであることを再度指摘しておきます。

過去の判例で争点となっていた更新料支払いの根拠	更新料の有効性については、過去の判例では当該事案が合意更新によるものか、法定更新によるものかという点に争点が置かれている
更新料の有効性をめぐる最近の判決の特徴	更新料の有効性をめぐる最近の判決は、これを取り上げる視点が合意更新によるか法定更新によるかではなく、消費者契約法第10条に照らして有効か無効かという点から問題を取り上げている

第8章

地代家賃に関連する周辺知識と参考資料

1 農地の賃借料

第１章から第７章まで地代家賃に関する問題を様々な角度から取り上げてきました。これらを通じ、地代家賃について普段あまり意識しない事項がいかに奥の深いものであるかを把握できたことと思います。

本章では、今までの記述を補足し、併せて地代家賃に関わりのある周辺知識について取り上げておきます。

地代家賃といえば、どうしても宅地や宅地上に建築されている建物の賃借料を思い浮かべがちですが、農地（田、畑）についても賃貸借は行われています（**図表１**は田、**図表２**は畑のイメージ写真）。そして、その際にはやはり賃借料の如何が問題とされます。ただ、農地については宅地に比べて賃借料に関する情報は限られています。

図表１

図表２

農地に関しても、適正な賃借料を把握するためにはその価格水準の検討が必要となるため、本項では最初に農地の価格について述べ、次にその賃借料について取り上げます。

（1）農地の価格について

1 田畑売買価格等に関する調査（全国農業会議所）

一般社団法人全国農業会議所では、全国の農地価格の動向を把握するための調査（対象地点約11,000地点）を毎年実施し、その結果を公表しています。なお、その結果は、農地政策・構造政策推進の基礎資料としても活用されています。

この調査では、農業地域を純農業地域と都市的農業地域に区分したうえで、それぞれの価格の推移を**図表3**および**図表4**のとおりとらえています。

農業地域
- 純農業地域
- 都市的農業地域

図表3　農業価格の推移（全国平均）

純農業地域[※1]の農地価格の推移（農用地区域内）　（価格は千円/10a、下欄は増減率%）

		平成6	平成20	21	22	23	24	25	26	27	28	29	30	令和元	令和2	令和3
中田価格	価格	2,002	1,441	1,388	1,363	1,340	1,283	1,301	1,296	1,270	1,256	1,207	1,182	1,165	1,133	1,112
	増減率	0.3	−2.0	−3.7	−1.8	−1.6	−1.4	−1.4	−1.3	−1.5	−1.3	−1.2	−1.4	−1.3	−1.4	−1.2
中畑価格	価格	1,378	998	972	957	942	908	950	942	924	910	891	872	861	838	825
	増減率	0.9	−1.6	−2.6	−1.6	−1.5	−0.7	−1.3	−1.1	−1.4	−1.2	−1.1	−1.2	−1.1	−1.3	−0.9

※　平成24年度より２年連続して報告のあったデータのみを集計対象としている。このため、令和３年の増減率は、単に令和３年の価格と令和２年の価格を比較したものとは一致しない。

農地価格の推移（純農業地域・全国平均）

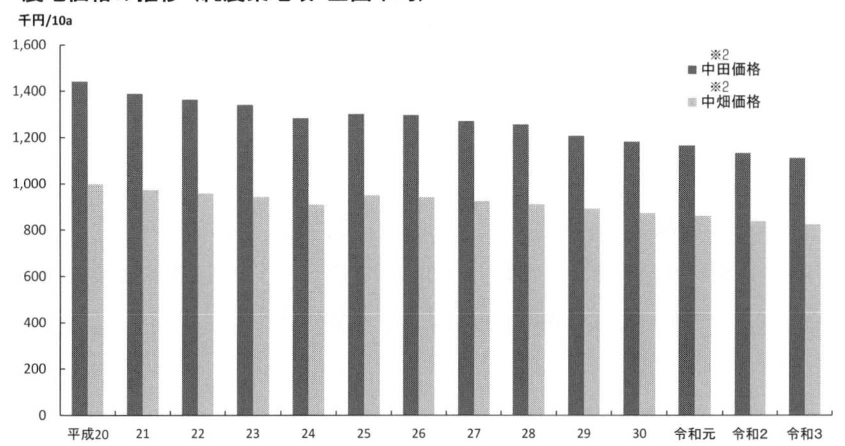

（出典）　（一社）全国農業会議所「令和３年田畑売買価格等に関する調査結果（要旨）」（令和４年３月25日）

※１　本調査では都市計画法で市街化区域・市街化調整区域の線引きをしていない市町村を指す。

※２　本調査では「中田」、「中畑」とは、調査対象地であるそれぞれの旧市町村で、収量水準や圃場条件が標準的な水田及び畑をいう。

図表4　農地価格と対前年増減率[※3]の推移

都市的農業地域[※4]の農地価格の推移（市街化調整区域の農用地区域）

（価格は千円/10a、下欄は増減率%）

	平成4	平成20	21	22	23	24	25	26	27	28	29	30	令和元	令和2	令和3
中田価格	11,213	4,965	4,733	4,479	4,250	4,113	3,878	3,681	3,589	3,522	3,364	3,176	3,087	3,058	2,957
	3.4	−4.5	−4.7	−5.4	−5.1	−2.1	−1.8	−1.8	−2.0	−1.8	−1.3	−1.4	−1.5	−1.2	−1.3
中畑価格	11,221	4,734	4,519	4,278	4,092	3,982	3,628	3,500	3,467	3,368	3,222	3,047	2,951	2,934	2,846
	5.1	−3.2	−4.5	−5.3	−4.3	−2.1	−1.5	−1.6	−1.9	−1.6	−1.1	−1.4	−1.3	−1.0	−0.8

※　平成24年度より２年連続して報告のあったデータのみを集計対象としている。このため、令和３年の増減率は、単に令和３年の価格と令和２年の価格を比較したものとは一致しない。

（出典）（一社）全国農業会議所「令和３年田畑売買価格等に関する調査結果（要旨）」（令和４年３月25日）

※３　本調査では平成24年度より、調査対象旧市町村における同一区分の農地価格について２年連続して報告があったもののみを集計対象としている。集計対象旧市町村が年度によって異なることがあるため、前年と本年の農地価格による比率とは一致しない。

※４　本調査では都市計画法で市街化区域・市街化調整区域の線引きをしている市町村を指す。

なお、本件調査において、「純農業地域」とは都市計画法の線引き[注1]をしていない市町村を指します。また、「中田」「中畑」とは、調査対象地であるそれぞれの旧市町村で収量水準や圃場（ほじょう）条件[注2]が標準的な水田および畑のことを指します。

［注１］都市計画区域のなかを市街化区域と市街化調整区域に区分することを通称「線引き」と呼んでいます。そして、「線引き」をしていないというのは、まだこのような区分がなされていないことを意味します。

［注２］圃場条件とは、耕地の区画や用排水路等の整備条件のことを指します。

次に、都市的農業地域とは、都市計画法の線引きをしている市町村を指します。

図表３および**図表４**が示すとおり、純農業地域、都市的農業地域とも農地価格はほぼ毎年継続して下落しています。その主な要因は米価等の農産物価格の低迷、農地の買い手の減少、後継者不足等にあるようです。

なお、同会議所調査資料には、純農業地域、都市的農業地域それぞれにつき中田、中畑ごとの都道府県別平均価格および変動率（耕作目的および転用目的別）が掲載されています。詳細は同会議所ホームページをご参照ください。

2 田畑価格及び賃借料調（日本不動産研究所）

（一財）日本不動産研究所では、1959年（昭和34年）3月以降、田畑価格等の全国的な動向を把握するため、「田畑価格及び賃借料調」を実施し、その結果を公表しています（2009年度までは「田畑価格及び小作料調」と呼称）。

この調査は、全国の農地を農地として売買した田または畑の価格および実際に支払った賃借料を対象とし、都道府県で農地事情を最もよく反映していると認められる市町村を選定のうえ、調査票に基づく回答を集計して取りまとめているものです。この調査では、東京都、神奈川県および大阪府においては、ほとんどの市町村の田畑価格が宅地等への転用が見込まれて高額であるため、集計対象から除かれている点に留意が必要です。

田畑賃借料については後程取り上げることとし、ここでは田畑価格の全国的な動向を**図表5**に掲げておきます。

図表5からも読み取れるとおり、田畑価格（10ａあたり）はここ最近、下落が継続している傾向にあります。その要因として、同調査では、高齢化が進行していることに加えて、農業後継者の減少、米価の下落、米需要の低迷や農業経営の先行き不安等から購入意欲が減退していることを指摘しています。

図表５　田畑価格の全国的傾向

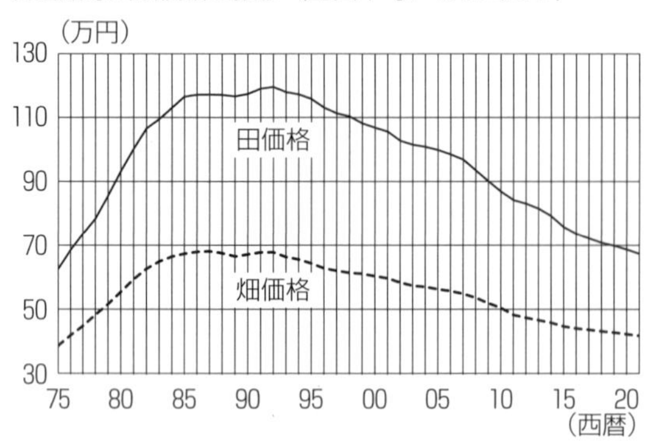

全国平均田畑価格（10ａ当たり）

地目	年次	上の中 価格	上の中 対前年変動率	普通 価格	普通 対前年変動率	下の中 価格	下の中 対前年変動率
		円	%	円	%	円	%
田	2021年	877,496	（－）2.6	674,091	（－）2.2	441,491	（－）0.7
	2020年	900,852	（－）2.0	689,080	（－）1.8	444,526	（－）2.2
	2019年	918,807	（－）2.4	701,501	（－）1.4	454,504	（－）1.4
	2018年	941,107	（－）2.1	711,164	（－）1.9	460,794	（－）1.9
	2017年	960,993	（－）2.2	724,839	（－）2.0	469,728	（－）3.2
	2016年	982,708	（－）2.4	739,491	（－）3.0	485,266	（－）3.6
畑	2021年	597,886	（－）2.3	419,039	（－）1.4	289,624	（－）1.4
	2020年	612,077	（－）2.7	424,921	（－）1.2	293,644	（－）0.7
	2019年	628,766	（－）2.3	430,012	（－）1.0	295,795	（－）0.3
	2018年	643,838	（－）2.5	434,523	（－）1.2	296,541	（－）1.6
	2017年	660,159	（－）1.4	439,618	（－）1.2	301,466	（－）1.8
	2016年	669,850	（－）1.3	444,871	（－）1.3	307,018	（－）1.6

注：この表には、東京都・神奈川県及び大阪府等を含まない。

（出典）（一財）日本不動産研究所「田畑価格及び賃借料調」（2021年３月末現在）

3 固定資産の価格等の概要調書（総務省）

総務省では、毎年、「固定資産の価格等の概要調書」を作成し、公表しています。この調査の対象は、介在田[注3]、介在畑[注4]、宅地介在山林[注5]、農地等介在山林[注6]、市街化区域農地等ですが、それぞれの区分別に単位あたり平均価格（円／m²）が取りまとめられています。なお、**図表６**は、令和３年度の概要調書のなかから一部を抜粋したものです。課税標準額や筆数等の調査結果も公表されていますが、詳細は同省ホームページをご参照ください。

［注３］介在田とは、農地転用許可（市街化区域内では届出）を受けた田で、まだ農地転用をしていない田を指します。

［注４］介在畑とは、農地転用許可（市街化区域内では届出）を受けた畑で、まだ農地転用をしていない畑を指します。

［注５］宅地介在山林とは、字のごとく宅地のなかに介在する山林であり、市街化区域内にある山林がこれに該当します。

［注６］農地等介在山林とは、農地等のなかに介在する山林であり、いわゆる市街地近郊の山林を指します。

（2）農地の賃借料

1 農地の権利移動・借賃等調査（農林水産省）

農林水産省では、毎年、農地法、農業経営基盤強化促進法等に基づき、①権利の設定・移動がされた農地等、②賃借が終了した農地等、③転用された農地等のすべてにつき、その状況や借賃等の動向を調査しています（農地法第52条）。

●農地法

（情報の提供等）

第52条　農業委員会は、農地の農業上の利用の増進及び農地の利用関係の調整に資するほか、その所掌事務を的確に行うため、農地の保有及び利用の状況、借賃等の動向その他の農地に関する情報の収集、整理、分析及び提供を行うものとする。

図表７は調査結果の一部です（令和元年対象）。

図表6　介在農地、介在山林及び市街化区域農地に関する調べ

全国計

区分				地積（m²）			決定価格（千円）			単位当たり平均価格（円／m²）$\frac{(ロ)}{(イ)}$
				評価総地積（イ）	法定免税点未満のもの	法定免税点以上のもの	総額（ロ）	法定免税点未満のもの	法定免税点以上のもの	
介在田				22,161,467	174,701	21,986,766	164,858,176	308,782	164,549,394	7,439
介在畑				40,385,892	639,312	39,746,580	442,042,433	868,971	441,173,462	10,945
宅地介在山林				139,176,790	8,831,792	130,344,998	447,355,819	3,411,061	443,944,758	3,214
農地等介在山林				30,663,635	4,717,500	25,946,135	10,860,249	332,133	10,528,116	354
市街化区域農地	通常市街化区域農地	田	特定市農（平28以前参入分）	27,630,283	137,765	27,492,518	591,827,308	363,634	591,463,674	21,420
			特定市農（平29以降参入分）	2,205,603	2,948	2,202,655	50,375,373	27,512	50,347,861	22,840
			上記以外	170,605,371	917,346	169,688,025	2,328,674,954	8,051,296	2,320,623,658	13,649
			小計	200,441,257	1,058,059	199,383,198	2,970,877,635	8,442,442	2,962,435,193	14,822
		畑	特定市農（平28以前参入分）	63,457,014	196,302	63,260,712	2,953,543,343	724,518	2,952,818,825	46,544
			特定市農（平29以降参入分）	2,448,972	3,882	2,445,090	113,841,437	49,278	113,792,159	46,485
			上記以外	211,116,686	2,129,946	208,986,740	3,165,214,821	13,898,003	3,151,316,818	14,993
			小計	277,022,672	2,330,130	274,692,543	6,232,599,601	14,671,799	6,217,927,802	22,499
		計	特定市農（平28以前参入分）	91,087,297	334,067	90,753,230	3,545,370,651	1,088,152	3,544,282,499	38,923
			特定市農（平29以降参入分）	4,654,575	6,830	4,647,745	164,216,810	76,790	164,140,020	35,281
			上記以外	381,722,057	3,047,292	378,674,765	5,493,889,775	21,949,299	5,471,940,476	14,392
			小計	477,463,929	3,388,189	474,075,741	9,203,477,236	23,114,241	9,180,362,995	19,276
	田園住居地域内市街化区域農地	田	特定市農（平28以前参入分）	—	—	—	—	—	—	—
			特定市農（平29以降参入分）	—	—	—	—	—	—	—
			上記以外	—	—	—	—	—	—	—
			小計	—	—	—	—	—	—	—
		畑	特定市農（平28以前参入分）	—	—	—	—	—	—	—
			特定市農（平29以降参入分）	—	—	—	—	—	—	—
			上記以外	—	—	—	—	—	—	—
			小計	—	—	—	—	—	—	—
		計	特定市農（平28以前参入分）	—	—	—	—	—	—	—
			特定市農（平29以降参入分）	—	—	—	—	—	—	—
			上記以外	—	—	—	—	—	—	—
			小計	—	—	—	—	—	—	—

（出典）　総務省「令和3年度 固定資産の価格等の概要調書」

図表７　令和元年農地の移動と転用（農地の権利移動・借賃等調査）

［参考］
耕作目的の所有権移転の総数（農地法第3条許可・届出＋農業経営基盤強化促進法による所有権移転）
所有権耕作地有償所有権移転

	総数				農地法第3条許可・届出				農業経営基盤強化促進法			
	件数	面積（ha）			件数	面積（ha）			件数	面積（ha）		
		総数	田	畑		総数	田	畑		総数	田	畑
全国	49,132	33,594.0	13,272.2	20,321.9	34,404	10,053.5	4,510.2	5,543.4	14,728	23,540.5	8,762.0	14,778.5
北海道	4,361	21,709.5	5,728.1	15,981.4	833	2,916.7	343.2	2,573.5	3,528	18,792.8	5,384.9	13,407.9
都府県	44,771	11,884.5	7,544.1	4,340.5	33,571	7,136.8	4,167.0	2,969.9	11,200	4,747.7	3,377.1	1,370.6
東北	8,049	3,550.1	2,629.4	920.7	4,360	1,321.7	819.3	502.4	3,689	2,228.4	1,810.1	418.3
関東	7,396	1,988.7	1,116.3	872.4	6,552	1,584.9	844.7	740.2	844	403.8	271.6	132.2
北陸	3,200	819.5	721.5	98.1	2,107	398.1	334.9	63.3	1,093	421.4	386.6	34.8
東山	1,960	321.3	149.5	171.8	1,493	220.1	97.4	122.7	467	101.2	52.1	49.1
東海	3,538	582.0	344.1	237.9	3,247	500.0	304.3	195.8	291	82.0	39.8	42.1
近畿	3,870	663.7	518.0	145.6	3,598	582.8	453.7	129.1	272	80.9	64.3	16.5
中国	2,999	660.3	470.6	189.7	2,834	574.2	421.4	152.8	165	86.1	49.2	36.9
四国	2,613	396.6	264.4	132.2	2,227	310.2	212.8	97.4	386	86.4	51.6	34.8
九州	10,401	2,671.0	1,329.7	1,341.3	6,559	1,479.8	678.0	801.8	3,842	1,191.2	651.7	539.5
沖縄	745	231.2	0.4	230.8	594	164.9	0.4	164.5	151	66.3	—	66.3
青森	1,904	1,034.3	627.8	406.5	989	467.2	275.7	191.5	915	567.1	352.1	215.0
岩手	841	456.0	262.9	193.1	519	173.7	93.3	80.4	322	282.3	169.6	112.7
宮城	1,582	605.1	529.9	75.3	716	184.4	132.7	51.7	866	420.7	397.2	23.6
秋田	1,112	622.2	573.8	48.3	435	108.2	77.8	30.4	677	514.0	496.0	17.9
山形	1,347	478.6	386.7	91.8	671	145.3	86.7	58.5	676	333.3	300.0	33.3
福島	1,263	353.9	248.3	105.6	1,030	242.9	153.1	89.8	233	111.0	95.2	15.8
茨城	2,707	745.4	418.8	326.7	2,707	745.4	418.8	326.7	—	—	—	—
栃木	1,033	447.3	334.2	113.1	581	165.2	109.6	55.5	452	282.1	224.6	57.6
群馬	778	188.5	42.9	145.6	666	147.8	37.5	110.3	112	40.7	5.4	35.3
埼玉	1,039	226.5	118.5	108.0	1,033	225.4	117.8	107.6	6	1.1	0.7	0.4
千葉	1,437	327.3	186.5	140.9	1,172	248.8	145.5	103.3	265	78.5	41.0	37.6
東京	58	6.3	0.2	6.1	53	5.2	0.2	5.0	5	1.1	—	1.1
神奈川	344	47.6	15.5	32.2	340	47.2	15.5	31.8	4	0.4	—	0.4
新潟	2,294	608.6	549.9	58.7	1,224	209.6	171.1	38.5	1,070	399.0	378.8	20.2
富山	225	65.0	62.7	2.3	224	65.0	62.7	2.3	1	0.0	0.0	—
石川	384	92.1	58.2	33.9	367	72.1	52.8	19.3	17	20.0	5.4	14.6
福井	297	53.8	50.6	3.2	292	51.5	48.3	3.2	5	2.3	2.3	—
山梨	433	60.0	17.0	43.0	427	59.7	16.8	42.9	6	0.3	0.2	0.1
長野	1,527	261.3	132.6	128.7	1,066	160.4	80.6	79.8	461	100.9	52.0	48.9
岐阜	770	110.6	80.0	30.7	761	108.5	79.0	29.5	9	2.1	1.0	1.2
静岡	653	108.7	41.7	67.1	630	105.1	40.6	64.5	23	3.6	1.1	2.6
愛知	1,181	166.9	86.0	81.0	1,026	135.6	76.1	59.5	155	31.3	9.9	21.5
三重	934	195.7	136.5	59.4	830	150.8	108.6	42.4	104	44.9	27.9	17.0
滋賀	626	138.3	125.4	12.9	465	85.2	76.4	8.8	161	53.1	49.0	4.1
京都	523	89.9	74.3	15.6	473	79.3	64.4	14.9	50	10.6	9.9	0.7
大阪	315	33.1	25.9	7.2	315	33.1	25.9	7.2	—	—	—	—
兵庫	1,282	225.6	205.6	19.9	1,259	221.1	201.3	19.7	23	4.5	4.3	0.2
奈良	532	72.8	53.0	19.8	511	63.1	52.0	11.1	21	9.7	1.0	8.7
和歌山	592	104.0	33.8	70.2	575	101.0	33.7	67.3	17	3.0	0.1	2.9
鳥取	280	69.9	37.3	32.5	215	41.6	27.2	14.4	65	28.3	10.1	18.1
島根	333	85.7	60.1	25.8	309	60.7	49.5	11.3	24	25.0	10.6	14.5
岡山	1,295	235.3	189.5	45.8	1,238	211.6	169.7	41.9	57	23.7	19.8	3.9
広島	705	136.3	98.1	38.2	701	135.5	97.6	37.9	4	0.8	0.5	0.3
山口	386	133.0	85.6	47.3	371	124.8	77.4	47.3	15	8.2	8.2	—
徳島	482	71.9	54.5	17.4	438	60.6	45.0	15.6	44	11.3	9.5	1.8
香川	639	93.6	69.7	24.0	585	77.3	57.7	19.7	54	16.3	12.0	4.3
愛媛	917	153.9	80.3	73.5	709	110.9	64.0	46.9	208	43.0	16.3	26.6
高知	575	77.3	60.1	17.2	495	61.4	46.2	15.2	80	15.9	13.9	2.0
福岡	1,614	391.7	287.7	104.0	1,244	259.4	169.3	90.1	370	132.3	118.4	13.9
佐賀	791	214.7	172.6	42.0	480	91.3	65.5	25.7	311	123.4	107.1	16.3
長崎	701	118.2	48.4	69.7	373	64.1	37.4	26.7	328	54.1	11.0	43.0
熊本	1,785	642.0	277.3	364.7	1,028	392.8	114.2	278.6	757	249.2	163.1	86.1
大分	869	208.5	131.2	77.3	753	157.2	111.3	45.9	116	51.3	19.9	31.4
宮崎	1,972	517.1	247.6	269.5	804	147.3	75.0	72.3	1,168	369.8	172.6	197.2
鹿児島	2,669	578.9	164.9	414.0	1,877	367.8	105.4	262.4	792	211.1	59.5	151.6

（出典）　農林水産省「農地の権利移動・借賃等調査」令和元年

図表 8　**令和元年農地の移動と転用（農地の権利移動・借賃等調査）**

［参考］
借賃の水準（百円／10 a 当たり）

	田	畑
全国	110	85
北海道	104	48
都府県	110	92
東北	109	64
関東	118	84
北陸	138	121
東山	66	78
東海	94	95
近畿	79	116
中国	56	80
四国	83	122
九州	116	102
沖縄	60	114
青森	113	65
岩手	75	60
宮城	116	73
秋田	109	61
山形	117	63
福島	122	68
茨城	173	84
栃木	115	64
群馬	79	78
埼玉	57	65
千葉	143	116
東京	76	160
神奈川	98	97
新潟	161	129
富山	80	71
石川	74	96
福井	106	93
山梨	68	117
長野	66	63
岐阜	61	73
静岡	80	87
愛知	114	107
三重	82	118
滋賀	76	83
京都	72	137
大阪	162	155
兵庫	83	72
奈良	81	108
和歌山	74	103
鳥取	46	75
島根	55	55
岡山	62	79
広島	60	115
山口	55	63
徳島	82	150
香川	67	64
愛媛	81	101
高知	131	162
福岡	107	113
佐賀	151	99
長崎	91	98
熊本	132	95
大分	97	96
宮崎	99	96
鹿児島	96	110

（出典）　農林水産省「農地の権利移動・借賃等調査」令和元年

図表 7 は、耕作目的の所有権移転（ただし有償のもの）の総数（農地法第 3 条許可・届出＋農業経営基盤強化促進法による所有権移転）と法令別内訳です。

さらに、**図表 8** は借賃等の水準（百円／10 a あたり）を示しています。これによると、令和元年の借賃の水準は全国平均で田が11円／m^2（＝11,000円÷1,000m^2）、畑が8.5円／m^2（＝8,500円÷1,000円／m^2）となっており、県ごとにみた場合、かなりの幅が生じていることを読み取ることができます。

2 各自治体による農地の賃借料情報の公表

農地法等の一部を改正する法律が平成21年12月15日に施行されたことにより、それまでの標準小作料制度が廃止され、農業委員会が農地の賃借等の情報の提供を行うことが法律に明記されています（農地法第52条）。これにより、農業委員会では標準小作料を定めるのではなく、農地法および農業経営基盤強化促進法により賃借権が設定された土地の実際の賃借料を集計し、その情報提供を行っています。その目的は、農地の賃借料を決定する際の判断材料として活用することにあります。

参考までに、自治体がホームページで公表している賃借料情報の例を**図表9～11**に掲げます。

図表9　農地の賃借料（自治体A）

水 田 （10a当たりの賃借料水準）	平均額：11,000円 最高額：21,100円 最低額：　5,500円 データ数：　194件
畑 （10a当たりの賃借料水準）	平均額：11,700円 最高額：19,300円 最低額：　4,900円 データ数：　146件

図表10　農地の賃借料情報（自治体B）

水 田 （10ａ当たりの賃借料水準）	平均額：17,100円 最高額：18,000円 最低額：10,000円 データ数：　71件
畑 （10ａ当たりの賃借料水準）	平均額：10,000円 最高額：11,000円 最低額：　7,000円 データ数：　9件

さらに、地方の自治体ではその地域性が反映されているためか、**図表11**のように田畑の賃借料が**図表９**および**図表10**に掲げた自治体に比べて著しく低い水準となっているところもあります。

図表11　農地の賃借料情報（自治体C）

水 田 （10ａ当たりの賃借料水準）	平均額：　5,400円 最高額：　9,600円 最低額：　1,800円 データ数：　54件
畑 （10ａ当たりの賃借料水準）	平均額：　1,100円 最高額：　3,300円 最低額：　1,000円 データ数：　87件

また、自治体によっては、参考となるべき過去１年間に契約された農地の賃貸借の実績が不足しているため、自治体独自での水準を表示できず、近隣市町の賃借料情報を提供しているところもあります。

【参考】

平成21年12月15日施行の改正農地法以前においては、全国農業会議所より「水田小作料の実態に関する調査結果」が公表され、そのなかに実納小作料が記載されていました。しかし、農地法改正により、このような調査に代えて自治体による賃借料情報の提供を行うこととなったのは上記のとおりです。

3 田畑価格及び賃借料調（日本不動産研究所）

（一財）日本不動産研究所では、毎年３月末現在の「田畑価格及び賃借料調」の結果を公表していることはすでに述べましたが、本項ではこのうち賃借料に関する調査の概要を紹介しておきます。

この調査では、品等区分別10ａあたり田畑賃借料というかたちでその水準を把握しています。その理由は、田畑価格および賃借料は同一市町村内においても地質や耕作条件によって収益性が異なるため、田畑価格および賃借料に差異が生じるからです。そのため、当該調査では、田畑の生産力（例：10ａあたり収量）および耕地条件（例：圃場整備）等をもとにして、調査市町村の田または畑を「上の中」「普通」「下の中」の品等に区分しています。

なお、調査対象は田畑の賃貸借において貸手・借手に相応と認められ、実際に支払った10ａあたり賃借料（2009年調査までは10ａあたり小作料）となっています。

参考までに、**図表12**に全国平均田畑賃借料を、**図表13**に地区別平均田畑賃借料（普通品等・10ａあたり）を示します（2021年３月末現在）。

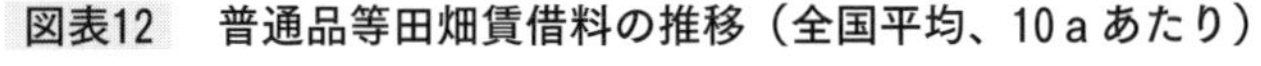

図表12　普通品等田畑賃借料の推移（全国平均、10ａあたり）

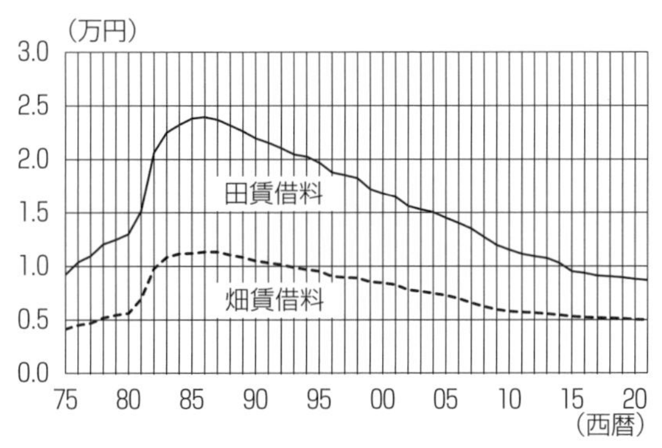

（出典）（一財）日本不動産研究所「田畑価格及び賃借料調」（2021年３月末現在）

図表13　全国平均田畑賃借料（10 a あたり）

地目	品等	賃借料					対前年変動率				
		2021年	2020年	2019年	2018年	2017年	2021年	2020年	2019年	2018年	2017年
		円	円	円	円	円	%	%	%	%	%
田	上の中	11,883	12,124	12,332	12,517	12,714	(−)2.0	(−)1.7	(−)1.5	(−)1.5	(−)1.8
	普通	8,629	8,791	8,918	9,035	9,161	(−)1.8	(−)1.4	(−)1.3	(−)1.4	(−)1.6
	下の中	6,000	6,069	6,113	6,159	6,200	(−)1.1	(−)0.7	(−)0.7	(−)0.7	(−)1.0
畑	上の中	6,544	6,628	6,715	6,784	6,881	(−)1.3	(−)1.3	(−)1.0	(−)1.4	(−)1.8
	普通	4,970	5,014	5,056	5,090	5,130	(−)0.9	(−)0.8	(−)0.7	(−)0.8	(−)1.4
	下の中	3,201	3,214	3,225	3,235	3,250	(−)0.4	(−)0.3	(−)0.3	(−)0.5	(−)0.8

（出典）（一財）日本不動産研究所「田畑価格及び賃借料調」（2021年３月末現在）

2 地代家賃と利回り

地代家賃の水準を検討する場合、必ずといってよいほど引き合いに出されるのが「利回り」という概念です。しかし、この概念自体、どちらかといえば抽象的で、かつ相対的なものとしてとらえられています。そのため、改めて「利回り」とは何か、「利回り」にはどのようなものがあり、どのように異なるのかといった話題に発展した場合、これらを明確に表現するのは思った以上に難しいというのが実情です。

そこで、本項では地代家賃と密接な関係にある利回りについて考えてみます。

（1）収益還元法と還元利回り

不動産の利回りという概念は土地建物の価格を求める手法の一つである収益還元法と密接に関連しています。そのため、最初に収益還元法の考え方を取り上げ、次項ではこれに用いられる利回りの概念について整理しておきます。

収益還元法は、対象不動産が将来生み出すであろうと期待される純収益の現在価値の総和を求めるものであり、純収益を還元利回りで還元して対象不動産の試算価格を求める手法です。

その内容を賃貸用建物を前提に考えれば、純収益とは家賃収入等の総額から維持管理費をはじめとする総費用を差し引いた残りの部分（すなわち純粋な手取額であり、本来の利益部分）を意味しています。

このような考え方のもと、収益還元法においては、まず、対象不動産から将来生み出されると期待される純収益を査定し、次に、これを得るためには利回りから逆算してどれくらいの価格で購入すれば採算に見合うかという視点から不動産の価値を求めていきます。

このことを理解するために預金と利息の関係を例に考えれば、

算式

預金額×利子率＝利息

という計算式となることから、反対に、期待する利息を得るためにはこれを利子率で割り戻した金額だけ預金しておかなければならないということになります。

この関係を不動産投資に当てはめれば、預金額に相当する部分が不動産の価格（元本）に、利子率に相当する部分が利回りに、利息に相当する部分が純収益（果実）に置き換わると考えられます。

すなわち、不動産の価格×利回り＝純収益となることから、

算式

純収益÷利回り＝不動産の価格

という結果が導かれます。

そして、純収益（果実）から不動産の価格（元本）を求めることを鑑定評価では「還元する」といい、その際に用いる利回りのことを特に「還元利回り」と呼んでいます。

ここで、一期間の純収益をａ、還元利回りをＲとすれば、求める不動産の収益価格Ｐは、

算式

$$P = \frac{a}{R}$$

という簡潔な式に集約されます。

（2）還元利回りの性格

前記算式から読み取れるとおり、純収益を一定とした場合、収益価格が高ければ高いほど還元利回りは低くなり、収益価格が低ければ低いほど還元利回りは高くなるという結果が導かれます。

また、

・農地地域や林地地域よりも宅地地域のほうが地価水準が高いため、還元利回りは相対的に低くなる

・住宅地域や工業地域よりも商業地域のほうが地価水準が高いため、還元利回りは相対的に低くなる

という傾向がみられます。

さらに、不動産の利回りという概念は、その価格である元本に対してどれだけの賃料がその地域で支払われているかという割合を経験則から推定し、これが還元利回りを用いた収益還元法の手法に適用される契機となったともいわれています。このようなことから、地域の性格や地価水準の相違が還元利回りの相違にも反映されていると考えられます。

次に、還元利回りの特徴として、これが投資収益や投資の回収を図るための判断の指標として用いられ、将来予測の不確実性（リスク）を反映するとともに、収益と元本に対する変動予測を含んだものであることを指摘できます。

それだけでなく、還元利回りは金融資産の利子率と密接な関連を有していますが、不動産の有する個別性（地理的位置の固定性、非移動性等）ゆえに、金融資産の利子率の変動がそのまま還元利回りに連動しない点に留意する必要があります。

最後に、還元利回りの傾向を実務的にとらえた場合、次の点も念頭に置かなければなりません。

① 土地に対する利回りのほうが建物に対する利回りに比べて一般的に低いこと（土地は建物のようにその地域や立地条件に即して建設し投資するリスクが一般に少ないのですが、建物は使用とともに価値が減少していくことが挙げ

られます)。

② 土地は使用による価値の減少は発生しないこと。

③ 建物のなかでも、木造のほうが鉄筋造等の堅固なものよりも利回りが高く、品等の低い建物のほうが高級な建物よりも利回りが高いこと。また、用途が特殊なものになればなるほど高くなること。

④ 建物の残存耐用年数は収益の継続期間に大きな影響を及ぼすことから、利回りの査定にあたり極めて重要な要素となること。そして、一般的には、残存耐用年数が短ければ利回りは高く、反対に残存耐用年数が長ければ利回りは低くなる傾向にあり、すなわち、投資リスクが高ければその分だけ利回りに加算し、リスクが低ければその投資は安全であり、利回りは低くてよいと考えても不合理ではないということ。

⑤ 市場性のあるもの、増価性のあるもの、将来における賃料増額の期待性のあるものほど利回りは低い傾向にあること。

(3) 期待利回りとその性格

期待利回りとは、賃貸借等に供する不動産を取得するために要した資本に相当する額に対して期待される純収益のその資本相当額に対する割合をいいます。

例えば、ビルの建築に５億円を投資したとします。これを20年で回収しようとすれば、最低限度、

５億円÷20年＝2,500万円

を年々の家賃として受け取る必要があります。

この2,500万円という家賃は、投資額との関連でとらえれば、

2,500万円（年）÷５億円＝５％／年

という利回りとなります。

これを裏から考えれば、

５億円×５％／年＝2,500万円

となり、５億円の投資額に対してその回収のためには５％の利回りが必要と

なるといえます。期待利回りとはこのような意味で使用されています（**図表14**）。

図表14　期待利回り

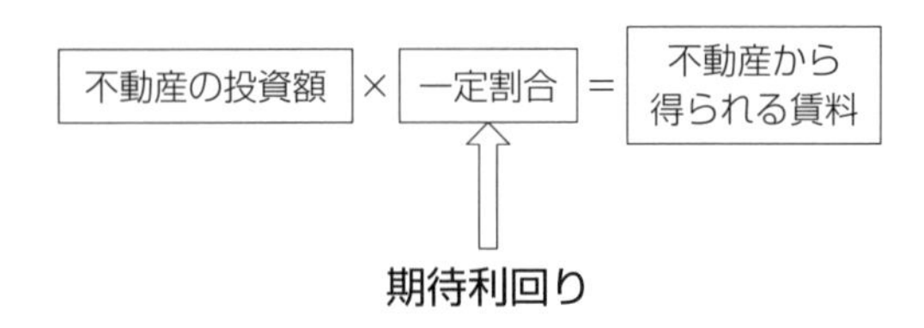

（4）期待利回りと還元利回りの相違

期待利回りは収益還元法における還元利回りに類似する概念ですが、全く同じものではありません。ただ、その相違を理論的に解説しようとすると難しくなってしまいますので、ここでは不動産鑑定評価基準に基づいて考え方を述べるにとどめておきます。

1 目的の相違

ここでいう目的の相違とは、一概に「利回り」といっても、それが賃料を求めるための利回りか、価格を求めるための利回りかという点で相違しているということです。

すなわち、期待利回りという場合には賃料を求める際に適用される利回りを意味します。これに対し、還元利回りという場合には価格を求める際に適用される利回りを意味します。

2 利回りの対象期間との関係

本書の前段で、不動産の価格と賃料とは元本と果実の相関関係にあると述べましたが、期待利回りと還元利回りの関係をとらえる際にも価格と賃料との関連からアプローチすることが必要となります。

すなわち、不動産の価格という場合には、対象不動産の使用収益ができる全期間にわたって自ら保有することを前提に経済価値をとらえています（借地権等の利用権は別とする)。そして、収益還元法を適用して不動産の価格を求める際には、純収益を還元利回りで還元して収益価格を求めることになります。

これに対して、不動産の賃料という場合には、不動産の使用収益ができる期間を一定期間としてとらえ、これに対応する経済価値を求めることとなります。そのため、賃料評価の一つの手法である積算法を適用して賃料を求める際には、基礎価格に対し、賃貸借期間に相応する期待利回りを乗ずることが基本となります。

このようにとらえていった場合、**図表15**の関係が導かれます。

図表15

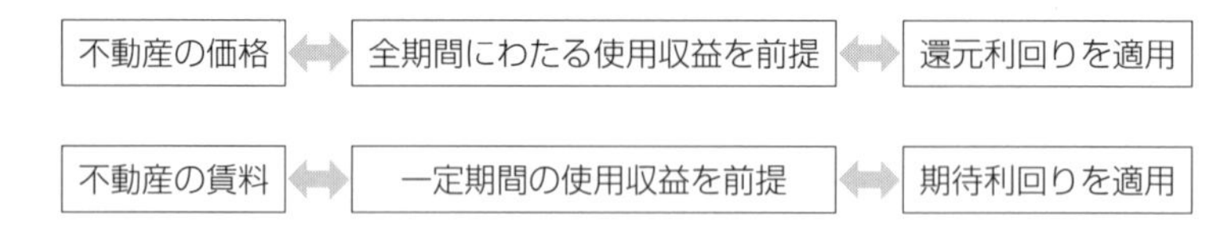

これらをまとめれば、還元利回りは価格を求めるための利回りであるため、半永久的に保有する期間に発生すると見込まれるリスクを含んだものとなります。

これに対し、期待利回りは賃料を求めるための利回りであるため、一定の賃貸借期間を対象としています。そのため、還元利回りと比較した場合、対象とする期間が短い分だけリスクも少ないという見方ができます。

したがって、一般的な関係として、

算式

還元利回り＞期待利回り

ということが導かれるわけです。

一例として、新規貸しを想定した場合の地代の期待利回りを更地価格の４％、地代の差額(新規貸しの地代－実際の地代)を還元して借地権の価格を求める際の還元利回りを５％と査定し、期待利回りにリスク相当分を上乗せして還元利回りを求めているケースが挙げられます。

（5）純賃料利回りと粗利回り

不動産の収益性を表す利回りの算定基礎として、鑑定評価では純収益を使用しています。そのため、鑑定評価で用いる利回りは、

算式①

総収益－総費用＝純収益

算式②

純収益÷不動産の価格＝利回り

という算式によって導かれる諸経費抜きのものです。その意味で、純賃料利回り（あるいは純利回り）とも呼ばれています。

不動産の価格を求める手法の一つである収益還元法においては上記の関係に着目し、

算式

$$\frac{\text{純収益}}{\text{純賃料利回り（還元利回り）}}=\text{不動産の価格}$$

として試算価格を求めています。

このような考え方は、収益目的に供される不動産といっても、総収益から控除される総費用は個々のケースによって異なるため、これらを控除した純収益を利回り計算の基礎として用いるほうが理論的であるという視点に立っています。

これに対し、総費用を控除する前の総収益を不動産の価格で割ったものを粗（賃料）利回りと呼んでいます。

粗利回りは適用が比較的簡単で、わかりやすいという点に特徴がありま

す。すなわち、支払賃料そのものと不動産価格との関係から利回りを求めることができるからです。これに関しては、賃貸不動産の鑑定評価の実践面において、現実の賃料を取り上げても、また、最有効使用によるいわゆる仮設的（想定的）な賃料を取り上げても、不動産より生じる総収益の把握は純収益の把握よりはるかに容易であり、それ故、経費率を度外視して、総賃料と不動産価格との間の関係を表示する簡便法として、種々な比率が一般に述べられてきたのも故なしとしない[注7]との指摘があります。

［注７］湯浅富一「総賃料と価格との関係について」『不動産鑑定』1965年７月号、p.17

また、諸経費の査定にあたり、固定資産税等の実額を用いる項目は別として、管理費・修繕費等の査定には一種の見積的要素が介入しますが、総収益を基礎とすればこれを排除できる点にメリットもあります。

その反面、粗利回りを参考にする際には次の点に留意が必要です。

① 総収益（総賃料）を不動産の価格で割った結果として求められるため、諸経費込みの割合となっていることです。すなわち、物件ごとに異なる諸経費等が利回りの計算に反映されていないことです。

② 新築物件と築後年数の長い物件とでは諸経費も異なりますが、粗利回りはこれを反映しないため、純賃料を均一なものとしてとらえていることです。

これらのイメージの相違を**図表16**に表しました。

図表16　純利回りと粗利回りの関係

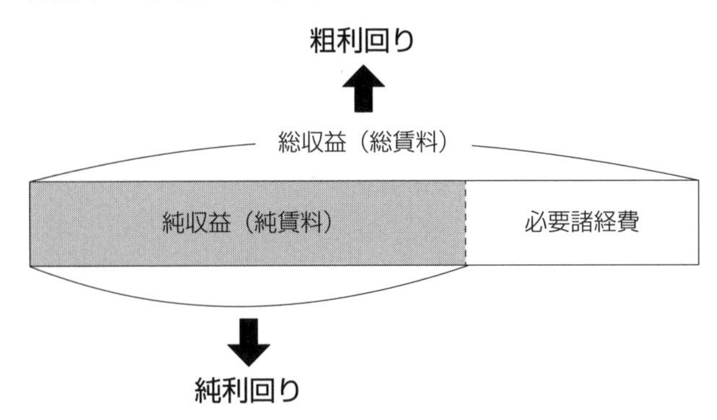

3 賃料動向等をマクロ的に把握するための資料

賃料を査定するにあたっては、個々の契約ごとに物件の特性や契約期間の長短、地域の需給状況等を反映させることが基本となりますが、その際、マクロ的な動向を把握しておく必要があります。

最近では、これを把握するためのデータは、そのデータの取りまとめを行った機関のホームページでも公開されていますので、参照しておくと便利です。

本項では、このような観点からいくつか資料を紹介します。なお、詳細はそれぞれのホームページをご参照ください。

(1)「不動産投資家調査」(日本不動産研究所)

(一財)日本不動産研究所では、毎年2回(4月1日時点および10月1日時点)に分け、期待利回りや今後の賃料見直し等につき、投資家へのアンケート調査を行い、その結果を「不動産投資家調査」として公表しています。

このアンケート調査で集約された数値は必ずしも実際の取引に基づいて算出されたものではありませんが、利回りに関する客観的指標の少ない現在、鑑定評価(収益還元法の適用)の参考資料として活用されています。ただし、その際の留意点として、同調査でも指摘するとおり、不動産は個別性が非常に強い資産であることから、調査の結果が個別の不動産の利回りに関して直接的な意味を持つものでないことを念頭に置く必要があります。

なお、同調査の対象となっているのは、オフィスビル、賃貸住宅(ワンルーム、ファミリー向け、外国人向け高級賃貸住宅)、商業店舗、物流施設が中心ですが、なかでも築年数が5年未満で、交通アクセスもよく(最寄駅から徒歩10分以内。オフィスビルでは5分以内)、規模が大きい等、いわゆるAクラスに属するものが前提となっています。

ちなみに、同研究所ホームページで公開されている調査結果の項目を掲げれば、次のとおりです。

① Aクラスビル（オフィスビル）の期待利回り（推移）
② 賃貸住宅一棟（ワンルームタイプ）の期待利回り（推移）
③ 商業店舗の期待利回り（推移）
④ 物流施設・倉庫（マルチテナント型）の期待利回り（推移）
⑤ 宿泊特化型ホテルの期待利回り（推移）
⑥ 今後1年間の不動産投資に対する考え方
⑦ マーケットサイクル（市況感）

(2)「全国賃料統計」（日本不動産研究所）

「全国賃料統計」においては、全国の主要都市におけるオフィス・共同住宅賃料の動向を把握するために実施された定期調査の結果が集約され、全国および地方別等の賃料指数が作成されています。また、これに加え賃貸市場の動向把握も行われています。なお、毎年9月時点におけるモデル建物の新規賃料の査定結果がベースとなっています。

ここで公表されている項目の主なものは、以下のとおりです。

1 オフィス賃料（都市圏別、地方別、都市規模別の対前年変動率）

1）　都市圏別

東京圏、東京都区部、大阪圏、名古屋圏

2）　地方別

北海道地方、東北地方、関東地方、北陸地方、中部・東海地方、近畿地方、中国地方、四国地方、九州地方、沖縄地方

3）　都市規模別

政令指定都市、六大都市、六大都市以外、政令指定都市以外

2 共同住宅賃料（地方別、都市圏別、都市規模別の対前年変動率）

1） 地方別

関東地方、北陸地方、中国地方

2） 都市圏別

東京圏、東京都区部、三大都市圏以外

3） 都市規模別

六大都市、政令指定都市、人口10万人～15万人未満

3 今後１年間の見通し

オフィス賃料指数および共同住宅賃料指数について、全国平均でとらえた場合の今後１年間の見通しがコメントされています。

（3）「全国オフィスビル調査」（日本不動産研究所）

この調査では、以下の項目の調査結果が公表されています。

1 三大都市・主要都市のオフィスビルストックの概要（新築、取壊、竣工予定）

・対象都市

三大都市　東京区部、大阪、名古屋

主要都市　札幌、仙台、さいたま、千葉、横浜、京都、神戸、広島、福岡

2 竣工年別のストック量

上記1の三大都市および主要都市の竣工年別オフィスビルストック量について、1981年以前と1982年以降に分けてマクロ的に掲載されています。

3 地方都市におけるビルストック状況

・対象都市

北海道 旭川市	新潟県 新潟市	和歌山県 和歌山市
青森県 青森市	富山県 富山市	鳥取県 鳥取市
岩手県 盛岡市	石川県 金沢市	島根県 松江市
秋田県 秋田市	福井県 福井市	岡山県 岡山市
山形県 山形市	山梨県 甲府市	倉敷市
福島県 福島市	長野県 長野市	広島県 福山市

	郡山市
	いわき市
茨城県	水戸市
栃木県	宇都宮市
群馬県	前橋市
	高崎市
埼玉県	川越市
	川口市
	所沢市
	越谷市
千葉県	市川市
	船橋市
	松戸市
	柏市
東京都	八王子市
	立川市
	町田市
神奈川県	川崎市
	相模原市
	横須賀市
	藤沢市
岐阜県	岐阜市
静岡県	静岡市
	浜松市
愛知県	豊橋市
	岡崎市
	一宮市
	春日井市
	豊田市
三重県	津市
	四日市市
滋賀県	大津市
大阪府	堺市
	豊中市
	吹田市
	高槻市
	枚方市
	東大阪市
兵庫県	姫路市
	尼崎市
	西宮市
奈良県	奈良市
山口県	下関市
	山口市
徳島県	徳島市
香川県	高松市
愛媛県	松山市
高知県	高知市
福岡県	北九州市
	久留米市
佐賀県	佐賀市
長崎県	長崎市
熊本県	熊本市
大分県	大分市
宮崎県	宮崎市
鹿児島県	鹿児島市
沖縄県	沖縄市

(4)「田畑価格及び賃借料調」（日本不動産研究所）

本章**1**（農地の賃借料）に掲げたとおりです。

(5)「東京・大阪・名古屋のオフィス賃料予測」（日本不動産研究所）

(一財)日本不動産研究所と三鬼商事株式会社で編成するオフィス市場動向研究会では、毎年、「東京・大阪・名古屋のオフィス賃料予測」を公表しています。その項目は以下のとおりです。

① 東京ビジネス地区の予測結果

② 大阪ビジネス地区の予測結果

③ 名古屋ビジネス地区の予測結果

各々の地区につき、標準シナリオと改革シナリオに分けて、それぞれの賃料指数、変動率、空室率を公表しています。なお、賃料および空室率の予測のもととしているデータは以下のとおりです。

・東京ビジネス地区（都心５区）の大・中型ビル（基準階面積100坪以上）における1985年以降の成約事例データ

・大阪ビジネス地区（主要６地区）の大・中型ビル（延床面積1,000坪以上）における1985年以降の成約事例データ

・名古屋ビジネス地区（主要４区）の大・中型ビル（延床面積500坪以上）における1985年以降の成約事例データ

(6)「店舗賃料トレンド」（日本不動産研究所）

都内５エリアおよび地方主要都市８エリア（全13エリア：銀座、表参道、新宿、渋谷、池袋、福岡、京都、神戸、仙台、名古屋、心斎橋、横浜、札幌）について、過去３年間にわたり店舗公募賃料データ（平均単価）を収集し、トレンドを分析しています。

なお、公募賃料データについては、スタイルアクト株式会社と株式会社ビーエーシー・アーバンプロジェクトが提供する「ReRem（リリム）」による店舗公募賃料データを（一財）日本不動産研究所および株式会社ビーエーシー・アーバンプロジェクトが集計したものです。

(7)「住宅マーケットインデックス」（日本不動産研究所）

この資料は（一財）日本不動産研究所が公表しているものですが、事例データはアットホーム株式会社と株式会社ケン・コーポレーションが提供し、分析を（一財）日本不動産研究所が行っているものです。

この調査では以下の項目が公表の対象となっています。

1マンション賃料（新築・中古）

1）　新築物件

大型タイプ、標準タイプ、小型タイプごとに、都心5区および東京23区のマンション賃料の平均単価と前期比、前回前期比、前年同期比が公表されています。

2）　中古（築10年）物件

新築物件と同様の項目が公表されています。

2マンション価格（新築・中古）

1）　新築物件

大型タイプ、標準タイプ、小型タイプごとに、都心5区および東京23区のマンション価格の平均単価と前期比、前回前期比、前年同期比が公表されています。

2）　中古（築10年）物件

新築物件と同様の項目が公表されています。

3参考資料

① 都心5区及び東京23区における新築の平均利回りの長期的推移

② 都心5区及び東京23区における中古の平均利回りの長期的推移

(8)「国際不動産価格賃料指数」（日本不動産研究所）

「国際不動産価格賃料指数」によれば、次の項目が公表対象となっています。

1国際オフィス市場

1）　オフィス価格変動率

都市別の対前回調査時点からの変動率

・都市名

香港、大阪、東京、バンコク、ホーチミン、ソウル、北京、シンガポール、ジャカルタ、上海、ニューヨーク、台北、クアラルンプール、ロンドン

2) オフィス賃料変動率

オフィス価格変動率と同様

2 国際マンション市場

1) マンション価格変動率

国際オフィス市場と同様の項目

2) マンション賃料変動率

国際オフィス市場と同様の項目

(9)「住宅・土地統計調査」(総務省統計局)

総務省統計局では、5年に1度、「住宅・土地統計調査」を実施しており、その結果を公表しています。なお、この調査は昭和23年から実施されており、直近では平成30年のものが公表されています[注8]。

[注8] 調査実施年から約2年後に公表されるため、本書刊行時点ではこれが最新のものとなります。

この調査は、わが国における住宅[注9]および住宅以外[注10]で人が居住する建物に関する実態と、これらに居住している世帯に関する実態調査がその目的とされています。

[注9] 専用住宅を指します。

[注10] 店舗その他の併用住宅を指します。

この調査の地代家賃に関連する項目の例を以下に掲げます。詳細は総務省統計局ホームページをご参照ください。

1 住宅の種類別1か月あたり家賃・間代

専用住宅、店舗その他の併用住宅別に集計されています(**図表17**)。

図表17　住宅の種類別1か月当たり家賃・間代の推移－全国（1973年～2018年）

住宅の種類	1973年	1978年	1983年	1988年	1993年	1998年	2003年	2008年	2013年	2018年
実数　（円）										
借家総数	10,410	18,348	25,606	33,762	44,763	49,494	51,127	53,594	54,040	55,675
専用住宅	10,029	17,908	25,107	33,214	44,458	49,257	51,064	53,585	54,052	55,695
店舗その他の併用住宅 1)	16,646	28,351	39,253	47,727	57,449	60,544	56,700	57,601	51,907	51,247
増減数　（円）										
借家総数	—	7,938	7,258	8,156	11,001	4,731	1,633	2,467	446	1,635
専用住宅	—	7,879	7,199	8,107	11,244	4,799	1,807	2,501	487	1,643
店舗その他の併用住宅 1)	—	11,705	10,902	8,474	9,722	3,095	—	901	−5,694	−660
増減率　（%）										
借家総数	—	76.3	39.6	31.9	32.6	10.6	3.3	4.8	0.8	3.0
専用住宅	—	78.6	40.2	32.3	33.9	10.8	3.7	4.9	0.9	3.0
店舗その他の併用住宅 1)	—	70.3	38.5	21.6	20.4	5.4	—	1.6	−9.9	−1.3

1）　1998年までは「農林漁業併用住宅」を除く。

（出典）　総務省統計局「住宅・土地統計調査」平成30年

2 住宅の種類別、所有の関係別1か月あたり家賃・間代および1畳あたり家賃・間代

住宅の種類別、所有の関係別に集計されています（**図表18**）。

図表18　住宅の種類、住宅の所有の関係別1か月当たり家賃・間代及び1畳当たり家賃・間代－全国（2013年、2018年）

住宅の種類、住宅の所有の関係	1か月当たり家賃・間代（円）			1畳当たり家賃・間代（円）		
	2018年	2013年	増減率（%）	2018年	2013年	増減率（%）
借家総数	55,675	54,040	3.0	3,064	3,040	0.8
専用住宅	55,695	54,052	3.0	3,074	3,051	0.8
公営の借家	23,203	22,394	3.6	1,156	1,120	3.2
都市再生機構（UR）・公社の借家	69,897	67,005	4.3	3,526	3,449	2.2
民営借家（木造）	52,062	51,030	2.0	2,580	2,633	−2.0
民営借家（非木造）	64,041	63,005	1.6	3,832	3,883	−1.3
給与住宅	34,049	30,684	11.0	1,699	1,577	7.7
店舗その他の併用住宅	51,247	51,907	−1.3	1,765	1,827	−3.4

（出典）　総務省統計局「住宅・土地統計調査」平成30年

（10）新聞記事

1 日本経済新聞社調査によるオフィスビルの賃貸料指数（新築・既存）

全国の主要拠点を対象に、同社が仲介業者から聞き取り調査を行って集計した結果を年２回、紙上に掲載しています（上期調査分：５月掲載、下期調査分：11月掲載）。なお、調査対象は５階建て以上、冷暖房完備、エレベーター付き３階以上のフロアーがあり、オーナーが原則大手企業のビルが対象となっています（同社ホームページより）。

2 住宅新報社による「４大都市圏家賃調査」

東京・大阪・名古屋・福岡の４大都市圏のマンション、アパートにつき、同社が家賃の調査を年２回実施し、その結果を紙上に掲載しています（調査時点：３月１日と９月１日。同社ホームページより）。

4 借地の更新料・名義書換承諾料・借地条件変更承諾料

（1）借地の更新料

第７章では借家の更新料に関する裁判例を取り上げましたので、本項では借地の更新料について述べておきます。

借家の場合と同じく、更新料については借地借家法（旧借地法を含みます）には何らの規定はありません。

また、最高裁の判例によれば、借地人に更新料の支払義務が生ずる商習慣が存在するものとは認められないと判示されていることから（昭和51年10月１日）、仮に契約更新にあたり貸主がこれを拒否した場合でも、借地人に対する更新料支払命令が発せられることは考えられません。貸主が借地契約の更新の合意をしない場合、貸主に正当事由がない限り、契約は法定更新されてしまいますが、その際に更新料の支払いが義務付けられることはないといえます。

それにもかかわらず、更新料の授受が多く行われているのはどのような根拠に基づくものでしょうか。これに関する定説はありませんが、貸主の立場からすれば、従来安く貸していた地代の不足分を補うため、あるいは将来の地代の前受分として授受する金銭と考えることもできます。

反対に、借主の立場からすれば、将来の利用権を確保するための費用、あるいは期間満了時期が近づき、目減りした借地権の価額を回復させるための費用と考えることもできます（**図表19**）。

図表19　借地権の価格と更新料の関係

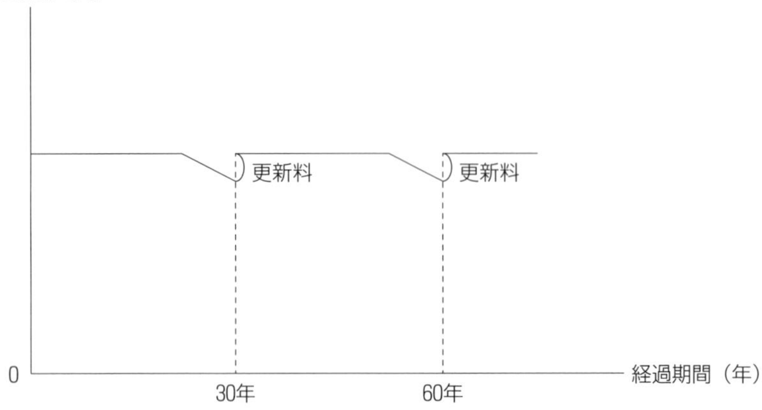

しかし、一般的には、貸主は契約更新を認めるための対価として更新料を受け取り、借主は契約更新にかかる訴訟を避け、将来の建替等をスムーズに行い得る関係を保つために更新料を支払うという意識が強いのではないでしょうか。

その際の更新料の額ですが、これについては当事者間の個別契約によって決定されることが多く、画一的な基準は存在していませんが、過去における非訟事件の給付決定等によると、最大公約数的なとらえ方をすれば、更地価格の５％前後を目安とする例が多いようです。

(2) 名義変更承諾料

名義変更承諾料（名義書換料とも呼ばれます）についても借地借家法に何らの規定はありませんが、これは借地権の売買等によって借主の名義が変更になる際に、貸主に承諾を求めるための対価（一時金）という意味で授受されています。

名義変更承諾料は、借地権の売主が負担するケースが多いといえますが、買主が負担するケースもあるため留意が必要です。

借地人が借地権の譲渡や転貸を行おうとする際には、通常は賃貸人の承諾が必要であり（土地賃貸借契約書で約定を設けることが一般的）、賃貸人の承諾を得ずに借地権を譲渡した場合には、契約違反による解約事由に該当します（民法第612条）。

一方、借地権の譲渡にあたり賃貸人の承諾が得られない場合には、賃借人は地主の承諾に代わる裁判所の許可を申し立てることができ、これが得られた場合には借地権の譲渡が認められますが、これに伴う一時金（名義変更承諾料）の給付を命ずる決定が行われることが多いといえます（旧借地法第9条の2、借地借家法第19条）。

したがって、借地権の譲渡に際しては名義変更承諾料の支払いを伴うことがむしろ一般的です。

しかし、当該金額の算定基準については法定されておらず、当事者間の話合いに基づいて決定されているのが実情です。その際、当事者間の話合いによる取り決めが困難な場合になされた土地賃借権譲渡許可申立事件の東京地裁の決定例（昭和62年4月以降）によれば、長期にわたる借地契約にかかる名義変更承諾料の傾向として借地権価格の10%前後の金額の支払例が多く見受けられます。もちろん、名義変更承諾料の取り決めに際しては、個別契約の事情、契約後の経過期間の長短、権利金の金額の多少、当事者間の力関係が影響し、借地権価格に対する割合は一様ではありません（5～15%程度）。

(3) 借地条件変更承諾料

借地条件変更承諾料は、借地条件のうちの根幹的部分である建物の構造・用途について変更を加える場合に授受される一時金です。

建物の所有を目的とする土地賃貸借契約を締結する場合、建築可能な建物の種類、構造、規模、用途等に制限が付されることが多く、このような借地条件を変更して建て替えを行おうとする際には、賃貸人の承諾を得る必要があります。

借地条件変更承諾に関しても、名義変更承諾と同じく、賃貸人の承諾が得られない場合には、賃借人は裁判所に申し立てたうえで、地主の承諾に代わる裁判所の許可が得られれば建て替えが可能となりますが、この場合にも一時金（借地条件変更承諾料）の給付を命じられることが多いといえます（旧借地法第８条の２、借地借家法第17条）。

しかし、これに関しても金額の算定基準には法律に何らの定めはなく、当事者間の話合いに基づいて決定されているのが実情です。その際、当事者間での話合いによる取り決めが困難な場合になされた建物の構造に関する借地条件変更申立事件の東京地裁の決定例（昭和62年４月以降のもの）によれば、長期にわたる借地契約にかかる条件変更承諾料の傾向として更地価格の10％前後の金額の支払例が多く見受けられます。もちろん、借地条件変更承諾料の取り決めに際しては、個別契約の実情や当事者間の力関係が影響するため、更地価格に対する割合は一様ではありません。

5 敷金、権利金、礼金、保証金、前払地代、共益費

賃貸借に際し、実際に授受されているこれらの金銭は、どのような性格のものでしょうか。

(1) 敷金

上記の金銭のうち、敷金以外は民法、借地借家法に直接登場してきません。

敷金は、借主に賃料の滞納やその他の債務不履行があった場合にこれをもって充当するという、いわば担保としての性格を有しています（民法第316条、第619条）。そして、実際に貸主・借主間で取り決められている内容も、このような性格のものが多いといえます。したがって、契約が終了し、借主に債務不履行がない限り、敷金は貸主から借主に返還すべき金銭といえます。

ただし、いくつかのケースを調べてみると、このような取扱いだけに限らず、当事者間でこれとは多少異なる特約をしている場合も見受けられます。例えば、敷金を家賃の数か月分預かり、契約終了時には「償却」と称して、借主に債務不履行がなくても、預かった敷金の半額を貸主が受取り、残り半額を返還する旨をあらかじめ約束しておくというものです。なお、地方によっては「償却」でなく、「敷引き」と呼ぶところもあります。

この他に、敷金と称していても、実際には家賃の数か月分以上を授受する等、賃料不払いの担保という性格を超えたものも見受けられます。このような例として、大都市の商業地における貸ビルが挙げられます。

(2) 権利金

権利金は、理論的には土地だけでなく建物の場合にも考えられますが、実際

に授受されるケースとしては土地賃貸借契約に伴うものが多いといえます。

一般の市場で新規に借地権を設定し、権利金を授受するケースは極めて少ないのですが、すでに締結されている借地契約で権利金が授受されているケースの性格を分析すると、次の二つの説が代表的といえます。

① 借地権設定の対価としての性格

② 地代の前払いとしての性格

権利金については、その性格を法で規定したというものではなく、慣行として生じてきた点に特徴があります。そのため、定説はないのが実情です。

なお、実際に授受される場合には、その地域の借地権割合に相応するものが多いといえます。そして、権利金は敷金のような預り金ではなく、一度授受されたら借主に返還されないものとして扱われています。

(3) 礼金

次に礼金ですが、これも法律的な根拠は明確ではありません。不動産の賃貸借に特有な慣行として生じてきたものと理解しておいたほうがよいでしょう。

契約を結ぶにあたって礼金を支払うケースもあれば、支払わないケースもあり、その相違が何に基づいているかも明確ではありませんが、貸主は礼金を受け取る代わりに月々の家賃をその分だけ割り引いて借主を募集しやすくする等の手段が用いられることもあります。したがって、月々の支払家賃だけでなく、実質賃料で物件の比較をする必要があるわけです。

礼金が授受される場合は、賃料の１～２か月分が目安となると考えてよいでしょう。

また、礼金も権利金と同様に、契約が終了しても借主には返還されません。その性格は賃料の前払い、または後払いともいわれていますが、定説はありません。

(4) 保証金

保証金も法律上明確な規定はありませんが、実際の例としては家賃の何か月分という決め方をしている例が多くあります。また、保証金という名目で授受されている金銭の性格を分析しても、その名称のごとく、必ずしも「○○を保証する」というものでもないようです。

多くみられるケースとしては、次のものがあります。

① 建設協力金的なもの（貸主がビルを建築する資金の一部を借主から提供を受け、一定期間据え置いた後に、低利の利息を付して借主に返還しているもの）

② 性格的には敷金と同様に借主に返還すべきものですが、敷金と表現するには多額の金銭となるため、保証金と称しているもの

③ 賃貸借契約終了時に借主に課される原状回復義務の履行を担保するもの（借主が原状回復を実施しない場合、貸主が保証金の一部を充当してこれを実施するというもの）

なお、当事者間の特約により、契約終了時点で借主に債務不履行がなくても、家賃の一部が「償却」と称して借主に返還されない約定を設けているものもあります。

(5) 前払地代

定期借地権設定契約を締結する際、権利金にかえて前払地代方式を採用するケースが増えています。そこで、以下、前払地代方式の特徴について解説します。

ちなみに、前払地代方式とは、地代の一部または全部を一括して前払いしておく方式を意味します。現在、定期借地権設定契約において、このような一時金の授受が多く行われている背景には、税務上の取扱いが大きく影響しているようです。

そして、その基になる考え方としては、平成16年12月16日付で国土交通省土地・水資源局長より発出された「定期借地権の賃料の一部又は全部を前払

いとして一括して授受した場合における税務上の取り扱いについて（照会)」に対する国税庁課税部長回答（平成17年１月７日付）がしばしば引き合いに出されます。

ここでは、契約期間の満了前における契約解除または中途解約時の未経過部分に相当する金額の借地権者への返還等を取り決めている場合には、契約時に一時金として授受されていても、当該年分の賃料に相当する金額をもって税務処理を行うことができる旨が明確にされています。未経過前払地代は、時間の経過とともに年々の地代に充当されていくことになります。

このような点で、定期借地権設定契約の際に授受されている前払地代は、旧借地法の下で授受されてきた権利金（すなわち、借地権者に一切返還されることがなく、借地権設定の対価を意味するもの）とは大きな相違があると考えられます。

(6) 共益費

最後に、共益費ですが、これは貸ビルではほとんどの場合に徴収されています。その内訳は、ビル全体の共用部分の電気代、清掃代、エレベーターの保守点検費、その他共用設備の補修費等を含んでいます。

ただし、多くのケースでは細かな内訳までは表示されず、各テナントの負担する有効面積（m^2）あたりの単価として一本で取り決められています。この単価を近隣の他のビルと比較して、共益費が高いか安いか、差がある場合は機能が異なるのか等の点から判断していくことになります。

6 フリーレントとは

不動産の賃貸借のなかでもオフィスビルの賃貸借において、「フリーレント」という言葉をしばしば耳にします。ただし、この言葉自体は法的な意味合いを有しておらず、一種の慣行として用いられるようになったと思われます。

一般に「フリーレント」という場合、契約期間の当初数か月分の賃料を無償とする契約内容を指しています。このような契約内容がオーナーに採用されるに至った背景には、テナント確保の促進があるといわれています。すなわち、その地域において競合ビルが複数ある場合、または供給過剰の状況にある場合に、テナントに継続入居してもらうための誘因を与えるというものです。

フリーレントは、賃貸オフィスビルを中心に、主に事業用目的の賃貸借に適用されていますが、なかには住居系賃貸物件にも適用されている例があるようです。

次に、フリーレントが適用される場合の契約書の記載方法が問題となりますが、約定上は一定期間「無償」とか「無料」という言葉は用いず、次のような特約条項を設けている例がほとんどです。

（特約条項）
第○条　本契約第○条に定める賃料の起算日は、第○条の定めにかかわらず、○○○○年○○月○○日とする。

なお、フリーレントにおいては、共益費は無償としないケースが多いと思われますが、これも特に定まったものはありません。

また、フリーレントを適用する以上、オーナーにとっては一定期間の入居を確保する必要があるため、中途解約の禁止期間を設けたり、その期間内にテナントの都合で解約する場合は違約金の支払条項を設ける等、様々な工夫がなされています。

7 傾斜賃料について

数多い賃貸借契約のなかには、傾斜賃料（あるいは段階賃料）という方式を採用している例もあります。

傾斜賃料とは、契約当初は本来の賃料よりも低い金額とし、その後の期間の経過とともに段階的に賃料を引き上げていくことを予め約束しておくというものです。その一例（契約内容の抜粋）は**図表20**のとおりです。

図表20　土地賃貸借契約書の一部

（賃貸借期間）
第○条　本契約による賃貸借期間は、平成○○年○月○日から30年間とする。

（賃貸料）
第○条　賃貸料は、月額○○○,○○○円（算式は別紙（省略）のとおりとする）。
　ただし、賃貸借期間の初日又は末日の属する月の賃貸借日数が１ケ月未満の場合には、その月分の賃貸料は日割計算により算出した額とする。
２　前項本文の規定にかかわらず、次の表の左欄に掲げる期間にあっては、同表の右欄に掲げる額をもって賃貸料の月額とする。

期　　間	賃貸料月額
自　平成○○年○○月１日 至　平成○○年○○月31日	200,000円
自　平成○○年○○月１日 至　平成○○年○○月31日	220,000円
自　平成○○年○○月１日 至　平成○○年○○月31日	240,000円
自　平成○○年○○月１日 至　平成○○年○○月31日	260,000円

なお、**図表20**は土地についてのものですが、傾斜賃料方式を建物について採用した場合の敷金（または保証金）は、賃料の何か月分というかたちで家賃の改定に合わせて段階的に追加していく方法と、当初契約のまま据え置いていく方法とがあります。土地についても、敷金を授受している場合には、同様の考え方となります。

地代家賃をめぐる最近の話題

1 コロナ禍における地価動向

わが国における新型コロナウイルス感染状況については、毎日のように新聞やテレビで報道されており、その状況や防止対策措置等の内容も刻々と変化しています。そのため、時々の状況については報道等を参照していただくこととし、本項では、2020年（令和２年）に入り流行が始まった新型コロナウイルス感染症の影響により、その後の地価がどのように変化したかにつき、地価公示の結果を基に概観していきます。

(1) 地価状況の変化とその要因～令和２年１月以降の１年間

1 地価状況の変化

公示価格は毎年１月１日現在の土地価格を示すため、令和２年１月以降１年間の地価動向を把握する場合は、令和２年および令和３年の地価公示の結果を比較して変動率を査定します。

コロナ禍を境に全国的に地価は下落しましたが、すべての地点で下落したわけではなく、なかには上昇している地点（あるいは上昇傾向が継続している地点）も見受けられました。個別的には国土交通省発表資料を参照していただくこととし、マクロ的にとらえた場合には、用途別・圏域別に次の傾向がみられました。

1) 住宅地

・東京圏の平均変動率：▲0.5％（平成25年以来８年ぶりに下落）

・大阪圏の平均変動率：▲0.5％（平成26年以来７年ぶりに下落）

・名古屋圏の平均変動率：▲1.0％（平成24年以来９年ぶりに下落）

・地方圏のうち地方四市（札幌市、仙台市、広島市、福岡市）の平均変動率：2.7％（８年連続上昇したが、上昇率は縮小）

・地方四市を除くその他の地域の平均変動率：▲0.6％（平成31年以来2年ぶりに下落）

2)　商業地

・東京圏の平均変動率：▲1.0％（平成25年以来8年ぶりに下落）

・大阪圏の平均変動率：▲1.8％（平成25年以来8年ぶりに下落）

・名古屋圏の平均変動率：▲1.7％（平成25年以来8年ぶりに下落）

・地方圏のうち地方四市の平均変動率：3.1％（8年連続上昇したが、上昇率は縮小）

・地方四市を除くその他の地域の平均変動率：▲0.9％（平成30年以来3年ぶりに下落）

3)　工業地

・東京圏の平均変動率：2.0％（8年連続上昇したが、上昇率は縮小）

・大阪圏の平均変動率：0.6％（6年連続上昇したが上昇率は縮小）

・名古屋圏の平均変動率：▲0.6％（平成27年以来6年ぶりに下落）

・地方圏のうち地方四市の平均変動率：4.4％（8年連続上昇したが、上昇率は縮小）

・地方四市を除くその他の地域の平均変動率：0.2％（3年連続上昇したが、上昇率は縮小）

2 状況変化の要因

国土交通省「令和3年地価公示結果の概要」によれば、上記のような状況変化をもたらした背景として、マクロ的には次の要因が指摘されています。

1)　住宅地

① 新型コロナウイルス感染症の影響により取引が減少したこと。

② 雇用・賃金情勢が弱い動きとなり、需要者が価格に慎重な態度となるなかで、建築費等の上昇が継続していることなどを背景に、全体的に需要は弱含みとなったこと。

③ 上昇地点の属性

・都市中心部の優良な住宅地やマンションなど、希少性と価格水準が高

い住宅地

・交通利便性や住環境に優れ、相対的に価格水準の低い住宅地

・札幌市、仙台市、福岡市とこれらの周辺の市町

・地方圏のその他の都市で、県庁所在都市等の主要都市やその周辺の市町

2)　商業地

① 新型コロナウイルス感染症の影響により、店舗の賃貸需要やホテル需要が減退したこと。

② 先行き不透明感から需要者が価格に慎重な態度となったこと。

③ 下落の大きな地点の属性

・外国人観光客をはじめとする国内外の訪問客の増加による店舗、ホテルの需要により今まで上昇してきた地域

・飲食店等の立地が集中するいわゆる飲食街・歓楽街

④ 緩やかな下落または横ばい地点の属性

・都市中心部のオフィス需要が中心となっている地域

⑤ 上昇地点の属性

・三大都市圏の中心部から離れた商業地や地方圏の路線商業地など、日常生活における利用が中心となる店舗等の需要を対象としている地域

・再開発等が行われている地域

・マンション需要と競合する地域

・札幌市、仙台市、福岡市のようにオフィス需要が堅調であることに加え、進行中の複数の都市再開発により繁華性の向上が期待される地域等

3)　工業地

① 上昇地点の属性

・インターネット通販の拡大に伴う大型物流施設用地の需要が強く物流施設の適地となる工業地

② 下落地点の属性

・その他の工業地（新型コロナウイルス感染症の影響による設備投資の縮小が背景にあり）

(2) 令和３年１月以降の１年間

❶地価状況の変化

令和４年地価公示によれば、令和３年１月以降の１年間の地価については、新型コロナウイルス感染症の影響が徐々に緩和されるなかで、全体的に前年からは回復傾向がみられる点が特徴として指摘されています。

なお、用途別・圏域別の変動率は以下のとおりです。

1) 住宅地

・東京圏の平均変動率：0.6％（上昇に転じた）
・大阪圏の平均変動率：0.1％（　同上　）
・名古屋圏の平均変動率：1.0％（　同上　）
・地方圏のうち地方四市（札幌市、仙台市、広島市、福岡市）の平均変動率：5.8％（上昇率が拡大）
・地方四市を除くその他の地域の平均変動率：▲0.1％（下落率が縮小）

2) 商業地

・東京圏の平均変動率：0.7％（上昇に転じた）
・大阪圏の平均変動率：0.0％（下落から横ばいに転じた）
・名古屋圏の平均変動率：1.7％（上昇に転じた）
・地方圏のうち地方四市の平均変動率：5.7％（上昇率が拡大）
・地方四市を除くその他の地域の平均変動率：▲0.5％（下落率が縮小）

3) 工業地

・東京圏の平均変動率：3.3％（９年連続上昇かつ上昇率が拡大）
・大阪圏の平均変動率：2.5％（７年連続上昇かつ上昇率が拡大）
・名古屋圏の平均変動率：1.6％（上昇に転じた）
・地方圏のうち地方四市の平均変動率：7.4％（９年連続上昇かつ上昇率が拡大）

・地方四市を除くその他の地域の平均変動率：0.8％（4年連続上昇かつ上昇率が拡大）

❷状況変化の要因

国土交通省「令和4年地価公示結果の概要」によれば、前記のような状況変化をもたらした背景として、マクロ的には次の要因が指摘されています。

1)　住宅地

① 景況感の改善、低金利環境の継続、住宅取得支援施策等による下支えの効果もあり、取引件数は前年と比較して増加しており、全国的に住宅地の需要は回復し、地価は上昇に転じたこと。

② 上昇地点の属性

・都市中心部の希少性が高い住宅地

・交通利便性や住環境に優れた住宅地

・生活スタイルの変化による需要者のニーズの多様化などにより、バス圏や都心からの通勤距離にある相対的に価格水準の低い地域

・札幌市、仙台市、広島市、福岡市とその周辺部の地域

・地方圏のその他の都市で、県庁所在都市等の主要都市

③ 下落地点の属性

・地方四市を除くその他の地域で、人口減少等により需要が減退している地域

2)　商業地

① 都心近郊部においては、景況感の改善により、店舗やマンション用地に対する需要が高まり、上昇に転じた地点が多くみられること。

② 上昇地点の属性

・都市近郊部のほか、駅徒歩圏内で繁華性のある商業地や地方圏の路線商業地など、日常生活に必要な店舗等の需要を対象とする地域

・再開発事業等の進展期待がある地域やマンション用地と競合する地域

・地方圏の四市（札幌市、仙台市、広島市、福岡市）において、オフィス需要が堅調であり、進行中の複数の再開発事業等による繁華性向上へ

の期待やマンション用地の需要等がある地域

③ 下落地点の属性

・国内外の来訪客が回復していない地域や飲食店が集積する地域（特に外国人観光客の増加を背景として近年高い上昇を示してきた地域では大幅な下落が継続）

・都心中心部の一部の地域において、空室率の上昇等によりオフィス需要に弱い動きがみられる地域

・地方四市を除くその他の地域で、人口減少等により需要が減退している地域

3) 工業地

① 工業地は全国平均で６年連続、三大都市圏平均では８年連続、地方圏平均では５年連続の上昇であり、それぞれ上昇率も拡大している。

② 特記事項

・インターネット通販の拡大に伴う大型物流施設用地の需要が強く、高速道路のインターチェンジ周辺等の交通利便性に優れる物流施設の適地となる工業地では地価上昇率も大きい。

2 コロナ禍における賃料動向

賃料動向に関する公表資料には収集上の制約があることから、賃貸住宅およびオフィスビルにつき、本書執筆時点における状況を解説します。

(1) 賃貸住宅の場合

新型コロナウイルス感染症発生に伴い、最初の緊急事態宣言が発令されたのは2020年４月７日でしたが、その後の感染者数の減少および再度の増加に対応して宣言の解除と発令が繰り返され、いまだ収束をみないまま現在に至っています。ここでは、このような状況が賃貸住宅の家賃相場にどのような影響を与えたかについて振り返っていきます。

なお、賃料については、地価公示や地価調査のような公的指標の形で毎年一定の時期にその推移を公表している資料がなく、しかも、地点ごとに水準は異なっています。したがって、具体的な地点について調査する場合は、不動産仲介業者が扱っている（広告やインターネット等で公開されている）情報を基にして比較することが実務的であると思われます。

その意味で、これから述べる内容はマクロ的な動向を中心とします。

まず、筆者が収集・分析した諸資料[注1]による限り、コロナ禍の影響で居住用賃貸物件の家賃相場が全体的に下落したという傾向は見受けられませんでした。むしろ反対に、全国主要都市のレベル（東京、名古屋、大阪、福岡等）では上昇傾向が窺えます。

［注１］

次の資料を参照しました。

・アットホーム社（不動産情報提供サービス取扱会社）が定期的に発表している「全国主要都市の『賃貸マンション・アパート』募集家

賃動向」（同社ホームページ参照）

・旭化成マンスリーレポート（同社ホームページ参照）

もちろん、賃貸アパート・マンションのなかには、ファミリー向け、シングル向け等、目的に応じていくつかのタイプが混在しており、個別的・募集時期別にみれば、一時的な下落を示したケースもあると思われます。

しかし、ここで注目すべきは、コロナ禍においても賃貸住宅の家賃相場は総じて堅調に推移している（＝底堅い）という事実です。その要因を、筆者は次のとおり分析しています。

① 例えば、東京都23区では、分譲マンションの価格は高水準にとどまっているが、コロナ禍における雇用不安（収入面の減少）により持ち家よりも賃貸を嗜好する需要者が安定的に存在し、貸し手の意向が家賃相場に強く反映されている。

② コロナ禍の影響で、郊外への住み替えの意向を有する人も少なからず存在し[注2]、また、総務省が2022年１月28日に発表した「住民基本台帳人口移動報告 2021年（令和３年）結果[注3]」によれば、東京23区内から近隣県への転出者が従来以上に増加したとの動きもみられる。しかし、転入者があることも併せて考えれば、コロナ禍により賃貸住宅の需給関係が大きく崩れる（供給量＞需要量）状況が到来しているとは考え難い。

［注２］国土交通省「我が国の住生活をめぐる状況等について（住まいに関する意識等に関する調査について）」

この調査は、新型コロナウイルス感染症の影響が暮らしの様々な面に表われており、住まいに関する意識や意向にも影響が及んでいることから、今後の住宅政策における新たな住まい方の検討に当たり、その動向を把握することを目的として行われました（調査期間：令和２年10月13日～令和２年10月16日）。なお、調査方法はインターネットにより、回収数は3,000（単身：604、夫婦：806、夫婦と子：1,008、左記以外：582）です。

その結果、約１割の人が「住み替え意向」や「購入する住宅の建て方に関する意向」に新型コロナウイルスの影響があったと回答しています。

［注3］詳細は同省ホームページをご参照ください。全国ベースでの統計結果が記載されています。

③ 賃貸住宅入居者の住み替えの割合がそれほどに至っていない場合、現入居者の契約更新が繰り返される結果、新規賃貸物件の市場における供給量はそれほどの増加はみられない。そのため、借り手の意向が家賃水準を支配できるほどの状況には至っていない。

④ コロナ禍においても、生存基盤としての住居が必要であることはコロナ禍前と何ら変わるところはないこと。

⑤ テレワークの導入（普及）により、通勤先より多少遠くなっても、住環境の優れた広いスペースの住宅に対する需要も発生させること（住宅に対するニーズの変化）。

(2) オフィスビルの場合

オフィスビルの場合、居住用賃貸アパート・マンションとは状況が異なり、コロナ禍の２年間で全国的にも下落傾向がみられます。ただし、地域的には上昇傾向を維持しているところ、横ばいとなっているところも見受けられます。

図表１は、（一財）日本不動産研究所が毎年公表している「全国賃料統計」（その年の９月末現在）の結果を一覧にしたものです。これによれば、2020年９月末時点から2021年９月末時点までのオフィス賃料指数が全体的に下落している傾向が読み取れます。

図表1　オフィス賃料指数

	2021年		2020年		2019年	
	指数（2010年を＝100とする指数）	変動率%	指数（2010年を＝100とする指数）	変動率%	指数（2010年を＝100とする指数）	変動率%
全国	112.5	−0.5	113.1	0.9	112.0	4.0
地方別						
北海道地方	121.9	3.2	118.1	3.9	113.6	7.4
東北地方	107.2	−0.1	107.3	−0.1	107.4	2.9
関東地方	113.9	−1.2	115.3	0.5	114.7	2.5
北陸地方	91.0	0.0	91.0	0.5	90.6	1.1
中部·東海地方	103.4	−0.1	103.5	−0.1	103.7	3.9
近畿地方	123.8	−0.6	124.6	2.0	122.1	9.9
中国地方	106.8	−0.1	106.9	−0.1	107.0	1.6
四国地方	92.9	−0.4	93.4	−0.4	93.8	0.9
九州地方	105.8	1.3	104.4	2.2	102.1	2.5
沖縄地方	107.0	0.0	107.0	1.1	105.9	2.3
都市圏別						
東京圏	114.8	−1.2	116.2	0.5	115.6	2.6
東京都区部	117.0	−1.5	118.8	0.2	118.5	1.9
大阪圏	126.5	−0.6	127.3	2.2	124.6	10.7
名古屋圏	109.2	0.0	109.2	0.0	109.2	6.1
三大都市圏以外	103.3	0.7	102.6	1.1	101.6	2.4
都市規模別						
政令指定都市	117.6	−0.5	118.2	1.2	116.9	4.8
六大都市	117.9	−1.0	119.1	0.9	118.1	4.8
六大都市以外	116.6	1.4	115.0	2.1	112.6	4.8
政令指定都市以外の都市	94.3	−0.3	94.6	0.1	94.5	0.7
30万人以上	95.1	−0.3	95.3	0.2	95.1	1.0
30万人未満	92.6	−0.2	92.8	−0.2	93.0	0.1

（出典）（一財）日本不動産研究所「第26回全国賃料統計（2021年9月末現在）」「第25回全国賃料統計（2020年9月末現在）」を基に作成

このような傾向を地域別、期間別（例えば四半期別）に把握しようとする場合、大手貸ビル仲介業者が定期的に発表している賃料動向や空室率の状況に関する情報が役立ちます。なお、賃料の動向や空室率は刻々と変化していくため、タイムリーな情報（調査時点でのm^2当たりの単価と前四半期と比較した場合の増減等）は仲介業者のホームページで確認しておくことが有用と思われます[注4]。

［注４］三幸エステート　ホームページ掲載資料（市況データ、オフィスレント・インデックス、オフィスレントデータ）等

そのため、地域や地点を特定した個々の賃料情報や空室率の動向等については本項では割愛し、以下では、従来上昇基調が継続していたオフィス賃料が、新型コロナウイルス感染症の発生を契機に下落に転じた要因をマクロ的に解説します。

空室率は、オフィス賃料に影響を及ぼす重要な要因としてとらえられています。特に、新型コロナウイルス感染症の拡大により、感染防止策としてのリモートワークの導入および企業のオフィスの集約等により空室面積が従来以上に発生したことが空室率を押し上げた要因となっているようです。ちなみに、オフィスの集約を行う場合、それに伴うオフィス面積の縮小が目的とされる場合が多いと思われます。そして、従来（コロナ禍前）であれば経費削減が主目標とされていましたが、コロナ禍においては、それ以上に業務効率化（働き方改革）を目的とした移転が増加しているのも事実です。

空室率が上昇する要因には様々なものがありますが、その結果が賃料の下落要因につながることは事実です。なぜなら、貸し手は、空室状態が長く続けば賃料を引き下げてオフィスを埋めようとするからです。

さらに、都心部のように、コロナ禍前から進められていたビジネス地区へのオフィス供給が予定されることから、今後、供給量が需要量を大きく上回るという現象も予想されます。

しかし、一面では、テレワークは労働生産性を低める要素があり、企業経営者にとっては勤務管理の問題が生じるという懸念もあるようです。

また、テレワークを行うための端末貸与やセキュリティ対策、適切な通信インフラの確保等をはじめとする問題が指摘されています。そのため、一般的な企業ではテレワークを部分的に導入するものの、現状のオフィスを維持することから、テレワークによるオフィス需要の変化は当面小さいと思われるというとらえ方もあるようです。さらに、コロナ禍であるからこそ、感染症の拡大防止のため、オフィス空間の余裕も必要となるという視点を重視すれば、オフィス縮小とは異なったとらえ方もあり得ます。空室率の改善がみられる場合には、このような点も要因の一つとして検討する必要がありそうです。

3 コロナ禍における賃料の取扱いをめぐる諸問題

コロナ禍における賃料の取扱いをめぐり様々な問題が生じています。

新型コロナウイルスに関わる問題は過去にないイレギュラーなものであるだけに、本書執筆時点では裁判例の蓄積がなく、法律解釈によるところが大きくなります。そのため、具体的事案が生じた場合は弁護士等に相談していただくこととし、ここでは、想定される事案につき担当省庁によって示された見解を中心に対応策を掲げていきます。

【想定される事案】

1 新型コロナウイルス感染症の影響で売上が減少し、賃借中の建物の家賃が支払えなくなった場合、すぐに退去しなければならないか[注5]

［注５］法務省ホームページ「新型コロナウイルス感染症の影響を受けた賃貸借契約の当事者の皆様へ～賃貸借契約についての基本的なルール」（令和２年５月25日）を参照の上、執筆しました。

（対応策の要旨）

賃料の支払義務を履行することは重要であるが、建物の賃貸借契約においては、賃料の未払いが生じても、信頼関係が破壊されていない場合には直ちに退去しなければならないわけではないこと。

（考え方）

・信頼関係が破壊されていないと認められる事情がある場合には、賃貸人は賃貸借契約を解除できないとされています。

・新型コロナウイルス感染症の影響という特殊な要因で売上が減少したために賃料が支払えなくなったという事情は、信頼関係が破壊されていないという方向に作用すると考えられています。

・新型コロナウイルス感染症の影響により３か月程度の賃料不払いが生じても、その前後の状況を踏まえ、信頼関係は破壊されていないと判断されるケースも多いと考えられます。

(留意点)

・賃貸人からの契約解除が認められない場合であっても、不払いとなっている賃料支払義務が消滅するわけではないこと。

2 新型コロナウイルス感染症の影響で収入が減少したため、家賃の減額や支払猶予について賃貸人と交渉したい[注6]

［注６］参照資料は［注５］に同じ。

(対応策の要旨)

・賃貸借契約に定められている協議条項に基づき、賃貸人との間で家賃の減額や支払猶予等について交渉を申し入れること。

(考え方)

・賃貸借契約においては、不測の事態が生じた場合には当事者間で誠実に協議する旨の条項が定められているのが一般的です。

・契約書にこのような条項がない場合であっても、相手方が任意の協議に応じることもあるため、賃貸人に協議を申し入れることは可能です。

(留意点)

・当事者間で誠実に協議することが重要であること。

・入居者が賃料を誠実に支払う姿勢を有しているかどうかも、信頼関係が破壊されているかどうかの判断において考慮されること。

なお、家賃の減額と支払猶予は次の点で異なります。

家賃の減額　➡　支払うべき賃料の一部を免除すること

支払猶予　　➡　支払うべき賃料の全部または一部の支払期限を将来のある時点に延期すること

3 入居者が新型コロナウイルス感染症の影響で営業を休止することとなった場合、賃料が減額されることにはならないか[注7]

［注7］参照資料は［注5］に同じ。

（対応策の要旨）

・当事者間で、このような場合についてあらかじめ合意している場合はそれによること（当事者間での協議も重要である）。

・別段の合意がない場合において、賃貸人が賃貸物件の使用を許容しているにもかかわらず、入居者が営業を休止しているときには、賃貸物件を使用収益させる賃貸人の義務は果たされているため、入居者は賃料の支払義務を免れないこと。

・他方、商業施設の賃貸人が施設を閉鎖し、入居者が賃貸物件に立ち入れず、これを全く使用できないときは、賃貸人の義務の履行がないものとして、入居者は賃料支払義務を負わないと考えられること。

（考え方）

・賃料は賃貸物件の使用収益の対価であるため、賃貸人が賃借人に賃貸物件の使用収益をさせていない場合には、賃借人はその割合に応じて賃料の支払義務を負わないことになります。

（留意点）

・賃貸人が賃借人に対して、賃貸物件を使用収益させる義務を履行しているといえるかどうかは、様々な事情を考慮して事案ごとに判断される。

4 取引先等に対して復旧支援のため賃料の減額を行った場合、減額分について法人税の取扱上、寄付金として取り扱われるか[注8]

［注8］「国税における新型コロナウイルス感染症拡大防止への対応と申告や納税などの当面の税務上の取扱いに関するFAQ、4　新型コロナウイルス感染症に関連する税務上の取扱い関係、問4（令和2年4月30日更新）」（国税庁ホームページ）を参照の上、執筆しました。

（対応策の要旨）

・会社の行った賃料の減額が、例えば次の条件を満たすものであれば、実質的には取引先等との取引条件の変更となり、減額した分の差額について寄付金として取り扱われることはないこと。

① 取引先等において、新型コロナウイルス感染症に関連して収入が減少し、事業継続が困難となったこと、または困難となるおそれが明らかであること。

② 賃貸人である企業が行う賃料の減額が取引先等の復旧支援（営業継続や雇用確保など）を目的としたものであり、そのことが書面などにより確認できること（様式例は**図表2**を参照）。

③ 賃料の減額が、取引先等において被害が生じた後、相当の期間（通常の営業活動を再開するための復旧過程にある期間をいう）内に行われたものであること。

図表2　新型コロナウイルス感染症の影響により取引先に対して賃料を減免したことを証する書面の様式例

覚書（例）

【不動産所有者等名】（以下「甲」という。）と【取引先名】（以下「乙」という。）は、甲乙間で締結した〇〇年〇月〇日付「建物賃貸借契約書」（以下「原契約」という。）及び原契約に関する締結済みの覚書（以下「原契約等」という。）に関し、乙が新型コロナウイルス感染症の流行に伴い収入が減少していること等に鑑み、甲が乙を支援する目的において、以下の通り合意した。

第１条　原契約第△条に定める賃料を令和×年×月×日より令和▲年▲月▲日までの間について、月額□□円とする。

第２条　本覚書に定めなき事項については、原契約等の定めによるものとする。

令和◇年◇月◇日

（出典）国土交通省ホームページ「新型コロナウイルス感染症に係る対応について（補足その２）」掲載資料を基に作成

・取引先等に対して、すでに生じた賃料の減免（＝債権の免除等）を行う場合も同様に取り扱われること。

・この取扱いは、テナント以外の居住用物件や駐車場などの賃貸借契約においても同様とされていること。

(考え方)

・原則的な考え方は、企業が賃貸借契約を締結している取引先等に対して賃料の減額を行った場合、その賃料を減額したことに合理的な理由がなければ、減額前の賃料の額と減額後の賃料の額との差額については、原則として、相手方に対して寄附金を支出したものとして税務上、取り扱われるということです（法人税法第22条第３項、第４項、同法第37条)。上記（対応策の要旨）に掲げた内容は例外的な扱いといえます。

(留意点)

・賃料の減免を受けた賃借人（事業者）においては、減免相当額の受贈益が生じますが、この場合であっても、事業年度（個人の場合は年分）を通じて、受贈益を含めた益金の額（収入金額）よりも損金の額（必要経費）が多い場合には課税は生じないとされていること。

なお、[注８］で参考として掲げている法人税基本通達９−４−６の２（災害の場合の取引先に対する売掛債権の免除等）および租税特別措置法関係通達（法人税編）61の４（1）−10の２（災害の場合の取引先に対する売掛債権の免除等）の規定を列記します（下線は筆者による)。

●法人税基本通達

（災害の場合の取引先に対する売掛債権の免除等）

9－4－6の2　法人が、災害を受けた得意先等の取引先（以下9－4－6の3までにおいて「取引先」という。）に対してその復旧を支援することを目的として災害発生後相当の期間（災害を受けた取引先が通常の営業活動を再開するための復旧過程にある期間をいう。以下9－4－6の3において同じ。）内に売掛金、未収請負金、貸付金その他これらに準ずる債権の全部又は一部を免除した場合には、その免除したことによる損失の額は、寄附金の額に該当しないものとする。

既に契約で定められたリース料、貸付利息、割賦販売に係る賦払金等で災害発生後に授受するものの全部又は一部の免除を行うなど契約で定められた従前の取引条件を変更する場合及び災害発生後に新たに行う取引につき従前の取引条件を変更する場合も、同様とする。（平7年課法2－7「六」により追加、令2年課法2－10「一」により改正）

（注）

1　「得意先等の取引先」には、得意先、仕入先、下請工場、特約店、代理店等のほか、商社等を通じた取引であっても価格交渉等を直接行っている場合の商品納入先など、実質的な取引関係にあると認められる者が含まれる。

2　本文の取扱いは、新型インフルエンザ等対策特別措置法の規定の適用を受ける同法第2条第1号《定義》に規定する新型インフルエンザ等が発生し、入国制限又は外出自粛の要請など自己の責めに帰すことのできない事情が生じたことにより、売上の減少等に伴い資金繰りが困難となった取引先に対する支援として行う債権の免除又は取引条件の変更についても、同様とする。

●租税特別措置法関係通達（法人税編）

（災害の場合の取引先に対する売掛債権の免除等）

61の４（1）-10の２　法人が、災害を受けた得意先等の取引先（以下61の４（1）-10の３までにおいて「取引先」という。）に対してその復旧を支援することを目的として災害発生後相当の期間（災害を受けた取引先が通常の営業活動を再開するための復旧過程にある期間をいう。以下61の４（1）-10の３において同じ。）内に売掛金、未収請負金、貸付金その他これらに準ずる債権の全部又は一部を免除した場合には、その免除したことによる損失は、交際費等に該当しないものとする。

既に契約で定められたリース料、貸付利息、割賦販売に係る賦払金等で災害発生後に授受するものの全部又は一部の免除を行うなど契約で定められた従前の取引条件を変更する場合及び災害発生後に新たに行う取引につき従前の取引条件を変更する場合も、同様とする。（平７年課法２－７「二十八」により追加、令２年課法２-10「一」により改正）

（注）

1　「得意先等の取引先」には、得意先、仕入先、下請工場、特約店、代理店等のほか、商社等を通じた取引であっても価格交渉等を直接行っている場合の商品納入先など、実質的な取引関係にあると認められる者が含まれる。

2　本文の取扱いは、新型インフルエンザ等特別措置法の規定の適用を受ける同法第２条第１号に規定する新型インフルエンザ等が発生し、入国制限又は外出自粛の要請など自己の責めに帰すことのできない事情が生じたことにより、売上の減少等に伴い資金繰りが困難となった取引先に対する支援として行う債権の免除又は取引条件の変更についても、同様とする。

5 賃料減額請求の根拠付けとなる法律および該当条文

実務的な視点からとらえた場合、賃料減額請求の根拠付けとなる法律およびその条文を以下に掲げます。もちろん、このような条文が存在するからといって、あらゆる場合に賃料減額請求が認められるということまで意味するわけではありません。

これに関しては、「実際にどのような場合に賃料の減免が認められるのかは明らかではなく、賃貸借契約の目的や貸室の使用状況、周辺状況等の諸事情を勘案し、事案ごとに判断する他ありませんが、個別の事情によっては賃料の減額等が認められるケースもある[注9]」と考えられる点に留意が必要です。

［注９］蒲原茂明「Q&A コロナで変わる不動産 ①コロナ禍における賃料の扱い」『Kinzai Financial Plan』2020年10月（428号）p.18

●民法

（債務者の危険負担等）

第536条　当事者双方の責めに帰することができない事由によって債務を履行することができなくなったときは、債権者は、反対給付の履行を拒むことができる。

2　（省略）

第536条条文は危険負担に関するものですが、令和２年４月１日改正前の民法においては、当事者のいずれにも帰責事由がなく、契約上の一方の債務が履行不能になった場合、原則として反対債務は当然に消滅するとされていました。

令和２年４月１日以後の改正後の民法では、上記のとおり、当事者の帰責事由がなく債務の履行が不能である場合、反対債務は当然には消滅しないものの、債権者は反対給付の履行を拒むことができるとされました。ただし、個別的・具体的な判断が必要となることは、すでに述べたとおりです。

●民法

（賃借物の一部滅失等による賃料の減額等）

第611条　賃借物の一部が滅失その他の事由により使用及び収益をすることができなくなった場合において、それが賃借人の責めに帰することができない事由によるものであるときは、賃料は、その使用及び収益をすることができなくなった部分の割合に応じて、減額される。

2　賃借物の一部が滅失その他の事由により使用及び収益をすることができなくなった場合において、残存する部分のみでは賃借人が賃借をした目的を達することができないときは、賃借人は、契約の解除をすることができる。

第611条条文も、令和2年4月1日から施行された改正後の民法に規定された条文であり、改正前は、賃借人の過失によらないで滅失したときに賃料が減額できる旨規定されていました。これが改正により、賃借物の一部について使用収益ができない場合は、賃貸物件が滅失していなくても減額できるとされたものです（下線は筆者による）。

●借地借家法

（借賃増減請求権）

第32条　建物の借賃が、土地若しくは建物に対する租税その他の負担の増減により、土地若しくは建物の価格の上昇若しくは低下その他の経済事情の変動により、又は近傍同種の建物の借賃に比較して不相当となったときは、契約の条件にかかわらず、当事者は、将来に向かって建物の借賃の額の増減を請求することができる。ただし、一定の期間建物の借賃を増額しない旨の特約がある場合には、その定めに従う。

2　建物の借賃の増額について当事者間に協議が調わないときは、その請求を受けた者は、増額を正当とする裁判が確定するまでは、相当と認める額の建物の借賃を支払うことをもって足りる。ただし、その裁判が確定した場合において、既に支払った額に不足があるときは、その不足額に年一割の割合による支払期後の利息を付してこれを支払わなければならない。

3　（省略）

上記条文は、賃借人の立場からすれば、一定の場合に賃貸人に対し賃料の減額を求めることができる旨定めています。コロナ禍との関係で考えれば経済事情の変動がまず先にあげられますが、これだけでなく、対象物件の賃料が近傍同種の建物の賃料に比べて不相当となったか否か等も含め、当事者間における具体的な事情が総合判断されるものと思料されます。このような事情は、コロナ禍に特有のものではなく、借地借家法の趣旨に即して考えれば、全般的に共通するものがあります。

また、上記の規定に関連し、例えば次のような見解が存することも念頭に置く必要があります。

「貸主においては、賃貸物件の取得や建設等に係る融資の返済、貸主自らの生活維持等の観点から、直ちに賃料の減額に応じることは困難であることも多いでしょうが、協議にすら応じないというスタンスをとり続けると、上記の法的リスク[注10]が顕在化することに留意しなければなりません。また、借主が契約の継続を断念して契約の終了という選択肢を採った場合、次の借主が早期に見つかるか、次の契約における賃料はどの程度になるかなどの点も考慮することが必要となります。[注11]」

［注10］ここでは、民法第611条（賃借物の一部滅失等による賃料の減額等）および借地借家法第32条（借賃増減請求権）を指しています。

［注11］佐藤貴美「紙上研修　連載第190回　新型コロナウイルス感染症拡大防止対策に伴う賃貸借契約の取扱い」『REAL PARTNER』2020年７月号　通巻第496号、p.15

6 賃料減額を認めた参考判例

以下、改正前民法の規定に基づく裁判例ですが、裁判所が賃料減額を認めた事案を紹介しておきます。

1)　阪神淡路大震災によりマンションの上下水道・ガスが一時的に使用不能となり、その期間における賃料支払義務が争われた事案～神戸地裁平成10年9月24日判決（判例秘書 L05350680）

「本件各物件は、本件地震後も建物の効用を維持しているものの、平成7年1月17日以降同年3月11日までの間、上下水道及びガスが使用不能であり、同月12日以降同月31日までの間ガスが使用不能で、食事・入浴・用便・就寝といった日常生活を行うことが困難となり、本件各賃貸借契約が目的とした本件各物件の使用収益が大幅に制限される状態になったものと認められる。（中略）原告（X）らは、かかる場合に民法611条を適用ないし類推適用すべき旨主張するのであるが、同条は、賃借物件の一部滅失の場合の賃借人の賃料減額請求（又は解除請求）を定め、滅失部分の原状回復が賃貸人の義務ではないことを前提としており、本件のように賃借物件が何ら滅失しておらず、賃貸人に修繕義務が発生するという場合にまで当然に適用されるとは解し難い。」

「賃貸借契約は、賃料の支払と賃借物件の使用収益とを対価関係とするものであり、賃借物件が滅失に至らなくても、客観的にみてその使用収益が一部ないし全部できなくなったときには、公平の原則により双務契約上の危険負担に関する一般原則である民法536条1項を類推適用して、当該使用不能状態が発生したときから賃料の支払義務を免れると解するのが相当である」

2)　東日本大震災に伴い原子力発電所から放射性物質が放出される事故により店舗の閉店等を余儀なくされたが、本件は当事者双方の責めに帰することができない事由により賃貸借契約上の義務が履行できなくなったと認められるから賃借人は賃料の支払義務を負わないとされた事案～札幌地裁平成28年3月18日判決（判例時報2320号103頁）

「補助参加人（賃貸人）が原告（賃借人）に対して本件建物を使用収益させ

る義務は、本件事故という当事者双方の責めに帰することができない事由によって履行できなくなったと認められるから、原告は、上記賃料を支払う義務を負わない」

7 敷金を賃料の支払いに充当して欲しいという賃借人からの請求は認められるか

賃貸借契約の慣行上、敷金の支払いは従来から行われてきましたが、改正前民法では敷金の定義は一切なされていませんでした。

改正後の民法では、これまでの実務慣行を踏まえた敷金の定義を明確化し、敷金の性格を、いかなる名目によるかを問わず、賃料債務その他の賃貸借に基づいて生ずる賃借人の賃貸人に対する金銭の給付を目的とする債務を担保する目的で、賃借人が賃貸人に交付する金銭と規定しました（同法第622条の２第１項）。

●民法

第622条の２　賃貸人は、敷金（いかなる名目によるかを問わず、賃料債務その他の賃貸借に基づいて生ずる賃借人の賃貸人に対する金銭の給付を目的とする債務を担保する目的で、賃借人が賃貸人に交付する金銭をいう。以下この条において同じ。）を受け取っている場合において、次に掲げるときは、賃借人に対し、その受け取った敷金の額から賃貸借に基づいて生じた賃借人の賃貸人に対する金銭の給付を目的とする債務の額を控除した残額を返還しなければならない。

一　賃貸借が終了し、かつ、賃貸物の返還を受けたとき。

二　賃借人が適法に賃借権を譲り渡したとき。

2　賃貸人は、賃借人が賃貸借に基づいて生じた金銭の給付を目的とする債務を履行しないときは、敷金をその債務の弁済に充てることができる。この場合において、賃借人は、賃貸人に対し、敷金をその債務の弁済に充てることを請求することができない。

そして、同条第2項の規定により、賃借人に賃料の未払いがある場合は、賃貸人は、賃借人の同意なく敷金を債務の弁済に充てることが可能となります。これに対し、賃借人側から賃貸人に対し、敷金をその債務の弁済に充てることはできないとされています。この規定も次のとおり、過去の最高裁判例の考え方を踏襲したものとなっています。

○最高裁昭和45年9月18日判決（集民第100号453頁）

（裁判要旨）

建物の賃借人から賃貸人に対し敷金がさしいれられている場合においても、特段の事情のないかぎり、賃借人が賃料を延滞したときは、これを理由に賃貸人は賃貸借契約を解除することができ、右差入敷金額が16万円、延滞賃料が20万円で、差引をした場合には賃料の延滞分が1か月分にもみたないとしても、右契約解除が信義則に反し権利濫用となるものではない。

したがって、賃借人から賃貸人に対し、賃料が支払えないため敷金から充当して欲しいと主張しても、特段の合意がない限り認められないということになります。ただし、前記1に掲げた法務省の見解のとおり、賃借人が一時的に賃料を支払えなかった場合でも、賃貸借契約が直ちに解除されてしまうわけではありません。すなわち、賃貸人と賃借人との間で信頼関係が破壊されていないと認められる事情がある場合には、賃貸人は契約を解除できないとされているからです。繰り返しとなりますが、法務省の見解によれば、新型コロナウイルス感染症の影響により3か月程度の賃料不払いが生じても、その前後の状況を踏まえ、信頼関係は破壊されていないと判断されるケースも多いと考えられます。

■著者紹介

黒沢 泰（くろさわ・ひろし）

昭和25年、埼玉県生まれ。昭和49年、早稲田大学政治経済学部経済学科卒業。同年、NKK（日本鋼管株式会社）入社。平成元年、日本鋼管不動産株式会社出向（後に株式会社エヌケーエフへ商号変更）。平成16年、川崎製鉄株式会社との合併に伴い、4月1日付で系列のJFEライフ株式会社へ移籍。現在、JFEライフ株式会社不動産本部・部長、不動産鑑定士。

【役職等】不動産鑑定士実務修習修了考査委員、不動産鑑定士実務修習担当講師（行政法規総論）、公益社団法人日本不動産鑑定士協会連合会調査研究委員会判例等研究小委員会委員長、公益社団法人日本不動産鑑定士協会連合会「相続専門性研修」「財団の鑑定評価」「税務上の相当地代と公有財産の貸付基準」担当講師

【主著】『土地の時価評価の実務』（平成12年6月）、『固定資産税と時価評価の実務Q&A』（平成27年3月）、『税理士を悩ませる財産評価の算定と税務の要点』（平成29年10月）、『実務につながる地代・家賃の判断と評価』（平成30年9月）、『基準の行間を読む不動産評価実務の判断と留意点』（令和元年8月）、『記載例でわかる　不動産鑑定評価書を読みこなすための基礎知識』（令和2年11月）、『土地利用権における鑑定評価の実務Q&A』（令和3年12月、以上清文社）、『新版逐条詳解・不動産鑑定評価基準』（平成27年6月）、『新版私道の調査・評価と法律・税務』（平成27年10月）、『すぐに使える不動産契約書式例60選』（平成29年7月）、『雑種地の評価―裁決事例・裁判例から読み取る雑種地評価の留意点』（平成30年12月）、『共有不動産の鑑定評価』（令和2月9月）、『新版不動産の取引と評価のための物件調査ハンドブック』（令和3年4月）、『相続財産の税務評価と鑑定評価　土地・建物の評価において《特別の事情》の認否が争点となった重要裁決例・裁判例』（令和3年8月、以上プログレス）、『事例でわかる不動産鑑定の物件調査Q&A（第2版）』（平成25年3月）、『不動産鑑定実務ハンドブック』（平成26年7月、以上中央経済社）、『まるごと知りたい不動産鑑定士』（令和3年11月、税務経理協会）ほか多数。

新版 実務につながる 地代・家賃の判断と評価

2022年10月5日　発行

著　者　黒沢 泰 ©

発行者　小泉 定裕

発行所　株式会社 清文社

東京都文京区小石川1丁目3－25（小石川大国ビル）
〒112-0002　電話03(4332)1375　FAX 03(4332)1376
大阪市北区天神橋2丁目北2－6（大和南森町ビル）
〒530-0041　電話06(6135)4050　FAX 06(6135)4059
URL https://www.skattsei.co.jp/

印刷：亜細亜印刷㈱

■本書の内容に関するお問い合わせは編集部まで FAX（03-4332-1378）または edit-e@skattsei.co.jp でお願いします。
■本書の追録情報等は，当社ホームページ（https://www.skattsei.co.jp/）をご覧ください。

ISBN978-4-433-77472-1